소녀는 순수하지 않다

D&C BOOKS ROMANCE NOVEL

소녀는 순수하지 않다

II

박슬기 장편소설

D&C
BOOKS

Contents

A girl is not pure

II.

View of Yeoul

11. 13년째, 우리

11. 13년째, 우리

누군가 그랬다. 이십 대 초중반의 여자는 싱그럽지만 아직 노련함이 부족하고, 삼십 대 중후반의 여자는 성숙하지만 순수함이 부족하다고. 따라서 여자가 가장 매력적인 시기는 그 중간인 이십 대 후반부터 삼십 대 초반이노라고.

"누가 그런 개소리를 하더냐?"

"내 전 남친이."

"입사하고 헤어졌던 그 남친?"

"응, 그놈."

점심시간의 북적이는 카페 내에서는 멜리사 폴리나의 'Above water'가 흘러나오고 있었다. 테이블 맞은편에 앉아 있던 소영이가 내 말에 코웃음을 쳤다.

"네가 이십 대 중반에서 후반으로 넘어갈 무렵 정확하게 헤어졌던 그놈? 제 입으로 말한 여자가 가장 매력적인 시기의 여친이 있음에도 불구하고, 노련함이 부족하여 별로라던 스무 살짜리 대학 후배랑 바람났던 그 새끼?"

나는 두툼한 빨대로 얼음 조각만 남은 아이스커피 잔을 달그락달그락 뒤적이며 침묵했다. 소영이는 그런 나를 비딱한 눈초리로 쳐다보며 혀를 찼다.

"연락 왔냐?"

"아니."

"근데 갑자기 그 쓰레기는 왜 소환하는데?"

"그냥. 나는 왜 가장 매력적이라는 시기에 남친이 없는 걸까 하고."

"그 가장 매력적인 어쩌고 집어치워. 그 새끼 이론 따위 머리에 집어넣고 살지 마. 우리는 태어나서 지금까지 줄곧 매력적이었고 앞으로도 쭉 그럴 거니까."

소영이가 손으로 긴 머리칼을 넘기며 찰랑이는 머릿결을 뽐냈다. 나는 입꼬리를 살짝 올려 웃었다.

"네 말이 맞다."

"우리 여울이, 휴가 가서 많이 외로웠나 보네. 그 똥차 쓰레기를 다 떠올리고."

"그러게……. 아무래도 그 똥차 쓰레기 이론이 내 몸에 저주로 들러붙은 모양이야."

립스틱이 뭉개진 내 입술 사이로 가느다란 한숨이 새어 나왔다. 나는 턱을 괸 채 쨍쨍한 햇살이 스며드는 창문 밖을 멍하니 바라보았다. 한여름의 날씨가 쾌청하다. 아스팔트를 녹여 버릴 듯한 태양의 열기와 카페 바로 맞은편에 위치한 백반집의 김치찌개 냄새가 기가 막힌 향연을 이룬다.

"왜? 너 이번 주인가 다음 주에 소개팅하기로 했잖아. 파투 났어?"

"아니, 그건 아니고……."

나는 대답 대신 모호하게 웃었다. 소영이는 눈을 흘기더니 쓸데없는 소리 좀 하지 말라며 장난스럽게 손등을 때렸다.

8월 셋째 주 수요일의 땡볕 오후.

파란색 줄로 된 사원증을 목에 건 사람들이 하나둘씩 카페 문밖으로 나가기 시작했다. 핸드폰 액정을 들여다본 소영이도 그만 들어갈 시간이라며 자리에서 일어났다. 기지개를 쭉 편 그녀는 숨통 트이라고 내렸던 옆구리 치마 지퍼를 쭉 잡아 올렸다. 그러고는 겨드랑이와 팔꿈치 사이에 얼마 전 구입한 샤넬 클러치를 보란 듯이 끼워 넣었다. 역시 오피스룩의 완성은 명품백이라고 외치며.

"백도 명품, 친구도 명품, 이제 남자만 명품으로 오면 되는데."

나는 피식 웃으며 발등에 살짝 걸어 놨던 오픈토 힐을 고쳐 신었다. 소영이는 내 옆구리를 쿡 찌르며 엉큼한 눈짓을 보냈다.

"오늘 퇴근하고 맥주 콜?"

"오늘 회식이래."

"또? 엊그제 하지 않았어?"

"오늘은 영업부 전체 회식. 1팀하고 3팀이랑 다 같이. 1팀 걔네는 무조건 소맥인데 진짜 짜증 난다."

안쓰러운 눈초리로 쳐다보던 그녀가 위로하듯 내 어깨를 어루만졌다. 짧아진 내 머리를 툭툭 건드리는 그녀의 손길에 나는 짐짓 발랄한 척 빙그르르 돌며 웃었다.

"나 머리 자른 거 어때?"

"어떻긴. 완전 귀엽지. 고등학교 때 헤어스타일이랑 완전 똑같아."

"머리만?"

"어우, 얼굴도 완전 그때랑 판박이지."

추임새를 넣어 주는 소영이의 목소리에 기분이 한결 나아졌다. 역시 내 회사 생활의 유일한 즐거움이라고는 일주일에 세 번 있는 베스트 프렌드와의 점심식사뿐이었다.

소영이와 나는 중고등학교 동창이다. 안타깝게도 대학은 각기 다른 곳에 붙었지만 그럼에도 불구하고 대학 시절 내

내 함께 붙어 다녔다. 우리들의 운명 같은 우정은 테헤란로에 있는 타이어 회사 본사에 넣은 지원서가 동시 합격하면서 또 한 번 입증됐다. 우리는 전율을 느끼며 외쳤다. 너와 나는 전생에 부부였거나, 불륜이었거나 둘 중 하나였을게 분명하다고.

"쟤네 체크걸 아니냐?"

얼음만 남은 빈 컵을 정리하던 나는 소영이의 턱짓에 뒤를 돌아보았다. 안쪽 소파 테이블 자리에 앉아 수다를 떨고 있는 여자 세 명이 보였다.

"쟤네는 사내 식당 놔두고 왜 밖에서 밥을 먹는다니? 우리처럼 식권 철새도 아니면서."

"사내 식당에서 밥 먹고 커피만 마시러 나온 거 아닐까?"

"테이블 위에 샐러드랑 베이글 있잖아. 아주 우아한 오찬이시네."

소영이가 못마땅하게 노려보고 있는 테이블의 주인공은 우리와 같은 건물을 쓰고 있는 체이스 카드의 사원들이었다. 우리 회사 사람들은 그들을 줄여서 체크걸, 체크보이라고 부른다. 우리만 이렇게 유치하게 구는 건 아니다. 쟤네도 로드 스톤에 다니는 우리를 돌쇠와 마리라고 부르고 다니니까.

돌쇠는 그렇다 쳐도 마리는 돌머리의 변형된 줄임 말이

었다. 본인들 학벌이 평균적으로 우리보다 더 높다고 조롱하듯 붙인 별명이었다.

사내 식당이 없어서 점심때마다 회사 식권을 들고 뒷골목의 식당들로 향하는 우리와 달리, 체이스 카드사는 최고의 시설을 갖춘 사내 식당과 최고의 영양사가 짜 준 식단을 구비하고 있었다. 에어컨이 빵빵하게 나오는 사내 식당을 두고 왜 굳이 덥고 붐비는 골목 속 식권 계약 카페에 납시셨는지 이해가 되지 않는 중이었다.

나는 팔짱을 낀 채 의문스러운 눈빛으로 말했다.

"쟤네 식단에 365일 있는 게 샐러드 아니었어?"

"내 말이! 입만 열면 지네 식당 자랑, 메뉴 자랑이잖아. 커피랑 후식도 뭐 끝내준다면서 우리 지나갈 때마다 우연인 척 얘기하는 것들이 여긴 왜 나왔냐고."

"진짜 우리 회사는 돈이 없어서 쟤네한테 건물 절반을 판 건가?"

재작년 겨울, 로드 스톤은 본사 건물 내 다섯 개의 층과 카페테리아가 있는 꼭대기 층을 체이스 카드에 팔았다. 그리고 이듬해 봄, 시청역 앞에 있던 체이스 카드 본사는 우리 회사 건물로 본사를 이전했다. 우리들의 휴식처였던 건물 꼭대기의 카페테리아는 체이스 카드의 전용 식당으로 탈바꿈하고 말았다.

"쟤네 연봉이 우리의 거의 두 배잖아. 회사가 돈이 많으니 연봉도 그렇게 높은 거겠지만."

"우리 회사도 돈 많대. 그냥 우리 연봉이 짠 거야."

"진짜?"

소영이는 눈을 커다랗게 뜨며 되묻고선 입술을 바르르 떨었다. 그녀의 배신감 어린 표정에 나는 그것도 몰랐냐고 혀를 찼다. 이어서 얼마 전 회식 자리에서 박 대리가 해 줬던 말을 덧붙여 줬다.

"심지어 부사장 연봉도 다른 회사의 반의반 수준이라던데? 그러니까 다들 대리 달고 이직하지. 승진해도 희망이 없잖아."

"그건 아는데…… 나는 여태까지 우리 회사가 돈이 없어서 그런 줄 알았지."

"그럴 리가 있겠어? 매년 팍팍 치고 올라가는 성장률 좀 봐."

특히 저 소파 테이블에 앉아 있는 세 명의 체크걸은 유독 우리와 많이 마주치는 인물들이었다.

"오늘은 셋이 아니라 넷이네."

못 보던 여자 한 명이 커피를 들고 합류하는 게 보였다.

"그러게, 오찬 클럽에 회원 한 명 더 받았나 보다. 우리는 그만 가자."

"그래."

그때 뒤따라오던 소영이가 멈칫하더니 다시 뒤를 돌아보았다. 체크걸들을 빤히 보던 그녀는 미간을 좁힌 채 눈초리를 가자미처럼 모았다.

"그런데 쟤 어디서 본 애 같지 않아?"

"누구?"

"저기 새로 온 체크걸……. 헐, 여울아, 쟤 반장 아니냐?"

"반장? 무슨 반장?"

"그 있잖아, 우리 중3 때 같은 반이었던……."

가지런한 치아와 미소, 단정한 포니테일, 반듯해 보이는 걸음걸이, 옷매무새를 정돈하며 의자에 앉는 자세에 소름이 쫙 돋았다. 왜 내 빈곤한 기억력은 이럴 때만 스파크를 튀며 번쩍이는지 모르겠다.

"헐."

미친, 진짜 곽다정이다. 우리 시선을 눈치챘는지 그녀가 이쪽을 쳐다보는 게 보였다. 그러더니 눈을 휘둥그레 떴다.

"야, 쟤 우리 알아봤다."

"뭐? 헉……. 이쪽으로 온다. 쟤 이쪽으로 오는 거 맞지?"

늘씬한 그녀가 우리를 향해 환하게 웃으며 걸어오고 있었다.

"어머, 소영아! 진짜 소영이 맞구나!"

팔짱을 낀 소영이의 팔에서 짧은 경련이 느껴졌다. 나는 순식간에 판단을 내렸다. 소영이에게는 미안하지만 나라도 모른 척 돌아서야겠다고. 안 그래도 채 썰듯 야무지게 조각내서 소비해야 하는 점심시간인데 마지막 15분을 이렇게 낭비할 수는 없었다.

"옆에 설마…… 여울이니?"

귀신같은 계집애, 사람 빡치게 하는 눈썰미는 여전했다. 나는 태연한 척 돌아서서 억지 미소를 지었다.

"어, 안녕?"

"어머, 웬일이야! 진짜 오랜만이다. 잘 지냈어?"

그럼, 엄청 잘 지냈지. 지금 여기서 너랑 마주치기 전까지 우리들의 삶은 완벽했어.

"너희 표정이 왜 그래? 나 안 반가워?"

다 알면서 뻔뻔하게 물어보는 스킬도 여전했다. 소영이와 나도 나름 사회생활을 하면서 온갖 기술을 연마했는데, 역시 이 계집애 앞에서는 한낱 미물에 불과한 수준이다. 우리의 사회적 지능이 지렁이 레벨이라면 쟤는 이미 승천한 용이었다.

나는 새로 시킨 아이스 아메리카노를 빨대로 쪽 빨아 마셨다. 소영이는 터프하게 뚜껑을 연 채 커피를 얼음과 함께 씹어 마시기 시작했다.

"여울아, 물어볼 게 있는데."

"뭔데?"

"혹시 은수랑 연락되니?"

와드득. 얼음 씹는 소리가 울려 퍼지자, 곽다정의 놀란 눈이 소영이의 얼굴로 향했다. 내 왼쪽 얼굴을 무섭게 노려보는 소영이의 눈초리에서 텔레파시가 전해져 왔다. 말하지 말라고, 절대 대답해 주지 말라고.

"아니? 왜?"

"그렇구나. 아니, 그냥 궁금해서."

"그렇게 궁금하면 걔네 기획사로 직접 찾아가든지 해 봐."

소영이가 미소를 띤 채 말했다. 나는 웃음을 꾹 참았다. 소영이의 저 접대용 미소는 입 냄새 상무랑 이야기할 때만 이 악물고 발휘하는 필살기인데, 지금 이 자리가 얼마나 싫으면 저 유체 이탈 미소까지 나올까 싶었다.

"기획사는 무슨……. 걔 이제 너무 유명해져서 아는 척도 못하겠더라."

"언제 마주친 적이라도 있었어?"

"어? 아니, 그건 아니고……."

소영이가 피식 웃으며 빨대로 얼음 하나를 또 낚시질해서 건졌다. 아는 척할 일도 없으면서 별걸 다 걱정한다는 표정이었다. 나는 실룩거리는 입꼬리를 바르르 떨며 참았다. 우리 소영이가 예전에 비하면 참 많이 터프해졌다니까.

머쓱해하던 곽다정은 귀에 걸린 백조 브랜드 귀걸이를 만지작거리며 화제를 돌렸다.

"그런데 너희 윤아 소식은 들었어?"

"윤아? 이윤아?"

"얼마 전에 상업 지구에서 우연히 마주쳤거든. 곧 결혼한다더라. 그래서 연락되는 애들끼리 한번 모였었거든? 그때 나온 얘긴데 동창회를 한번 하는 게 어떨까 해서. 너네도 올 거지?"

"글쎄, 잘 모르겠네."

소영이가 기지개를 켜며 일어섰다. 손목에 낀 머리끈으로 머리를 묶는 걸 보니 이만 회사로 들어가고 싶은 마음이 굴뚝같은 듯했다. 동감이다, 소영아. 나도 진짜 당장 워프해서 사라지고 싶다.

"윤아가 너희 둘 많이 보고 싶어 하더라. 하고 싶은 말도 있는 것 같았고……."

"우리는 별로 하고 싶은 말 없는데……. 난 없거든. 여울아, 넌 있어?"

"어? 아니, 별로……."

"은수도 오면 좋을 텐데. 아무래도 힘들겠지?"

다시 또 은수 얘기였다. 곽다정 쟤는 아까부터 자꾸 은수 얘기를 하면서 나를 쳐다본다. 나는 관심 없다는 눈빛으로 시선을 회피했다. 이 거북한 분위기, 아주 오래전에도 느껴 본 적 있었다. 나는 이만 들어가야겠다며 소영이의 팔을 잡고 일어섰다.

곽다정은 잽싸게 우리 번호를 따 갔다. 연락하겠다며 손을 흔드는 그녀에게 우리는 마지못해 그러라며 상냥하게 웃었다. 소영이는 못마땅한 표정으로 그녀의 뒷모습을 노려보며 말했다.

"쟤는 아직도 자기가 우리 반장인 줄 아나 봐. 여기저기 애들 연락해서 불러 모으면 그저 모두가 즐겁고 행복할 거라 생각하네."

졸업하고 십 년 넘게 전혀 연락을 주고받지 않았던 동창들은 대부분 살면서 마주치지 않는 게 마음이 편한 사람들이다. 추억이라는 게 그렇다. 내가 기억하는 것과 상대가 기억하는 과거의 모습은 신기할 정도로 종종 다르다. 괜히 만나서 옛날이야기를 한답시고 추억놀이를 하며 웃다가는 잊고 있던 상처를 건드려서 다시 곪아 터지는 수가 있다.

나는 곽다정 번호를 저장하며 새로운 그룹을 생성했다. 가림중학교 그룹. 소영이와 은수는 별표 그룹에 분류되어 있었기에 그쪽에 포함시키지 않았다. 내 중학교 그룹은 현재 곽다정 한 명뿐이다.

카페에서 나오자마자 정신 나간 매미가 시끄럽게 울며

귓전을 때렸다. 우리는 팔로 햇빛을 가리며 사방팔방 골목 사이로 거미줄처럼 전깃줄을 친 전봇대 위를 노려보았다.

"매미는 며칠만 살다 죽는 거 아니었어? 나 휴가 쓰기 전에도 저기서 울어 댄 걸로 기억하는데 아직도 살아 있네."

"나는 저 매미보다 곽다정이 더 징그럽다. 어떻게 대화의 끝이 무조건 기승전하은수냐? 너 동창회 갈 거야?"

"미쳤어? 내가 거길 왜 가?"

"곽다정 걔라면 진짜 하은수한테 연락할지도 모르겠다. 어쨌든 걔네 중고등학교 동창이긴 하잖아."

아 맞다, 진성고. 둘이 같은 고등학교 나왔었지. 나의 주관적인 의견이긴 하지만 그냥 동창인 사이도 아니고 곽다정이 아주 친한 척 엉겨 붙던 그런 관계였던 걸로 기억한다.

"근데 너 고2 때인가 진성고 간 적 있지 않았어? 축제 때 하은수 보러 간다고……."

"됐어, 그때 얘기는 하지도 마."

그때는 내가 정말 미쳤었지. 다시 생각해도 낯 뜨겁고 쪽 팔린다. 물론 그 덕에 은수와 다시 사이가 좋아지긴 했지만, 이 자식은 십 년도 더 지난 지금까지 가끔 그 얘기를 하며 나를 놀려 먹었다. 그때 내가 곽다정 때문에 얼마나 열 받았는지도 모르고.

나는 인상을 쓰며 핸드폰 액정을 터치했다. 소영이가 가다 말고 뭐 하냐는 표정으로 나를 쳐다보았다.

"갑자기 어디 전화해? 회사 안 들어가?"

단축 번호 1번을 꾹 누르자, 컬러링 없는 신호음이 정확히 세 번 울리고 멈췄다.

― 여보세요?

"하은수, 너 곽다정 기억해?"

'여보세요'를 하기도 전에 대뜸 날린 질문에 은수는 당황했는지 잠시 침묵했다. 그러더니 낮은 목소리로 천천히 되물었다.

― 누구?

"곽다정."

― 모르겠는데.

내 입가에 미소가 번지자, 손으로 햇빛을 가린 채 서 있던 소영이는 나를 미친년 취급하며 혀를 찼다. 그걸 굳이 지금 전화해서 확인해야겠냐는 표정이었다. 응, 확인해야겠는데. 역시 나의 이웃집 건담은 내 신뢰를 배신하는 법이 없다.

― 왜? 누군데?

심지어 누구냐고 다시 묻는다. 아, 기분이 좋아졌다. 아주 기분 째진다. 나는 미소 띤 얼굴로 친절하게 설명했다.

"우리 중학교 동창이잖아. 오늘 우연히 마주쳤는데 나한테 너랑 연락하냐고 묻더라고."

– 그래서?

"연락 안 한다고 했는데?"

수화기 너머로 은수의 웃음소리가 들려왔다.

– 왜 거짓말했어?

"뻔하잖아. 안부가 궁금하다는 핑계로 네 연락처 묻거나 접근하려는 시도겠지. 내가 이런 거 한두 번 당하는 줄 아냐? 그냥 차단하는 게 제일이야."

– 잘했어.

웃음기 밴 목소리로 부드럽게 칭찬했다. 괜히 우쭐한 기분이었다. 이런 못된 심보까지 귀엽게 봐주는 녀석의 태도가 내 콧대를 하늘까지 솟아오르게 만든다. 그래, 곽다정이 뭐라고 신경 써? 어차피 은수는 옛날부터 반장 따위 안중에도 없었는데.

"지금 뭐 해?"

– 스튜디오야. 오늘 잡지 촬영 있어.

"혹시 저번에 촬영했던 거기야? 메이스 카페 근처?"

– 맞을걸?

"나 그럼 거기서 그거……."

– 치즈케이크 사다 달라고?

"응, 그거."

– 알았어. 이따가 집으로 갈까?

"아니, 내가 너희 집으로 갈게. 이따 퇴근하고 봐."

전화를 끊자, 여전히 날 미친년 보듯 쳐다보고 있는 소영이가 보였다. 기가 막힌지 팔짱까지 낀 채 너 진짜 미쳤냐는 입 모양을 하고 있었다. 나는 쿨한 척 시크한 표정을 지으며 앞서 걸어갔다.

"왜? 유치하다고 말할 거면 그만둬, 나도 아니까."

"아니, 그게 아니고."

"그럼 왜? 나 원래 은수네 집 자주 놀러 가."

"아니, 그게 아니고……."

"아, 카페에서 케이크 사다 주는 거? 걔 원래 나한테 먹을 거 하나는 잘 사다 주잖아."

"아니, 그게 아니고!"

"그럼, 뭐?"

"너 오늘 회식이잖아."

"아, 맞다."

바로 다시 전화를 걸었지만 은수의 핸드폰은 이미 꺼져 있었다. 이따 촬영 끝날 때쯤 연락해 봐야겠네. 나는 배시시 웃으며 핸드폰을 주머니에 넣었다. 어쨌든 기분은 엄청 좋았다. 소영이는 내 어깨에 팔을 걸치더니 늦었다며 목을 잡고 질질 끌고 가기 시작했다.

"그런데 하은수 진짜 곽다정 모른대?"

"응, 전혀 기억 못하는 눈치던데?"

"대박, 곽다정한테 그냥 하은수 연락처 넘겨줄걸 그랬나?"

소영이는 입을 크게 벌리고 깔깔거리며 웃었다. 같이 엘리베이터를 탄 사람들이 이상하게 쳐다보자 우리는 웃음소리를 죽인 채 고개를 숙였다. 나는 구두를 신은 발등으로 소영이의 발을 톡톡 건드리며 속삭였다.

'먼저 내릴게, 이따 메신저에서 봐.'

엉덩이 뒤로 손을 살짝 흔들어 인사하자, 소영이도 내 손을 가볍게 잡았다가 놓으며 알았다는 신호를 보냈다. 신나는 걸음으로 양치질을 하러 화장실로 향했다. 기분이 건물 꼭대기를 치고 올 만큼 고조된 상태였던 난 '은수에게 이따 연락해야지' 했던 다짐을 이후 9시간 동안 아주 새까맣게 잊고 말았다.

부서 회식 장소는 대개 높으신 분들 취향에 따라 정해진다는 걸 알고는 있지만 그래도 매번 불만스러운 건 어쩔수 없다. 행여나 채식주의자라도 입사를 했다가는 한 달내에 퇴사 각일 정도. 삼겹살에 소주 한 잔을 못하면 무슨 대역죄라도 지은 것처럼 몰아가는 게 저 인간들 특징인데, 고기든 술이든 거부를 했다가는 회식 분위기를 망치는 주

범으로 몰려서 그날부터는 죄인처럼 구석 자리행일 게 뻔했다.

누군가 나에게 '회식 없는 세상과 고기 없는 세상 중 어느 쪽을 택할래?'라고 묻는다면 정말 치열하게 대답을 고민할 것 같다. 중요한 것은 술이냐, 고기냐가 아니고 '누구와 함께 먹는가'인 것을.

"여울 씨."

"네."

대학 다닐 때는 소주 한 잔에도 기분으로 취하고, 소맥 한 잔에도 행복 한 모금을 마시고는 했는데, 지금은 손에 소주잔만 쥐면 언제 생수를 타야 할지 타이밍을 재며 물컵을 노려보기 바쁘다.

주량 역시 널뛰기를 했다. 20대 초반에는 소주 세 잔이 한계였지만 이제는 소주 한 병도 거뜬하다. 물론 집 밖에서 마신다는 조건하의 이야기다. 집 안에서 마실 경우에는 여전히 석 잔에도 헤실거리며 풀어진다는 사실.

역시 사람은 마음먹으면 못할 것이 없다. 지난 5년간, 나는 단 한 번도 회식 자리에서 취한 적이 없다. 몇 잔을 마시든 회사 사람들이 있는 곳에서는 절대 허리도 혓바닥도 고꾸라트리지 않는다는 게 내 철칙이다. 이건 내 영혼에 새겨 넣은 규율이고, 옆집 사는 누군가가 십 년간 세뇌하듯 정신 훈련을 시킨 결과이기도 했다.

나는 우리 팀장님을 매우 사랑한다. 이탈리아 주재원으로 8년을 일하다가 오신 팀장님은 마흔다섯의 유부남으로 아주 바람직하고 세련된 사고방식을 갖춘 분이셨다. 팀장님 덕분에 우리 팀 회식의 두 번 중 한 번은 무조건 점심 회식이며, 저녁 회식도 와인을 마시는 이탈리안 레스토랑에 가는 경우가 대부분이다.

문제는 팀장님이 무조건 1차만 하고 집에 가신다는 점인데……. 난 팀장님이 계신 회식이 좋은데 너무 일찍 가셔서 탈이었다. 하기야 사내에서 바람직한 팀장님들의 공통분모는 하나같이 칼퇴근이더라.

팀장님만 퇴장하면 와인과 파스타에서 해방된 박 대리와 전 주임이 짐승으로 돌변해 설쳐 대기 시작한다. 내 입가에 얼어붙은 겨울왕국이 오는 시점도 바로 그때부터다. 시큰둥한 엘사가 된 나는 그때부터 10분 간격으로 시계만 쳐다본다.

"우리 사귈까?"

미친놈, 또 시작하네.

저 개소리를 해 대는 건 박 대리다. 서른넷의 박 대리는 술만 마시면 사귀자고 들이댄다. 더 짜증 나는 건 다음 날 술이 깨고 나면 기억 상실을 시전하면서 모르쇠로 일관하는데, 이걸 확 고소해 버릴 수도 없고, 그저 언젠가 아무도 안 보는 곳에서 쥐 패 버릴 생각만 하며 칼을 갈고 있다.

박 대리와 전 주임은 둘 다 회사 근처에서 혼자 산다. 그래서인지 두 놈 다 집에 가는 걸 아주 싫어한다. 특히 전 주임 저 진상은 주말에도 회사에 나오는 상또라이다. 본인 말로는 회사가 집 같단다. 팀이 가족 같단다. 그래서 낮이고 밤이고 함께하고 싶단다. 우리 팀 여직원들은 너를 개 라고 생각하는데. 개집에서 자꾸 기어 나오는 멍멍이 새끼 로 취급하는데, 하긴 개집에서 키우는 개도 가족이기는 하 다만, 아무튼 저 눈치 없는 인간은 절대 모른다. 사내 모든 여사원들이 본인을 진상으로 생각한다는 것을.

우리나라는 노동법에 주말 출근을 아예 금지시키는 법을 만들어야 한다. 회식은 점심시간에만 하게 해야 하고, 김 영란 법처럼 회식할 때 음주가무를 하다가 걸리면 잘라 버 리든가, 벌금을 내든가 하도록 말이다. 아니면 회식도 업 무의 일환으로 보고 수당을 주든가. 도대체 이 육체적 정 신적 고통과 스트레스는 어디서 무엇으로 보상받아야 한단 말인가?

"나하고 김 과장은 먼저 갈 테니까 다들 2차하고 가든가."

팀장님이 카드를 내밀며 일어선 순간, 박 대리의 입가에 는 웃음꽃이 피었다. 나는 그 간신배 같은 입꼬리를 죽일 듯 노려보며 젓가락을 쥐어 잡았다. 노래방 가자고 하면 상을 확 엎어 버릴 거다. 말리지 마라, 오늘은 진심이다.

"아예 젓가락으로 눈알을 콱 쑤셔 버릴까요?"

옆자리에 앉은 지은 씨가 눈을 매섭게 부라리며 중얼거렸다. 같은 팀 후배인 그녀는 곱슬곱슬한 단발머리에 눈코입이 오목조목 인형처럼 귀엽게 생겼는데, 술만 마시면 상여자가 된다. 나는 젓가락을 은장도처럼 움켜쥔 그녀의 손을 살포시 어루만지며 영혼 없는 눈빛으로 말했다.

"지은 씨, 나 내일 퇴사할 거야."

"저도요, 대리님. 진짜 미련 없어요."

우리는 매일 퇴사를 꿈꾼다. 절실한 마음으로 입사를 꿈꿨던 게 바로 엊그제 같은데, 지금은 누구보다도 간절히 퇴사를 꿈꾼다. 학창 시절, 졸업만 하면 자유롭게 될 줄 알았던 내 삶은 여전히 날개를 펴지 못한 채 갇혀 있다. 역삼역 3번 출구에서 300미터 떨어진 철창 같은 콘크리트 건물 속에.

"박 대리님, 저기 체크걸들 같은데요?"

체크걸이란 말에 계산을 하고 나오던 박 대리의 눈동자가 희번덕 뒤집히며 돌아갔다. 전 주임은 건너편 가게를 턱짓으로 가리키며 좋아서 키득거렸다. 나는 가게 문 앞에서 담배를 피우고 있는 사람들을 피해 숨을 참은 채 걸어

나왔다. 집에 가고 싶다. 무지하게 가고 싶다. 차라리 지금 이 순간 세상이 멸망해 버렸으면 좋겠다. 안 그러면 내 위장이 먼저 멸망할 것 같으니까.

"여울아!"

주변에 혹시 약국이 있나 찾다가 인상을 쓰며 돌아섰다. 익숙한 목소리인데 전혀 달갑지가 않았다. 얼굴을 확인조차 하고 싶지 않은 느낌이 스며든다. 목소리의 주인이 누군지 기억해 내기도 전에 그녀가 먼저 코앞으로 다가와 얼굴을 빼꼼 들이밀었다.

"너네도 오늘 회식이야?"

곽다정이다. 솔직히 듣자마자 애인 줄 알았다. 술을 마셔서 그런지 아까보다 더 표정 관리가 되지 않았다.

얘는 내가 뭐 그리 반갑다고 마주칠 때마다 저렇게 활짝 웃는 걸까? 혹시 나와 그녀 사이에 내가 기억하지 못하는 뭔가 다른 추억이라도 존재하나? 아니, 그럴 리가 없다. 오히려 그 반대면 반대겠지. 얘는 기억하지 못하는 거다, 내가 본인을 왜 이렇게 불편해하는지. 혹은 기억나지 않는 척을 하고 있거나. 그녀는 예나 지금이나 모르는 척 시치미 떼는 데에는 선수였다.

"오, 김 대리 아는 분이셔?"

입에 담배를 물고 나온 박 대리가 옆구리를 툭 치며 물었다. 전 주임도 뒤에 따라붙어서 호기심 어린 눈으로 우리 둘을 쳐다보았다. 내 뒤의 남자들을 발견한 곽다정이 입가에 생긋 미소를 그리며 인사를 했다.

"안녕하세요? 여울이 회사분들이신가 봐요. 여울이 중학교 동창이에요. 저희도 요 앞에서 회식 했거든요."

"아, 혹시 체이스 카드 다니세요?"

"네, 맞아요. 어떻게 아셨어요?"

옛날에도 우리 반 남자애들하고 제일 친하게 지낸 건 김민경이 아니라 곽다정이었다. 쟤는 타고나길 남자들과 친해지는 데 도사다. 지금도 프로 의식을 한껏 발휘하는 중인 듯했다. 술을 한 잔 꺾고 나온 모양인데, 발그레한 뺨이 누가 보면 수줍어서 그러는 걸로 착각할 법했다. 얘는 홍조도 제 맘대로 조절이 되나 보다.

"딱 보면 알죠. 풍기는 분위기가 여신여신하신데요, 뭐."

"여신여신이요?"

박 대리는 하늘하늘한 곽다정의 옷차림을 흉내 내듯 허공에다 손을 흐느적흐느적 물결처럼 흔들었다. 듣기 좋은 아부에 곽다정은 양손으로 코와 입을 가린 채 즐거운 듯 웃었다.

알아서 척척 말을 트고 농담을 주고받는 두 사람을 보며 나는 주머니에 손을 찔러 넣었다. 가만히 이 광경을 지켜보던 지은 씨가 내 옆으로 다가와 발뒤꿈치를 들고서는 귀에다 속닥였다.

"대리님, 누구예요?"

"체이스 카드 다니는 중학교 동창이요."

"친해요?"

"졸업하고 오늘 처음 보는 거예요. 우연히 마주쳤거든요. 두 번씩이나."

내 표정을 물끄러미 바라보던 그녀는 덧니를 드러내며 쓰게 웃었다.

"악연이네요."

오늘 카페에서 마주치지만 않았더라면 악연까지 되지는 않았을 텐데. 솔직히 나는 중학교 3학년 2학기 때의 기억이 물안개처럼 흐릿하다. 그래서 곽다정과의 마지막이 어떠했는지 잘 기억나지 않는다. 한 가지 확실한 건 그녀와 내 사이가 김민경처럼 드러날 정도로 적대적인 관계는 아니었다는 것이다. 저 애는 반장으로서 충실하게 나를 대했고, 나도 그런 그녀에게 딱히 불만을 품지는 않았다. 더도 말고 덜도 말고 딱 그 정도의 사이였다.

"박 대리님 좋아 죽는데요."

"그러게요, 둘이 잘됐으면 좋겠네요."

내 성의 없는 목소리에 지은 씨가 손으로 입을 가리며 웃었다. 나보다 두 살 어린 그녀는 눈치가 빠르고 싹싹한 편이었다. 언니 동생 하는 사이는 아니지만, 성격이 꽤 잘 맞아서 사근사근하게 대하며 지내고 있었다.

"저희 2차 가려고 장소 옮기는 중인데, 그쪽도 2차 가실 거면 저희랑 조인 어떠세요?"

"네? 아, 그래도 되려나요……"

곽다정이 눈치를 보듯 내 표정을 살폈다. 그녀의 시선에 박 대리와 전 주임의 시선도 나를 향했다. 박 대리가 이마를 구기며 웃음을 터뜨렸다.

"아니 왜 김 대리 눈치를 봐요? 나중에 뭐 김 대리한테 혼이라도 날까 봐?"

"네? 아니에요. 그냥 여울이가 불편해할까 봐 걱정이 되어서요."

"불편하긴 뭐가 불편해요? 친구라면서요. 김 대리 옛날에 뭐 노는 언니였어? 다정 씨가 벌벌 떠네."

"어머, 아니라니까요. 여울이가 얼마나 착실했는데요."

나는 헛웃음을 흘렸다. 누군가 보이지 않는 망치로 뒤통수를 계속 갈기는 기분이었다. 사람이 이렇게 두 눈 시퍼렇게 뜨고 서 있는데 지금 너네 돌아가면서 나한테 원투 펀치 날리는 거냐?

"대리님 중학교 동창분, 완전 센데요?"

지은 씨가 내 팔에 팔짱을 끼더니 혀를 차며 탄식했다. 그때, 건너편에서 이쪽을 보며 뭔가 잔뜩 기대하는 표정으로 기다리던 곽다정네 동료들이 그녀의 손짓에 냉큼 건너오는 게 보였다.

"2차는 치맥 어떠세요?"

박 대리의 제안에 그녀들이 순식간에 그를 아래위로 스캔하듯 훑었다. 이어서 헛기침을 하며 무게를 잡고 있는 전 주임도 재빨리 곁눈질로 체크했다.

우리 팀의 이 두 또라이들이 희한하게도 체격 하나는 좋았다. 둘 다 일단 키가 180은 넘었으니까. 박 대리 같은 경우에는 낯빛이 창백하고 눈·코·입은 다 큰 편이다. 쌍꺼풀이 진한 그의 눈매는 1초만 봐도 느끼해서 견딜 수가 없는데, 본인은 그게 장동건을 닮았다며 매력 포인트라고 하고 다닌다.

전 주임은 그냥 찰흙으로 대충 주물러 놓은 것처럼 생겼다. 몇 번 봐도 기억에 잘 남지 않는 생김새라고 보면 된다. 누가 나한테 전 주임이 어떻게 생겼냐고 물어보면 2년을 함께한 나조차도 카카오톡에 들어가서 그의 프로필 사진을 보고 묘사해야 할 정도였다.

"치맥 좋네요."

체크걸들의 대답에 나와 지은 씨는 완전 표정이 썩은 채 서로를 바라보았다. 나야 상황을 이렇게 만든 원인 제공자라 쳐도 지은 씨는 무슨 죄인 건지 괜히 미안해졌다.

전 주임이 박 대리 어깨 너머로 두 손을 싹싹 빌며 도와 달라는 제스처를 취하자, 지은 씨는 눈을 부라리며 주먹을 확 들었다. 일부러 나 때문에 더 장난을 치는 그녀의 행동이 고마워서 나는 지은 씨를 뒤에서 안으며 어깨에 코를 문질렀다. 지은 씨의 손이 다 안다는 듯 내 허리를 툭툭 친다. 그 다독임에 마음 한구석이 화롯불을 쬐듯 따뜻해졌다.

잠시 후 다 같이 이동한 곳은 후미진 뒷골목에 위치한 작은 치킨집이었다. 우리 팀끼리 두 달에 한 번 꼴로 올 정도로 단골인 집이었다. 복고풍으로 꾸며 놓은 내부 인테리어는 학창 시절 자주 가던 할매네 떡볶이집을 떠올리게끔 했는데, 특히 벽 여기저기에 유성 펜으로 해 놓은 낙서들을 구경하는 재미가 쏠쏠했다. 술에 취해 킬킬거리며 벽에 추억을 새기는 회사원들도 그 순간만큼은 십 대 시절에 하던 유치한 장난에 퐁당 빠져 천진난만하게 웃었다.

"다정 씨는 이상형이 어떻게 돼요?"

"성격이요? 아니면 외모?"

"뭐 일단 외모부터?"

맞은편에 앉은 곽다정은 박 대리 옆에 앉은 나를 곁눈질로 쳐다보더니 고민하듯 책상 위에 깍짓손을 올렸다. 나는 주변 소음을 차단한 채 멀찍이 창밖을 바라보았다. 오래된 가로등 불빛을 닮은 주황색 조명이 마음을 진정시켰다. 자세히 보니 조명이 아니라 내 오른손에 쥔 맥주잔이었다.

취기 때문인가? 졸리고 어지러웠다. 소속감 없는 모임과 동떨어진 대화가 피로도만 축적시키고 있었다. 한 삼십 분만 더 앉아 있다가 가면 되겠지……

"전 일단 키가 큰 사람이 좋아요."

"제가 또 키가 180이 넘거든요."

"안 그래도 아까 박 대리님 계시는 거 보고 놀랐어요. 제가 키가 작은 편이 아닌데도 훨씬 크시더라고요. 오늘 힐도 높은 거 신었는데."

"남자는 키와 어깨죠."

키와 어깨……. 그냥 머리가 큰 거잖아. 그리고 어깨는 무슨, 팔뚝 살이지. 우리 옆집 놈은 모자를 쓰면 모자가 헐렁하게 클 정도로 조막만한 얼굴에, 어깨는 그 위에 기차가 달려도 될 만큼 반듯하고 넓단 말이다. 그게 바로 바람직한 비율과 어깨선이란 거다.

"저는 남자든 여자든 웃는 게 예쁜 사람이 좋더라고요. 콧날이나 턱선 같은 거 있잖아요. 얼굴선이 전체적으로 샤프하면서 뭔가 깨끗해 보이는 사람이요."

"예쁜 남자요? 아이돌 같은?"

"음, 아이돌 같은 외모는 취향이 아니고요. 좀 이지적인 느낌이라고 해야 하나? 샤프한데 부드러운 느낌도 있는…….."

그때 곽다정 옆에 앉아 있던 여자가 그릇을 한쪽으로 치우며 웃었다.

"쉽게 말해서 하은수 같이 생긴 거요. 곽 대리님이 하은수 팬이거든요."

"배우 하은수요? 그 여우같이 생긴 놈?"

"여우라니요, 하얀 늑대라고 해 주시죠."

곽다정이 팽 토라지듯 입술을 삐죽거리며 말했다. 그걸 본 박 대리의 표정이 낙담한 듯 굳었다. 나는 맥주잔 뒤에서 픽 웃었다. 은수 팬들이 걸핏하면 이름 앞에 하얀 늑대니 은색 늑대니 그런 수식어를 붙였던 기억이 난다. 몇 년 전 찍은 영화에서 늑대 소년 역을 한 뒤로 생긴 별명이었다.

"곽 대리님이 하은수랑 중고등학교 동창이거든요."

"와, 진짜요?"

"네, 같은 반이었어요."

곽다정은 포니테일로 묶은 머리를 손으로 들어 올리며 목덜미에 손부채질을 하기 시작했다. 얼핏 보기에는 머쓱해하는 행동으로 보였지만, 내 눈에는 다분히 의도적으로 보였다. 그녀의 목선과 쇄골 라인을 본 박 대리와 전 주임의 눈빛이 흐뭇하게 변해 갔다.

"저도 하은수 완전 팬인데, 지금도 연락하세요?"

줄곧 조용하던 지은 씨가 처음으로 흥미를 보이며 물었다.

"아니요. 대학 가면서 끊겼어요. 어, 그러고 보니 여울이도 은수랑 중학교 때 같은 반이었는데……. 모르셨어요?"

"김 대리님이요?"

나는 몇 모금 남은 맥주를 마시다가 사레들려서 쿨럭거리며 잔을 내려놓았다. 직사각형 테이블에 두 줄로 마주보고 앉은 8명의 남녀가 모두 내 얼굴을 빤히 쳐다보고 있었다.

"김 대리님, 진짜예요?"

"네? 아 뭐……."

"대박, 왜 말씀 안 말해 주셨어요?"

"아니 그걸 굳이 뭐 말해요? 무슨 자랑도 아니고……."

"자랑이죠, 완전 자랑이죠! 하은수 옛날에는 어땠어요? 인기 많았어요?"

나는 곽다정의 얼굴을 바라보았다. 당혹스러워하는 나를 보며 훈훈하게 웃는 그녀의 눈웃음에 등골이 섬뜩했다. 사람의 약점을 어찌나 저렇게 빨리 캐치해 내는지. 저 계집애의 저런 능력은 여전히 간담을 서늘하게 했다. 역시 얘랑은 최대한 안 엮이는 게 상책이다. 그녀는 어찌할 바를 몰라하는 내 눈빛에 턱을 괴더니 웃으며 대신 입을 열었다.

"인기 많았죠. 고등학교 때는 더했어요. 아, 여울이는 은수랑 다른 고등학교에 갔고 저는 교내에서 유일하게 같은 고등학교를 갔었거든요. 은수가 공부를 진짜 잘했어요. 전국에서 날고 기는 애들이 오는 사립고에 갔는데, 거기서도 전교 10등 안에 들 정도였다니까요."

교내에서 유일하게 같은 고등학교. 전국에서 날고 기는 애들이 오는 사립고. 자화자찬도 저렇게 자연스럽게 하다니, 나는 쟤가 왜 방송이나 정계 쪽으로 가지 않았는지 의문이다.

곽다정은 알고 있을까? 당시 내가 그녀를 속으로 얼마나 부러워했는지. 기숙사가 있는 학교로 간 은수는 고등학교 2학년 때까지 거의 집에 오지 않았다. 버스로 고작 20분밖에 걸리지 않는데 말이었다.

"성격은 어땠어요?"

"완전 좋았죠. 친절하고, 매너도 좋고, 남녀 할 것 없이 선생님들까지 다 은수 팬이었어요. 저도 그런 은수한테 설렌 적이 한두 번이 아니었고요."

친절 같은 소리하네. 걔는 지금 너 기억도 못하거든? 은수는 기본적으로 타인에게 친절하고 쓸데없는 갈등은 피하는 편이지만, 그만큼 자기만의 영역이 철저하다.

나는 가끔 은수가 일상생활에서도 늘 연기를 하고 있는

게 아닌가 하는 생각을 한다. 사실 이 녀석만큼 까탈스럽고, 예민하고, 변태적이며 완벽주의자적인 놈도 없는데 그 사실을 아는 건 이 세상에서 은수네 아줌마랑 나 그리고 매니저인 재현 오빠뿐이었다. 나는 고개를 숙인 채 사이다를 따라 마셨다.

"여울이 넌 고등학교 때 이후로 은수랑 전혀 연락 안한 거야? 그래도 종종 보긴 했지? 은수랑 옆집에 살았잖아."

"옆집이요? 진짜요?"

테이블 밑을 쳐다보던 나는 긍정도 부정도 하지 않았다. 도대체 곽다정의 속셈이 뭔지 모르겠다. 박 대리를 꼬시고 싶은 건가? 꼬시는 척하면서 그의 반응을 보고 즐기는 건가? 그냥 나를 골려 주고 싶은 건가? 아니면 단순히 은수와의 친분을 과시하고 싶은 건가? 둘 다인가? 넷 다 인가? 쟤는 그냥 아무 생각 없이 말하는 건데 내 성격이 지랄 맞아서 그렇게 보이는 것뿐인가? 나는 그저 이유 없이 쟤가 싫은 건가…….

"저 잠시 화장실 좀 다녀올게요. 속이 울렁거리네요."

"어, 대리님 저도요. 저도 같이 가요!"

슬그머니 엉덩이를 빼는 내 팔을 지은 씨가 후다닥 낚아 채며 따라 일어섰다. 기우뚱하고 기울어진 내 몸에서 핸드폰이 떨어지자 박 대리가 손을 뻗어 재빨리 받았다.

"화장실 간다고 하고선 몰래 도망갈지도 모르니까 이건 내가 잘 보관해 놓을게."

"도망 안 갈 거니까 그냥 주시죠."

"저번 회식 때도 그렇게 내뺐잖아."

나는 뚱한 표정으로 박 대리를 향해 눈을 흘겼다. 그는 걱정 말라는 듯 테이블 위에 핸드폰을 뒤집어서 올려놓은 뒤 손으로 톡톡 두들겼다. 지문으로 잠금 걸어 놨으니 괜찮겠지? 내 눈빛 공격에도 즐거운 듯 웃는 저 남자는 진정 최강 변태임이 틀림없다.

화장실까지 따라온 지은 씨는 내 팔을 잡은 채 문을 철컥 걸어 잠갔다. 변기와 세면대 사이에 선 그녀는 나를 빤히 쳐다보며 숨을 크게 들이마셨다. 그러고는 복슬복슬한 머리를 잡더니 쥐어뜯으며 "아악!" 하고 소리를 질렀다. 나는 흠칫 놀라 얼어붙은 채 부들부들 떨고 있는 지은 씨를 넋 놓고 쳐다보았다.

"김 대리님, 진짜 하은수랑 옆집 친구였어요? 어떻게 그걸 비밀로 하실 수가 있어요!"

나는 지은 씨가 은수의 팬이라는 걸 알고 있었다. 재작년인가 은수가 찍은 영화가 개봉했을 때도 영화를 세 번이나 봤다며 황홀해하며 자랑하던 걸 기억하고 있다.

"근데 저 곽다정이란 분은 진짜 하은수랑 친했던 거예

요? 계속 하은수랑 친했다고 아는 척 잘난 척하는데 아휴, 꼴 보기 싫어서 혼났어요. 그 와중에 일부러 대리님 얘기 툭툭 꺼내고……. 뭐 어쨌든 저는 김 대리님 편이에요."

"제 편이요?"

"네, 저 동창분 사실은 옛날에 완전 앙숙이었죠?"

긴장으로 굳어 있던 내 입가가 천천히 풀려졌다. 내내 불편했던 배꼽 언저리가 말랑말랑 따뜻하게 간질거린다. 나는 힘이 쭉 빠져서 자리에 쪼그리고 앉았다. 갑자기 안심해서 그런지 다리 힘이 풀렸다. 지은 씨도 눈치를 보며 슬그머니 나를 따라 쪼그리고 앉았다. 우리는 취기에 얼굴이 벌게진 채 서로의 눈빛을 바라보았다.

내게는 소영이를 제외하고는 그 누구에게도 말하지 않았던 이야기가 있다. 심지어 내 고등학교 동창들조차 알지 못했던 비밀. 은수에 관한 것들은 여전히 나만의 보물 상자 속에 곤히 잠들어 있다. 그건 오로지 나만 꺼내서 감상할 수 있는 추억 속 오르골이었다.

나의 가장 반짝이던 시절이 담겨 있는 그 오르골은 지난 십 년간 힘들 때마다 수없이 되감기며 나를 위로했다. 그러나 나를 설레게 했던 그 밤의 녹턴은 세월에 조금씩 퇴색되고 옅어져 지금은 아예 흐릿해져 버린 상태였다. 그래서 그 꿈같던 시절이 더더욱 꿈같은 기억으로 느껴진다.

"지금 뭐라고 하셨어요? 그러니까 은수 오빠랑 지금도 같은 동네 친구시라고요? 대리님 어디 사신다고 하셨죠? 그럼 전화번호도 알겠네요? 막 카톡도 하고 그러세요? 어떡해! 완전 부럽다!"

나는 입술에 검지를 가져가며 쉿, 하고 목소리를 낮췄다.

"다른 사람들한테는 비밀이에요. 특히 내 동창이라며 앉아 있는 쟤한테는 더더욱."

"어머, 당연하죠!"

좋아서 발을 동동 구르며 뛴 지은 씨가 키득거리며 웃었다. 나는 지은 씨를 잘 모른다. 밖에서 따로 만난 적도 없고, 휴일에 뭐 하냐며 수다를 떨어 본 적도 없다. 그런 그녀에게 이런 이야기를 덥석 털어놔도 되는 것일까?

언제부터인가 타인을 곁에 두는 걸 주저하게 되었다. 나와 가까워지고 싶어서 다가왔던 사람들이 하나같이 해 준 말들이 있었다.

넌 너무 차가워. 너는 사람을 지치게 해. 아무리 노력해도 너는 나를 좋아해 주지 않아. 네 속을 모르겠어. 가까워질수록 멀어지는 느낌이야. 너는 늘 내가 아닌 다른 곳을 보고 있어. 네 마음에 다가가는 건 무리인 것 같아.

은수와 처음 만났던 날의 이야기를 조곤조곤 들려주기 시작하자, 지은 씨는 잠깐만 기다려 보라며 화장실을 나가더니 어디서 맥주 한 캔을 가져왔다. 여자 화장실 안에 쪼그리고 앉은 우리는 맥주 한 캔을 나눠 마시며 잠깐의 비밀 회식을 가졌다.

아주 오랜만에 느끼는 동질감이었다. 내 안에 세워진 높다란 장벽이 잠시나마 허물어지는 걸 느낄 정도로. 어쩌면 오늘 한 회식이 아주 나쁘지만은 않다는 생각이 입가를 어루만지듯 스쳤다.

화장실에서 돌아오자 곽다정이 아까보다 조금 더 벌게진 얼굴로 나를 보며 입을 열었다.

"여울아, 너 좀 아까 전화 왔었어."

나는 테이블 위에 놓고 갔던 핸드폰을 집으며 그녀를 쳐다보았다. 곽다정은 얄궂게 웃더니 전 주임을 곁눈질로 가리키며 속닥였다.

"저 사람이 네 전화 받아서 뭐라 뭐라 얘기하던데?"

"진짜? 뭐라고 했는데?"

"몰라, 술 취했나 봐. 전화기에 대고 막 주정을 부리더라고. 옆에서 그거 보던 박 대리님이 얼른 뺏어서 수습하긴 했어."

나는 불길한 예감에 박 대리를 흘끔거렸다. 그가 턱을 괸 채 이쪽을 보며 반달눈으로 웃고 있었다. 등골이 서늘했다. 전 주임은 그냥 멍청한 또라이지만 박 대리는 속이 시커먼 괴물이다. 나는 지난 5년간 박 대리가 정말 술에 취했다고 확신했던 적이 한 번도 없다. 어떻게 보면 무서울 정도로 철저한 인간이 아닐까, 하는 생각이 들 정도로. 바로 핸드폰 통화 목록으로 들어간 내 눈동자가 얼어붙었다.

이웃집 건담.

옆에서 슬쩍 훔쳐보던 지은 씨가 호기심 어린 눈빛으로 물었다.

"이웃집 건담이 누구예요?"

"어? 그게……."

그제야 낮에 은수랑 통화했던 내용이 떠올랐다.

– 나 그럼 거기서 그거…….

– 치즈케이크 사다 달라고?

– 응, 그거.

– 알았어. 이따가 집으로 갈까?

시계를 본 순간 입이 메말랐다. 밤 10시 35분. 정상적으로 퇴근했다면 보통 7시 안에는 집에 도착하니까……. 아니, 지금 이게 문제가 아니다.

"박 대리님, 전화 받아서 뭐라고 하셨어요?"

"김 대리 바꿔 달라고 찾길래 김 대리는 내가 잘 데려다 줄 테니 걱정 마시라고 했지."

네가 언제부터 나를 데려다줬다고 그런 뻥을 치냐? 나는 그를 향해 어이없다는 눈초리를 던졌다. 그러자 박 대리가 의심스럽다는 듯 미간을 좁히며 날카롭게 물었다.

"누구야, 그 사람? 김 대리 남자 친구 생겼어?"

"그냥 친구인데요."

"목소리가 이상하게 낯이 익던데."

나는 물 잔을 꽉 움켜쥐었다. 박 대리는 걸 그룹을 제외하고선 연예인에 대해 전혀 관심이 없다. 그냥 찔러보는 건가? 저 인간 주특기가 막 찔러보는 거니 이상할 건 없는데.

"어디서 들어 봤지? 혹시 우리 회사 사람 아니야?"

"아닌데요."

"맞는데……. 내가 아는 사람 같던데."

그사이 술을 얼마나 마신 건지 정신 이상자처럼 볼펜으로 벽에다 낙서를 하던 전 주임이 이쪽을 홱 돌아보며 소리쳤다.

"진짜? 김 대리님 사내 연애 하는 거야?"

"아무래도 그런 거 같은데?"

"아니에요. 그냥 동네 친구예요."

"아니야, 내가 저 남자 목소리 많이 들어봤어. 이름 대신 이웃집 건담인지 뭔지로 저장해 놓은 것도 수상하고…….”

그때 다시 핸드폰 벨소리가 울렸다. 다들 내 쪽을 쳐다보고 있었다.

나는 핸드폰을 테이블 밑으로 감추며 조용히 수신 거부를 눌렀다. 다시 한번 진동이 길게 울렸다. 손에 쥔 핸드폰을 내려다보며 아랫입술을 꽉 깨물었다. 그냥 받을까? 아니야, 괜히 받았다가 들키기라도 하면…….

서너 번 더 걸려 오던 진동 소리가 마침내 멈췄다. 안도한 내 한숨 소리와 함께 짧은 진동이 뚜르르 울렸다. 나는 곁눈질을 하며 슬그머니 핸드폰 액정 화면을 켰다.

[나 지금 너희 회식 장소 앞이야.]

카톡을 열어 보자마자 눈동자가 휘둥그레 커졌다. 너무 놀라서 심장이 갈비뼈 사이를 뚫고 나간 기분이었다. 미쳤다. 이 자식이 미치지 않고서야 여기를 올 리가…….

[안으로 들어간다.]

“뭐? 이게 진짜 미쳤나!”

“김 대리님? 무슨 일 있어요?”

고함을 지르며 벌떡 일어난 나는 사색이 된 채 핸드폰을 쥐고 잠시 호흡을 가다듬었다. 모두가 식겁한 내 얼굴만 뚫어져라 쳐다보고 있었다. 내 왼쪽 자리에 앉아 있던 박 대리는 놀란 듯 엉덩이를 들썩거리며 떨떠름한 표정을 지었다.

"지, 지은 씨, 왜 날 쳐다봐?"

"박 대리님, 무슨 짓 했어요?"

"무슨 소리야! 내가 뭘 어쨌다고……. 김 대리, 그거 나한테 한 말 아니지?"

"또 김 대리님 귀에 막 이상한 말 하신 거 아니에요?"

"아니라니까! 다정 씨, 아니에요. 오해하지 마세요."

"네? 아, 네……."

박 대리와 옥신각신하던 지은 씨는 걱정스러운 듯 내 손을 잡고 흔들었다.

"김 대리님, 괜찮아요?"

"저 잠깐 밖에 좀……."

그때 아르바이트생이 큰 소리로 "어서 오세요! 몇 분이세요?"라고 외치는 게 들려왔다. 출입문 사이로 검은색 티셔츠에 청바지를 입은 남자가 성큼 들어오고 있었다.

12. 마음은 텅 빈 유리잔처럼

12. 마음은 텅 빈 유리잔처럼

검은색 야구 모자에 검은색 마스크. 그냥 서 있기만 해도 모델처럼 반듯한 자세는 주변 사람들의 이목을 확 사로잡았다. 유쾌해 보이지 않는 눈빛과 쭉 뻗은 콧날이 언뜻 마스크 위로 보였다.

저렇게 폭발할 듯 짜증이 서린 은수의 모습을 보는 건 한백년 만이었다. 날카로운 눈초리로 테이블을 하나씩 확인하던 그는 홀로 우두커니 서 있는 나를 단숨에 발견했다.

나는 미동도 하지 않은 채 망연자실한 얼굴로 녀석을 쳐다보았다. 나와 눈이 마주친 은수는 모자를 더 꾹 눌러쓰더니 이쪽을 향해 천천히 걸어오기 시작했다.

"뭐야……. 김 대리, 아는 사람이야?"

박 대리가 제일 먼저 눈치를 채고 물었다. 무너질 듯 흔들리는 다리를 움켜잡았다. 빠르지도 느리지도 않은 걸음으로 다가온 은수가 테이블 앞에 도착하자 나는 이를 악문 채 고개를 들었다.

너 미쳤어?

내 창백한 낯빛과 입 모양을 읽은 은수의 눈초리가 가늘어졌다. 마스크 위로 보이는 눈웃음이 삭막하고 날카롭다. 기분이 좋아서 웃는 게 아니다. 기분이 좋아서 웃는 게 아니라는 건 확실하다.

나는 테이블에 앉은 사람들을 향해 황급히 고개를 꾸벅 숙였다.

"죄송한데 저는 먼저 가 볼게요. 친구가 와서……."

"아, 김 대리님 친구분이셨어요?"

"그럼 잠깐 앉았다 가시지."

"여기 앉으세요."

지은 씨가 벌떡 일어나서 자리를 비키며 양보했다. 그러자 안 그래도 주변을 탐색하던 녀석이 냉큼 자리를 꿰찰 기세로 다가왔다. 나는 방어하듯 테이블을 박차고 나가며 소리쳤다.

"아니에요. 저희 먼저 갈게요. 오늘 제가 이 친구랑 약속이 있었는데 회식이라고 말한다는 걸 깜빡해서……."

"난 괜찮은데."

낮고 부드러운 목소리가 느릿하게 말했다. 내 귓가를 향해 고개를 살짝 숙이고 속삭였지만 다른 사람들이 알아듣기에도 충분한 크기의 목소리였다.

나는 멈칫하며 은수의 얼굴을 올려다보았다. 정확한 이유는 잘 모르겠지만 녀석은 화가 나 있었다. 마스크 위로 보이는 눈웃음이 억지로 웃고 있다는 것 정도는 아까부터 알고 있었지만……. 대체 왜 그러는 건데?

"혹시 아까 김 대리한테 전화하신 분?"

뭔가를 질겅질겅 씹던 박 대리가 그릇에 포크를 내려놓으며 시선을 올렸다. 잠시 정적이 내려앉았다. 박 대리를 물끄러미 바라보던 녀석은 머리에 쓴 검은색 야구 모자를 벗더니 부스스한 머리칼을 정돈했다. 하얗고 긴 손가락이 마스크를 내리자 다들 눈이 동그래진 채 얼어붙었다. 누군가 숨을 크게 들이마시는 소리가 들렸다.

온 시선이 쏠리자 그는 테이블 위에 모자를 내려놓으며 엷게 웃었다.

"네, 처음 뵙겠습니다. 하은수라고 합니다."

넋이 나간 듯 앉아 있던 누군가가 '댕강!' 하고 포크를 떨어뜨렸다. 테이블 모서리에 서 있던 지은 씨는 숨넘어갈 듯한 소리를 내며 벌어진 입을 양손으로 가렸다.

"하은수……."

"헐, 진짜 하은수?"

"TV에 나오는 그 하은수?"

다들 눈앞에 서 있는 녀석의 모습을 보고도 못 믿겠는지 엉거주춤 일어서서 은수를 향해 얼굴을 들이밀었다. 전 주임은 대놓고 빤히 보다가 넋이 나간 듯 눈을 깜빡이고 있었다.

"웬일이야, 진짜네!"

"어떡해!"

모두 호들갑을 떠는 와중에 나만 떨떠름한 표정이었다. 세계 종말이라도 맞은 듯한 심정이다. 대체 은수가 왜 이러는지 속을 알 수가 없었다.

은수는 아주 자연스럽게 내 옆자리로 이동했다. 실례한다며 고개를 숙여 인사하는 그에게 지은 씨는 안내원처럼 이쪽이라고 두 팔로 안내하며 활짝 웃었다.

"와, 김 대리님하고 진짜 친구셨네."

전 주임은 아직도 술이 덜 깼는지 꼬부라지는 발음으로 감탄했다. 나는 오른쪽에 앉은 은수를 곁눈질하며 무릎 위의 핸드폰을 꽉 움켜잡았다.

"두 분 정말 옛날부터 옆집 친구셨던 거예요?"

"네."

지은 씨의 질문에 은수는 나긋하게 대답했다.

"지금도 되게 친하신가 봐요."

"많이 친해요. 가족보다도 가까운 사이거든요."

지은 씨의 눈이 휘둥그레 커졌다. 가족보다 가까운 사이면 도대체 무슨 사이인 걸까? 당사자인 나도 이해가 안 되는데 지은 씨는 오죽할까 싶었다.

은수의 등장으로 분위기는 한층 뜨거워졌다. 나는 졸지에 은수의 매니저 신세로 전락했다. 사람들이 같이 사진 찍어도 되냐고 핸드폰을 꺼낼 때마다 바쁘게 거절하는 와중에 술 한잔 권유하는 전 주임에게는 흑장미를 자처해 손을 들었다. 그렇게 고군분투하는 내 모습에 정작 은수의 표정이 어두워지고 있다는 사실은 알아차릴 겨를조차 없었다.

"그런데 두 분도 아는 사이 아니셨어요?"

계속 조용하던 곽다정이 흠칫하며 고개를 들었다. 지은 씨는 비딱하게 턱을 괸 채 은수와 맞은편의 곽다정을 번갈아 보더니 입꼬리를 실룩거리며 웃었다.

"중·고등학교 동창이시라면서요."

나는 앞접시 위에 내려놓은 포크를 움켜잡았다. 별안간 낮에 은수와 한 통화 내용이 떠오르면서 얼굴이 화끈거렸다.

─ 하은수, 너 곽다정 기억해?

‒ 누구?

‒ 곽다정.

‒ 모르겠는데.

위가 꼬일 듯 아파 왔다. 오늘 하루 받은 스트레스의 양이 한 달 내내 쌓인 축적량을 가볍게 넘기는 느낌이었다.

"은수야, 오랜만이다."

곽다정은 미소를 띠며 과하지 않은 톤의 목소리로 말을 건넸다. 아까 고등학교 시절 추억을 소환하며 은수와의 에피소드를 자랑할 때와는 사뭇 다른 태도였다.

그녀를 물끄러미 보던 은수는 당황한 듯 잠시 미간을 좁혔다.

"누구⋯⋯."

곽다정이 충격으로 할 말을 잃은 걸 본 순간, 나는 내장이 꼬이는 통증과 함께 변태 같은 희열을 느꼈다. 등에 식은땀이 주르륵 흐르면서도 입가에는 피식 웃음이 걸렸다. 나는 녀석이 저런 목소리를 낼 때를 안다. 저건 배우 하은수의 톤이다.

"기억 안 나? 하긴, 우리 마지막으로 본 게 벌써 십 년 전이니까."

"십 년 전?"

얼핏 보면 그녀의 말에 귀를 기울이는 듯한 태도였지만, 은수의 얼굴은 인위적인 미소를 제외하면 싸늘하기 그지없는 표정이었다.

십 년 전을 떠올려 보기라도 하듯 오른손으로 턱을 괴던 은수는 곁눈질로 내 안색을 확인하더니 테이블 아래 핸드폰을 꼭 쥐고 있는 내 손을 내려다보았다.

"응, 우리 고등학교 때 같은 동아리였잖아, 축제 때 같이 연극도 하고. 중학교도 같은 곳 나왔는데 기억 안 나?"

술자리 내내 화사하게 웃던 곽다정의 입꼬리가 처음으로 미세한 경련을 일으켰다. 초지일관 미소를 띠고 있었으니 힘들긴 했을 거다. 그녀는 내 눈치를 보더니 재빠르게 말을 덧붙였다.

"여울이랑 셋이 같이 같은 반이었잖아."

"여울이랑 셋이? 그랬나……."

그사이 은수의 손은 손끝까지 차가워진 내 손을 확인하듯 한번 살짝 쥐었다가 놓았다. 고개를 든 그가 멈칫 인상을 쓰며 내 얼굴을 쳐다보았다.

"너 손이 왜 이렇게 차? 어디 아파?"

"배가 좀……."

은수는 창백해진 내 안색과 파리한 입술 색을 보더니 핸드폰을 쥐고 일어섰다.

"일어나자, 너 빨리 약 안 먹으면 밤새 아플 것 같다."

"야, 잠깐……."

나를 일으켜 세우던 은수가 문득 뭔가 생각났는지 어깨 너머로 시선을 던졌다. 아무 생각 없이 안주를 집어먹던 박 대리가 시선을 느끼고선 은수를 쳐다보며 인상을 썼다.

"무슨 하실 말씀이라도?"

박 대리의 말투에 불쾌함이 묻어 있었다. 그를 쳐다보는 은수의 눈초리에서도 냉기가 흘렀다. 잠시 후 은수가 담담하게 물었다.

"근처에 약국 어디 있는지 아세요?"

"아, 나가셔서 큰길 쪽으로 가시다 보면……."

"내가 데려다줄게!"

곽다정의 목소리였다. 그녀는 아직 반이나 남은 생맥주 잔이 기울어질 정도로 테이블을 내리치며 벌떡 일어섰다. 아니, 약국은 나도 어디 있는지 아는데?

마스크를 쓴 은수는 자기 팔에 매달린 채 힘없이 걷는 나를 흘끔거리며 걸었다. 그 옆에 나란히 걷는 곽다정의 시선은 계속 은수를 향하고 있었다. 불안하고 서운한 기색이 뚝뚝 묻어났다.

"은수야, 정말 나 기억 안 나?"

"글쎄……."

곽다정 말을 제대로 듣기는 한 건지 녀석은 건성으로 대답하다가 내 팔을 잡아 세웠다.

"너 그냥 여기서 기다리고 있어. 내가 가서 약 사 올 테니까."

"그게 낫겠다."

내가 입을 열기도 전에 곽다정이 선수 치며 말했다. 그러면서 친근하게 내 팔을 부축하듯 잡았다. 자신이 같이 있어 줄 테니 걱정 말라는 듯이. 그런 곽다정을 쳐다본 은수는 잘됐다는 듯 지갑에서 카드 하나를 꺼내며 말했다.

"그럼 네가 좀 갔다 와 줄래?"

"어?"

"마스크를 하긴 했지만 큰길 쪽에는 사람이 많아서…….
부탁 좀 할게."

"아, 그, 그래! 내가 사 올게."

불안한 듯 뒤를 흘끔거리며 걷던 곽다정은 급기야 뛰어가기 시작했다. 쪼그리고 앉아서 그녀의 뒷모습을 보던 나는 배꼽을 잡고 웃었다. 웃으면 배가 더 아픈데 터져 나오는 폭소를 참기 힘들었다. 피곤한 듯 눈두덩을 주무른 은수는 코에 걸친 마스크를 살짝 내리며 인상을 썼다.

"너 사실은 안 아프지? 아주 웃다가 바닥을 구르겠다?"

"웃기잖아. 너 진짜 연기 짱이다. 사실 쟤 기억하면서 모르는 척하기는."

마스크를 턱에 걸친 그의 입꼬리가 보일 듯 말 듯 연한 곡선을 그렸다. 나는 다시 한번 깔깔거리며 웃었다. 속이 시원하다 못해 폐 세포 하나하나가 시원하게 정화되는 기분이었다.

"그런데 여긴 갑자기 왜 왔어?"

"너 때문에."

"그건 아는데 왜?"

은수는 나를 따라 몸을 낮추고 다리를 굽혔다. 모자 아래로 말없이 허공을 보는 그의 시선이 무거워 보였다. 쉽게 대답이 나오지 않을 것 같은 분위기였다. 진짜 오늘따라 얘가 왜 이러지?

"박 대리가 전화로 뭐라고 했는데 그렇게 빡쳐서 온 거야?"

"내가 화날 이유가 본인이라고는 전혀 생각 안 하네?"

"아니, 뭐……. 나도 잘못하긴 했는데, 그렇다고 여기까지 달려올 정도로 네가 부지런한 녀석은 아니잖아."

은수가 어이없다는 듯 웃었다. 장난스러운 곡선을 머금는 입술선이 참 예쁘다. 특히 은수의 목소리는 참 듣기가 좋다. 중저음의 부드럽고 달콤한 음성은 밤공기에 섞여 가만가만 귓가에 다가온다.

"박 대리가 전에 네가 말했던 그 남자지? 술 먹으면 사귀자고 들이댄다는 놈."

"아무한테나 그래."

"반장한테도 그랬어?"

"더 정성스럽게 작업 걸더라. 여신이시네요, 아름다우십니다 어쩌고……."

이상하게 은수와 둘이 있다 보니 배 속이 괜찮아지는 기분이었다. 그래도 계속 아픈 척 명치를 끌어안았다. 은수는 그런 나를 보더니 불쌍한지 머리를 툭툭 쓰다듬었다. 나는 입을 삐죽거리며 불만스러운 어조로 물었다.

"네 눈에도 곽다정이 예뻐? 넌 맨날 연예인들만 보니까 눈도 높을 거 아니야."

"나 눈 낮은데."

쏜살같이 돌아온 대답이 시큰둥했다.

"김여울 너도 눈 높겠다. 맨날 눈앞에서 연예인 보니까."

"나 눈 안 높은데?"

"하긴 보면 어디서 이상한 놈들만 골라 사귀더라."

"잘생긴 남자는 별로야."

"왜?"

"피곤해."

중얼거리듯 내뱉은 한마디에 은수는 더 이상 아무 말도 하지 않았다. 내 머리를 쓰다듬던 손은 어느새 주머니를 찌른 채 무거운 침묵을 쥐고 있었다.

선이 예쁜 은수는 무표정할 때 꽤 퇴폐적이다. 은수를 보고 있으면 그의 하얗고 긴 손가락에 담배가 끼워져 있는 모습을 상상하게 된다.

웃을 때는 사람을 홀리듯 살살거리는 눈웃음이 짓궂은 소년 같고, 턱시도를 입은 채 피아노를 칠 때면 어른스럽고 섹시한 분위기가 물씬 풍긴다. 은수가 여성 팬들이 많은 이유는 그런 상반되는 매력 때문이었다.

하지만 내가 아는 은수는 집에서 트레이닝복을 입고 소파에 누워 책을 읽거나 음악을 듣는 평범한 스물아홉의 남자였다. 나랑 같이 밥을 먹으며 시시껄렁한 이야기에 웃다가 애처럼 유치한 장난을 치기도 하는, 술에 취해 피아노를 치다가 큭큭거리며 이상한 곡을 연주하기도 하는 얄밉고도 사랑스러운 남자.

"오래 기다렸지? 약국에 사람이 좀 많아서."

어느새 돌아온 곽다정의 손에는 하얀 약국 비닐봉지가 들려 있었다. 블라우스 단추가 터질 듯 숨을 몰아쉬는 걸 보니 학창 시절 체력장 빰치게 달려왔나 보다.

"고마워."

내 말에 곽다정은 아이라인이 살짝 번진 눈으로 웃었다. 가식적인 미소였지만 그녀 나름대로 최선을 다한 호의였다.

"참 은수야, 아까 여울이한테도 말했는데 어쩌면 우리 동창회 할지도 모르거든?"

"동창회?"

"응, 우리 중3 때 애들……."

나는 약봉지를 뜯어서 쌍화탕 비슷한 음료에 섞어 꿀꺽꿀꺽 마시며 곁눈질로 두 사람을 대화를 엿들었다.

"나는 못 갈 거 같은데."

"그렇겠지? 아무래도……."

곽다정은 아쉬움이 담긴 눈빛으로 은수를 쳐다보며 슬쩍 핸드폰을 꺼냈다.

"그럼 번호라도 줄래? 혹시 그때 되어서 운 좋게 스케줄이 맞을지도 모르잖아. 날짜랑 장소는 보내 줄게."

애쓴다, 애써.

나는 입술에 남은 약을 손등으로 훔치며 혀를 찼다. 은수의 표정을 보니 녀석의 마음은 이미 귀가를 완료한 상태였다. 녀석의 무념무상의 눈동자가 곽다정을 흐릿하게 보다가 내 쪽을 바라보았다.

"그런 거라면 여울이 통해서 들어도 될 것 같아. 내가 폰 번호를 워낙 자주 바꿔서."

"아, 여울이한테……. 그래, 그러면 되겠다."

중얼거리며 답하던 곽다정은 입술을 지그시 깨물었다.

나는 불편한 기분에 목덜미를 긁었다. 태연하게 거짓말을 하는 은수의 모습이 낯설었다. 이상하게 개운하지 못한 느낌이었다.

"너희 둘은 계속 친하게 지낸 거야?"

"그렇지, 뭐."

"부럽다, 여울아. 나도 이렇게 멋있는 남사친 하나만 있었으면 좋겠다."

"남사친은 무슨……."

"남사친이 아니면 뭔데?"

곽다정이 웃으며 내 옆구리를 팔꿈치로 쿡 찔렀다. 내숭 떨지 말고 좋으면 좋다고 솔직하게 까라는 무언의 제스처였다.

나는 서쪽에 사는 못된 마녀였고, 은수는 나쁜 마법에 걸린 왕자였다.

누군가를 독차지한다는 건 매번 이렇게 찝찝한 죄책감을 가져야 하는 걸까? 아니면 나만 이런 것일까?

나는 어느새 녀석을 지키는 케르베로스가 되어 있었다. 그 옛날, 병원에서 마주친 유진 언니보다 훨씬 더 무시무시하고 강력한 괴물로 진화한 채로.

"왜 대답은 안 하고 얼굴만 그렇게 붉혀?"

"술 먹어서 그래."

"아까 맥주 마실 땐 괜찮아 보이더만⋯⋯. 여울이 너 혹시 은수 좋아하는 거 아니야? 남사친 아니라고 정색하는 것부터 이상하다?"

마스크를 한 채 말없이 앞서 걷던 은수가 멈칫 뒤를 돌아보았다. 이쪽을 빤히 쳐다보는 시선에 뺨이 호르르 달아올랐다. 괜히 민망해진 나는 차가워진 손으로 양 볼을 식히며 소리쳤다.

"무슨 소리를 하는 거야! 쟤랑 나랑 알고 지낸 햇수가 몇 년인데⋯⋯. 그리고 나 남자 친구도 있었어."

"좋아하는 사람이 있어도 다른 사람하고 사귀고 그럴 수 있잖아."

"뭐?"

"호감이라는 게 꼭 한 번에 한 명에게만 향하니? 저울처럼 이쪽으로 기울었다가 저쪽으로 기울었다가⋯⋯. 기울어진 마음이 수평이 되면 이별인 거고, 새로운 사랑이 오면 또 기우뚱 움직이는 거고."

나는 홀린 듯 곽다정의 얼굴을 바라보았다. 느닷없이 쟤가 되게 어른스럽게 보인다. 심지어 괜찮은 여자로 보이기까지 했다. 내 마음을 꿰뚫어 보듯이 말하는 곽다정의 목소리가 가슴 속 깊숙이 숨겨 놓은 내 저울을 불쑥 꺼내 놓는 기분이었다.

반면 곽다정의 마음 속 저울은 어느 쪽으로 기울어져 있는지 또렷하게 보였다. 은수를 보는 그녀의 눈동자에선 망설임 따위 찾아볼 수도 없었다.

그렇게 좋은가?

나는 불안한 표정으로 곽다정을 바라보았다. 은수를 향해 발걸음을 옮기는 그녀의 입술 사이로 무슨 말이 흘러나올지는 안 봐도 훤했다. 저 계집애, 전화번호를 다시 물어보려는 게 틀림없다.

"은수야, 있잖아 핸드폰 번호……."

"김여울!"

야구 모자를 고쳐 쓴 은수가 내 이름을 소리치듯 불렀다. 그의 표정에 장난기가 어려 있었다. 길 가다가 돈이라도 주웠나? 갑자기 왜 저렇게 기분이 좋아진 거지?

"왜 불러?"

"얼굴이 왜 그렇게 빨개?"

"뭐가……. 그냥 술 먹어서 그래."

은수가 바람 빠지는 소리를 내며 웃었다. 녀석은 중간에 멀뚱히 서 있는 곽다정을 투명인간처럼 지나치더니 내 쪽을 향해 걸어왔다. 코앞까지 다가온 녀석이 고개를 살짝 숙이더니 낮게 속삭였다.

"쟤 좀 빨리 가라고 해 봐."

"누구? 곽다정? 안 가는 걸 어떡하라고."

곽다정이 우리를 보며 인상을 쓰는 게 보였다. 미간에 닿는 은수의 모자가 장난치듯 내 이마를 콕 찧더니 왼쪽 귓가에서 속삭였다.

"지금부터 내가 말하는 것들 중에서 딱 하나만 골라 봐."

"뭐?"

"1번, 남자 친구."

귓바퀴에 닿는 그의 목소리가 오늘 마신 맥주처럼 쌉싸름하면서 머리를 어지럽게 만들었다.

"2번, 네가 죽고 못 사는 이웃집 첫사랑."

"미쳤냐?"

"3번 이웃집 사는 남자 친구."

"그게 1번하고 뭐가 다른……."

"4번, 십 년째 사귀는 남자 친구."

"아니 그러니까 그게 1번하고 뭐가 다르냐고!"

"5번, 십 년째 썸 타는 이웃집 남자."

"지금 대체 뭐 하는 건데?"

말을 멈춘 은수의 입술이 귓가에서 멀어졌다. 똑바로 서서 나를 내려다보는 그의 표정이 묘했다. 웃는 건 아니다. 웃으려다가 차마 웃지 못한 표정에 가까웠다. 긴장한 눈빛이었다.

담담하지만 따스한 목소리가 밤공기를 긴 호흡으로 밀며 말했다.

"6번, 13년째 널 짝사랑하고 있는 남자 사람 친구."

간혹, 불어오는 바람이 아주 느릿하게 느껴질 때가 있다. 공기 중 떠다니는 먼지가 반짝이는 소금 가루처럼 보일 정도로 시간이 쉬어 가는 순간들. 내 심장이 너무 빠르게 뛰어서 솟구치는 아드레날린에 의해 모든 감각이 극도로 선명해지기 때문이다.

나는 차오르는 숨을 억지로 차분하게 억눌렀다. 앞서가지 말아야지, 넘겨짚지 말아야지, 김여울. 괜히 착각했다가 너만 우스워져.

쇄골에 걸쳐 있던 긴장감이 목구멍을 타고 올라오기 시작했다. 살포시 떨리며 나오는 목소리가 그 증거였다.

"그게 뭐야. 6번만 너무 다르잖아."

"그걸로 할래?"

"하기는 뭘 해? 이게 다 뭔데?"

"캐스팅."

은수가 야구 모자를 고쳐 눌러쓰며 대꾸했다. 나의 시선은 온통 은수의 입술로 향했다. 내 귓가에 다가왔다가 이마를 스쳐 멀어진 숨결과 목소리. 나는 일순 무슨 상상을 했던 걸까?

"그럼 6번으로 한다?"

은수의 말에 나는 인상을 쓰며 왼손으로 왼 귓불을 움켜쥐었다. 아직 녀석이 남긴 입김의 온도가 남아 있었다. 그것만으로도 내 호흡은 충분히 뜨거웠다. 가슴이 요동치며 안정 범위를 벗어나려는 게 느껴진다. 나는 미간을 좁히고선 눈을 감았다.

침착하자.

그때 은수가 휙 돌아서 곽다정을 향해 걸어갔다.

"우리는 이만 갈게."

그의 말에 곽다정의 눈이 휘둥그레 커졌다. 그녀는 방금 뭐였냐는 표정으로 나를 향해 날카로운 시선을 던졌다.

그렇게 쳐다보지 마라, 나도 모르겠으니까.

나는 슬그머니 고개를 외면하며 모르는 척 딴청을 부렸다. 방금 전 내게 허리를 숙였던 은수의 뒷모습이 곽다정의 위치에서 보면 오해를 불러일으킬 만한 자세이기는 했다.

좀 전에 우리끼리 한 이야기가 무슨 내용인지 궁금해 죽겠다는 눈빛을 하는 곽다정에게 은수는 천연덕스러운 표정으로 말했다.

"오늘 내가 여울이한테 중요한 할 말이 있어서."

"중요한 할 말?"

곽다정은 궁금하다는 듯 "나도 같이 들으면 안 돼?"라고 덧붙였다. 나는 두 사람을 향해 귀에 깔때기를 꽂은 채 코끼리처럼 귓바퀴를 벌렁벌렁 열었다.

"미안한데 여울이랑 좀 둘이 얘기할 수 있을까?"

은수의 말에 곽다정의 표정이 굳었다. 그녀는 더 이상 아무 말도 하지 못했다. 박쥐처럼 들리지 않는 초음파까지 고막으로 끌어모으던 내 눈동자도 서서히 커졌다.

왜 이래, 하은수? 오늘 대체 왜 이러는 거야?

충격으로 말문이 막힌 채 서 있는 곽다정을 보며 나는 배를 움켜쥐는 척 허리를 굽혔다. 배꼽과 위장을 수축시키며 들숨을 폐까지 깊게, 내 마음 속 깊은 곳까지 방어적으로 끌어안았다. 그러지 않으면 고꾸라질 것 같았다, 존재조차 잊고 있던 기억 속 저편의 깊은 맨홀 속으로.

그러기 전에 냉큼 몸을 일으켰다.

늦은 밤, 은수의 흰색 페라리는 고요히 강남대로를 달렸다. 반포대교를 넘어서 용산까지 오는 데 십 분도 채 걸리지 않을 정도였다.

은수가 사는 주상 복합과 내가 사는 원룸 오피스텔 건물은 걸어서 채 2분도 걸리지 않는다. 우리는 그렇게 횡단보도도 필요 없는 작은 건널목 하나를 사이에 둔 채 살고 있었다. 은수네 아줌마는 일 년의 절반 이상을 평창의 펜션에서 보내고 계시는데, 아줌마께서 평창에 가 계시는 동안 은수는 아파트 출입문 카드 중 하나를 내게 넘긴다.

서로의 집을 말없이 들락거려도 아무렇지 않은 사이.

녀석과 자연스럽게 그런 관계가 된 후, 나는 우리 둘 사이에 존재하던 얇은 방문을 굳게 닫아 버렸다. 반짝반짝 빛나던 우리만의 비밀 아지트. 그 안에 무엇이 있었는지 이제 기억조차 나지 않는다. 애써 잊으려 했던 것도 아닌데 이상하리만큼 까마득하다.

은수는 기억할까? 우리 둘, 예전에 어떠했었는지.

밤마다 몸을 웅크린 채 궁금해했던 그의 머릿속, 감정, 눈빛. 나는 여전히 그 어느 것도 답을 얻지 못한 채 곁눈질로 녀석의 옆모습을 훔쳐보고는 한다.

예전처럼 뭔가 끓어오르는 감정이 있는 건 아니다. 이건 그냥 습관 같은 거였다. 은수를 향한 내 시선은 아주 오래된 버릇처럼 내 몸이 기억하는 무의식적인 행위 같은 것이었다.

무의식속에 잠들어 있는 세포가 의식적인 영역으로 넘어오지 않게. 나는 이따금씩 조용히 눈을 감고 머릿속을 차분하게 비웠다. 넘쳐흐르던 유리잔 속의 물은 다 마르고 존재하지 않은지 오래였다. 나의 마음은 텅 빈 유리잔처럼 고요하고 투명하다.

그렇게 속으로 몇 번 되뇌고 나면, 물결치며 흔들리던 내 눈동자는 평정심을 되찾은 채 녀석을 바라보고 있었다. 아무렇지도 않게 심장에 떨어진 꽃잎에 흔들리던 감정은 증발한 채로.

12층짜리 오피스텔 건물 앞에 은수의 흰색 페라리가 멈췄다. 정적이 흐르는 차 안에서 나는 심호흡을 한 뒤 슬그머니 입을 열었다.

"미안, 내가 다시 전화를 한다는 게 그만······."

편안하게 시트에 기댄 은수의 표정이 피곤해 보였다.

"5분만 있다 가자."

"그래."

줄곧 곽다정을 비롯한 사람들 앞에서 가면을 쓰고 있던 그는 차 안으로 들어가자마자 순식간에 무표정한 얼굴로 돌아왔다. 감정 소모가 심했던 모양이었다. 아무 표정이 없을 때의 은수는 날카롭고 이지적이다.

그의 가늘어진 눈초리가 흘끗 내 얼굴로 시선을 던졌다. 뭔가 골몰히 생각에 잠긴 기색이었다. 눌러쓴 모자 아래 보이는 입술은 굳게 닫혀 있었다. 날 선 눈동자는 무슨 생각을 하는지 매서웠다.

나는 가슴을 졸이며 애써 웃었다.

"많이 화났어? 화 풀어라, 응? 아니 내가 오늘 이상하게 일이 많아 가지고…….”

“그래서 나는 전혀 생각나지 않았고?”

“아니 그게 아니라…….”

오늘따라 녀석의 반응이 이상했다. 화가 날 일이긴 했지만 그렇다고 해서 여기까지 쫓아와 화풀이할 놈은 절대 아닌데. 무엇보다도 이런 노출을 가장 조심스러워하는 은수였다.

“박 대리가 전화로 뭐라고 했는데 그래?”

“별말 안 했어.”

“너 아까 박 대리 쳐다보는 게 살벌하던데……. 혹시 전화로 둘이 싸웠어?”

내 질문에 은수는 아무 말도 하지 않았다. 입이 바짝 말랐다. 박 대리가 또라이이기는 해도 은근히 철저한 놈이었다. 일면식도 없는 상대한테 시비를 걸지는 않았을 텐데.

“근데 너 아까 술집에서 막 그렇게 얼굴 까고 그래도 돼? 내일 기사 뜨고 그러는 거 아니야?”

은수가 나를 보더니 어이없다는 듯 웃었다. 그의 표정이 조금 풀어진 걸 보자 내 입가도 살짝 풀어졌다.

“이런 걸로 무슨 기사가 나냐? 주먹질한 것도 아니고.”

“디스패치 같은 데서 사진이라도 찍었으면 어떡해.”

“디스패치 같은 데에 찍히려면.”

그가 운전석에서 조수석 쪽으로 몸을 확 비틀었다. 비스듬히 다가온 숨결이 코앞에서 느껴졌다.

"이 정도는 되어야지."

나는 눈을 동그랗게 뜬 채 콧등에 닿은 은수의 콧날을 응시했다. 내 왼 가슴의 맥박 소리는 여전히 차분하다.

"뭐 하냐?"

어처구니가 없는 어조로 묻는 내 모습이 녀석에게는 아무 생각 없이 멍 때리는 것처럼 보일 게 분명했다. 은수는 더 바짝 얼굴을 붙이며 퉁명스럽게 물었다.

"그 소개팅인지 뭔지 진짜로 할 거야?"

"오늘 주선자한테 연락이 왔는데 상대 남자가 엊그제 여친 생겼다더라."

"그럼 안 하겠네?"

"그래서 다른 사람으로 구해 준대. 좀 미뤄질 수는 있다고……."

"흐음……."

그가 고개를 좀 더 깊게 내 쪽으로 숙였다. 뭔가 이상했다. 평소 장난스럽게 대본 연습이라며 웃어넘기던 분위기와는 달랐다. 숨결의 온도가 다르다고 해야 하나? 윗입술에 닿을 듯 말 듯 느껴지는 은수의 입김이 두근거리는 내 심장을 천천히 뜨겁게 달군다. 아래를 향한 녀석의 속눈썹이 콧등에 닿을 듯 한층 더 가까이 다가왔다. 더 낮아진 목소리가 속삭이듯 물었다.

"정말 남자 친구 만들 거야?"

"그게 너랑 무슨 상관인데?"

은수는 아무 말도 하지 않았다. 조금만 더 고개를 기울이면 그대로 입술이 닿을 거리였다.

드라마 속에 나온 은수의 키스 장면을 나는 한 번도 제대로 보지 못했다. 그런 장면이 나올 때마다 일부러 화면을 픽 꺼 버리고는 했다. 보기 싫었다. 녀석이 다른 사람과 연기로라도 입을 맞추는 장면 따위, 사랑한다고 속삭이는 장면 따위, 이상하리만큼 불쾌하고 짜증 났다. 그렇게 혼자 TV를 향해 심술을 부리듯 끄고는 건조해진 눈시울로 한참 동안 까만 화면을 응시하고는 했다.

은수는 현재 명실상부 대한민국 최고의 남자 배우다. 열아홉 살에 CF모델로 데뷔해 눈도장을 찍더니 그 뒤로 연기를 배워 드라마에 출연하자마자 순식간에 톱스타의 반열에 올랐다.

나만 알던 보물 장소가 만천하에 공개된 느낌이라고 하면 이해가 되려나? 정작 주인이었던 나는 관광 명소가 된 나만의 비밀 장소에 발을 들이지도 못하게 된 기분. 뒷짐만 진 채 멀찍이서 바라보며 남들 좋은 일만 해 주는 그런 기분 말이다.

물론 나는 하은수의 주인이 아니지만, 내 안에는 내심 그런 주인 의식이 자리하고 있었다. 이 남자는 나만의 보물이었다는.

"너는 내가 여자 친구를 만들어도 괜찮아?"

고요히 묻는 은수의 입술이 어느새 저만치 후퇴한 채 멀어져 있었다. 멀어진 숨결 대신 내 속을 꿰뚫어 보는 듯한 눈초리가 남았다.

"그건 네 자유잖아. 내가 그런 거까지 터치할 수는 없지."

안전벨트를 푼 은수는 창문을 열더니 복잡한 듯 긴 한숨을 내쉬었다. 창밖으로 걸친 그의 팔이 덜렁덜렁 뭔가를 내 버리듯 흔들린다. 손에 아무것도 없는 게 답답한 듯 그의 시선이 창밖 어둠 속으로 향했다.

"집에 가자, 데려다줄게."

"왜 화를 내고 그래?"

"화 안 났어."

"하은수, 너 오늘 이상해."

"뭐가?"

"그냥……. 이상해."

아스팔트 바닥에 힐을 질질 끌며 걸어가는 내 목소리가 침울해지자 그가 돌아섰다. 나를 물끄러미 바라보던 은수는 천천히 걸어오더니 엄지손가락으로 내 입술을 마구 문지르기 시작했다.

"야, 뭐 하는 거야!"

살구색 립스틱이 입 주변과 턱에 잔뜩 번졌다. 핸드백에서 거울을 꺼낸 나는 은수를 죽일 듯 노려보았다. 피에로가 따로 없었다. 아니, 이 정도면 배트맨에 나오는 조커 수준이다. 은수는 제 손가락에 묻은 내 립스틱을 내려다보며 중얼거렸다.

"그냥."

"뭐?"

"아까부터 그 입술, 계속 망쳐 놓고 싶었어."

"아니 왜 심술을 이따위로 부리냐고!"

애도 아니고. 툴툴거리며 물티슈를 꺼내 입가를 닦는 내 모습을 은수는 말없이 지켜보았다. 물론 반성하는 기색이라고는 눈곱만치도 없었다. 그냥 쳐다보는 거다. 제가 저지른 일을 강 건너 불구경하듯이. 저놈은 예나 지금이나 뻔뻔했다.

나는 더 이상 은수에게 아무것도 묻지 않았다. 왜 그러는 거냐고, 이게 대체 뭐 하는 짓이냐고. 이유는 모르겠지만 지금은 혼내면 안 될 것 같다. 그랬다가는 아주 거센 역풍을 맞을 듯한 예감이 들었다. 대신 자연스럽게 화제를 돌렸다.

"아까 그건 뭐야?"

"뭐?"

"캐스팅인지 뭔지, 6번 그거."

"뭐일 거 같은데?"

"새 작품이 그런 설정이야? 아니면 뭐……. 앞으로 회사 사람들이나 곽다정 앞에서 보여 줄 컨셉 같은 거?"

"글쎄."

"사람들이 믿기나 하겠어? 배우 하은수가 사실은 십 년 넘게 김여울을 짝사랑했대요, 라고 하면 참 믿겠다. 말이 되는 소리를 해야지."

"왜 말이 안 되는데?"

은수가 고개를 들며 물었다. 다 알면서 묻기는. 나는 눈을 흘기며 녀석의 등을 찰싹 때렸다.

"됐어, 집에나 가자."

"왜 말이 안 되냐고."

"아, 몰라. 내일 회사 가면 진짜 죽음일 거 같아. 어떻게 설명하지?"

그냥 모르는 척 쌩 까야겠다. 뭘 물어봐도 웃어야지. 괜한 말을 했다가는 인터넷에 지라시처럼 이상한 글이 올라올지도 몰라. 웅얼웅얼 걱정을 하며 걷는 내 뒷모습에 말

없는 시선이 느껴졌다. 나를 타박타박 뒤따라오는 발소리가 은수의 눈초리처럼 묵직했다.

귓불이 뜨거워진다. 살짝 감긴 눈으로 뚫어져라 쳐다보는 녀석의 눈빛이 무슨 생각을 하는지 고스란히 들려오는 것 같았다.

립스틱을 뭉개 놓은 것만으로는 부족하다고.

나는 고개를 붕붕 좌우로 내저었다. 그러다가 불쑥 걸음을 멈췄다. 가로등 밑에 선 내 얼굴은 볼터치를 한 듯 뺨이 발그레 젖었다. 무슨 용기에서인지 몸을 홱 돌렸다.

그러자 나보다 훨씬 긴 다리로 느릿하게 뒤따라오던 은수가 걸음을 멈췄다. 그는 왜 그러느냐는 표정으로 서서 나와 적당한 거리를 유지했다.

어디선가 피아노 선율이 들려오고 있었다. 갑자기 옛날 생각이 났다. 하얀 피아노 앞에 앉은 은수가 나를 위해 연주를 하고, 나는 그런 그의 옆에 앉아 장난스럽게 건반을 통통 쳐 보고.

양팔을 가득 벌린 채 길게 심호흡을 했다.

깊은 밤, 흐릿한 가로등은 부서진 달 조각처럼 깜빡였고 애매하게 마주 본 우리 둘의 그림자 사이로 녹턴이 흘렀다.

자박자박 담벼락을 따라 걷는 은수를 보면서 혼자 몰래 웃고는 했던 그 빛나는 감정들이 바람을 타고 가슴에 스민다. 입가에 충만한 행복이 몽실몽실 곡선으로 맺혔다. 배시시 웃는 내 모습에 은수의 눈동자가 당혹스러운 듯 커졌다.

"하은수, 나 안아 줘."

"뭐?"

"안아 달라고."

다시금 정적이 내려앉았다. 나는 양팔을 가득 벌린 채 밤 공기를 끌어안듯 숨을 들이마셨다.

1초, 2초, 3초⋯⋯.

은수가 멍하니 넋을 잃고 나를 쳐다본 시간이었다. 녀석의 옅은 눈동자가 물결치며 고요하게 흔들리기 시작했다.

나는 불만스럽게 미간을 구기며 소리쳤다.

"안아 달라니까?"

그 순간, 은수의 발이 움직이는 게 보였다. 성큼 다가오는 발걸음 속도가 점차 빨라졌다. 나도 모르게 주춤하던 찰나, 너른 어깨가 와락 허리를 끌어당기며 시야를 가득 채웠다. 갈비뼈가 으스러져라 끌어안은 팔이 견갑골을 숨 막히게 조였다.

안아 달라 했더니 질식사를 시킬 셈인가?

왼쪽 귓가에서 호흡을 억누르듯 긴 숨을 내뱉는 소리가 들렸다. 말을 잇지 못하던 은수의 입술이 내 뺨에 닿을 듯 가까웠다.

"김여울, 너……."

술기운이 올라오면서 숨이 턱 막혔다. 그럼에도 내 심장은 기이하게도 차분하게 뛰고 있었다.

"사실은 다 알고 있는 거지?"

"뭘?"

고조되었던 그의 목소리가 잠시 말을 멈췄다. 날 끌어안은 채 은수가 조용히 눈을 감는다. 정적인 호흡 하나만으로도 녀석의 표정이 한눈에 보였다. 눈을 내리감고 천천히 숨을 고르는 모습이.

"다 알면서 이러는 거잖아."

"내가 뭘 아는데?"

나는 가만히 은수의 대답을 기다렸다. 졸린 건지 기분이 멍했다. 하지만 지금 이 순간, 은수의 목소리는 절대 까먹지 않을 자신이 있었다.

"어디 가서 이런 짓 하지 마."

"이런 짓이 뭔데?"

"방금 위험했어."

"뭐가?"

"뭐일 거 같은데?"

그의 낮은 음성이 귓바퀴를 짜릿하게 감전시켰다. 갑자기 밀려온 졸음에 눈꺼풀을 닫으려던 나는 몸을 흠칫 떨었다.

방금 뭔가 귓불에 닿았는데…….

코를 묻고 있던 그의 어깨를 홱 밀쳐 냈다. 은수의 손이 순순히 나를 풀어 줬다. 귓바퀴를 손으로 감싸쥔 채 녀석의 입술을 망연히 쳐다보았다.

예민한 살갗에 닿던 숨결의 정체.

나를 쳐다보는 은수의 눈동자가 달빛을 머금고 흐릿하게 어지럽혀져 있었다.

"하은수."

"왜?"

"이상해지지 마."

"뭐가?"

은수는 황당하다는 표정을 지었다. 그 순간 민망함이 몰려왔다. 착각한 건가? 녀석이 기가 막힌다는 듯 인상을 쓰며 말했다.

"안아 달라고 한 건 너잖아."

"술 취해서 그래."

나는 정색하며 중얼거렸다. 술이 아니라 곽다정 때문이다. 고것이 등장해서 내가 잠시 옛 향수에 젖었다.

"술 취해서 그런 거라고?"

은수의 목소리가 비딱하게 흘러나왔다. 나도 내가 비겁한 거 안다. 사람들이 몹쓸 짓을 해 놓고 술 때문이라느니 그런 치졸한 변명을 할 때마다 누구보다 목에 핏대를 세운 채 비난해 놓고는.

"술 취해서……."

말끝을 흐리던 은수의 눈길이 내 입술에 닿았다. 녀석은 제 검지와 엄지에 묻은 립스틱을 내려다보더니 신경질적인 말투로 말했다.

"너 소개팅 하지 마."

"뭐?"

"소개팅 하지 말라고!"

"너는 왜 매번 내가 남자 좀 만나려고 하면 심술이야? 됐고 소개팅 때 입을 옷이나 골라 줘."

"내가 왜?"

"네가 골라 주는 걸로 입으면 꼭 성공하더라."

나는 눈꼬리를 가늘게 휘며 웃었다. 도와 달라며 팔을 잡자 은수는 짜증을 내며 팍 털어서 뿌리치고는 걸어가 버렸다.

"에이, 삐졌나?"

오피스텔 건물로 들어간 은수가 경비 아저씨로부터 택배를 받는 게 보였다. 기특한 녀석, 저런 건 꼭 잊지 않고 챙긴다. 집을 도깨비 소굴처럼 해 놓고 사는 내게 잔소리를 해 대는 것도 은수의 몫이다. 미국에서 유학 중인 도연이한테 매달 내 근황에 대해 정기적으로 보고를 하는 것도 은수의 몫이었다.

나는 뒷짐을 진 채 은수의 뒤꽁무니를 쫄래쫄래 쫓았다. 도와주겠다며 택배 박스를 하나 달라는 내게 녀석은 됐다며 한 손에 박스들을 올려놓고는 엘리베이터 버튼을 눌렀다.

"근데 나한테 할 말 있는 거 아니었어?"

"할 말?"

"아까 곽다정한테 그랬잖아. 나한테 중요한 할 말 있다고."

은수는 '띵' 하고 열린 엘리베이터 안으로 들어서며 맥 빠진 목소리로 중얼거렸다.

"나중에……. 더 나중에 하려고."

"뭔데 그래?"

"바보는 몰라도 돼."

"야!"

그날 밤, 희한한 꿈을 꿨다.

꿈속에서 나는 자전거를 탄 채 허름한 슈퍼 앞을 지나며 열심히 페달을 밟고 있었다. 그 앞에는 머리를 양 갈래로 묶은 소녀가 낡은 뽑기 기계를 등진 채 서 있었다. 소녀는 자전거 위에서 땀을 뻘뻘 흘리는 나를 신기하다는 듯 쳐다보더니, 앞니가 빠진 미소를 지으며 손가락으로 뒷좌석을 가리켰다.

나는 손잡이의 브레이크를 끼익 잡아당겼다. 아스팔트

위에 선 자전거 바퀴가 마찰로 인해 고무 타는 냄새를 피웠다. 오른발로 땅을 겨우 딛고선 어깨 너머를 돌아보았다. 그러나 내 등에 고개를 푹 처박은 채 자고 있는 녀석의 얼굴은 아무리 해도 볼 수가 없었다.

다시 페달을 밟으려는 순간 등에서 미세한 경련이 느껴졌다. 고개를 처박은 채 자던 녀석이 어깨를 들썩이며 웃음을 참고 있었다.

고무줄처럼 늘어난 밤이 하품을 하듯 기다란 초승달을 비춘다. 그 위에 호젓이 걸터앉아 옛 추억을 내려다보고 싶었다. 어둠에 가려진 모퉁이의 구석구석을 자세히 비춰 보면 그때 놓쳤던 은수의 표정을 볼 수도 있지 않을까?

현관에는 은수가 놓고 간 택배 상자들이 벽돌처럼 쪼르르 세워져 있었다.

나는 젖은 머리를 수건으로 말리며 침대에 털썩 걸터앉았다.

– 13년째 널 짝사랑하고 있는 남자 사람 친구.

13년째, 나는 아직도 녀석의 속을 잘 모르겠다.

13. 키스해도 돼?

13. 키스해도 돼?

8월의 셋째 주 금요일 저녁, 신사동.

인디 핑크색 립스틱을 바른 내 입술 사이로 얕은 한숨이 새어 나왔다. 현재 시각은 정확히 오후 6시 43분. 사전에 정해진 약속 시간은 여섯 시 반이었다. 남자로부터 조금 늦을 것 같다고 연락이 온 건 불과 십 분 전, 그것도 전화가 아닌 카카오톡 메시지로 날아왔다. 퇴근 시간이라 차가 막힌다면서 조금만 기다려 달라고.

"안녕하세요?"

고개를 들자 주황빛 어스름한 조명에 반짝이는 셔츠 단추와 벨트가 제일 먼저 눈에 들어왔다. 의자를 끌고 앉은 남자는 환하게 웃으며 주위부터 둘러보았다.

"어, 자리가 여기밖에 없었어요?"

아쉬운 듯 창가 쪽을 응시하는 남자의 시선에 나는 그냥 웃어 보였다. 15분이나 늦은 주제에 터까지 안 좋다고 불평하는 거냐고 하려다가, 교양 있고 아름답게 물어볼 수 있는 문장이 생각나지 않아서 참았다.

구찌 로고가 떡하니 박혀 있는 가죽 벨트와 윤이 반짝이는 금색 단추들. 밝은 색 셔츠에 감색 면바지를 입고 온 남자에게서는 진한 향수 냄새가 뿜어져 왔다. 레스토랑에 들어오기 직전에 뿌린 게 확실하다.

"제임스 박입니다."

"김여울이에요."

손으로 안경을 치켜 올린 남자는 비즈니스 미팅이라도 하듯 명함부터 내밀었다. 얼떨결에 명함을 건네받은 나는 남자의 얼굴을 뚫어져라 응시했다. 샌님처럼 안경을 치켜 올리는 버릇이 왠지 낯설지 않다는 느낌을 받았다.

제임스 박은 뿌듯하다는 눈빛으로 카드 지갑에 명함을 끼워 넣었다. 언뜻 본 그의 구찌 카드 지갑 속에는 족히 몇십 장은 되어 보이는 명함들이 트로피처럼 꽂혀 있었다.

"뭐 드실래요?"

메뉴판을 펼친 그가 생긋 웃으며 물었다. 왁스로 단정하게 올린 헤어스타일이 인상적이었다. 어색한 옷차림과는 다르게 아주 세련된 모양새다. 레스토랑에 들어오기 직전에 뿌린 향수처럼, 소개팅 한다고 미용실이라도 다녀온 건 아니겠지?

"아, 저는 그냥 파스타⋯⋯."

"이 집은 피자가 맛있어요."

"네?"

"피자 좋아하세요?"

"아, 네⋯⋯."

나는 세상에서 피자와 햄버거가 제일 싫다. 피자와 햄버거 중에서 굳이 순위를 매기라면 피자가 더 싫다. 차라리 휴게소에서 파는 호떡을 먹으면 먹지, 피자는 안 먹는다.

그는 바로 주문하려는 듯 오른손을 들었다. 래미네이트라도 한 듯 새하얀 치아를 내보이며 웃었다. 알아서 척척 와인까지 주문을 마치는 모습에 기가 찼다.

이럴 거면 뭐 먹고 싶은지는 왜 물어봤니?

주문을 마치고 내 얼굴을 빤히 보던 제임스 박은 핸드폰을 꺼내더니 느닷없이 카카오톡을 열었다. 뭘 보나 했더니 내 프로필 사진이었다. 그는 내 얼굴과 카카오톡 사진을 번갈아 보기를 반복하는가 싶더니 느닷없이 픽 웃으며 말했다.

"실물이 훨씬 예쁘세요."

"아, 예……."

나는 이를 악물고 웃었다. 슬쩍 핸드폰 액정을 눌러 시간을 확인하니 6시 55분. 시계가 미쳤나 싶어서 눈을 부릅떴다. 믿을 수가 없다. 아직 십 분밖에 안 지났다니…….

이 자리에 나오기 전까지 남자의 사진 한 장 받아 보지 못했다. 갑자기 여친이 생겼다는 소개남의 대타라는 정보만 받았을 뿐이었다. 카카오톡 프로필 사진에 무슨 바다나 하늘같은 것만 올려놓을 때부터 알아봤어야 했다.

제임스 박의 피부는 하얗고 얼굴은 갸름한 편이었다. 눈은 외꺼풀에 작고, 안경을 썼는데 살짝 뭉툭한 주먹코와 올라간 입술 선 때문에 욕심이 많아 보이는 인상이었다.

"덥네요."

손부채질을 한 그는 셔츠를 팔꿈치까지 걷어 올리며 목덜미를 긁었다. 에어컨이 빵빵하게 나오는데 뭐가 덥다는 건지. 테이블 위에 올려놓은 차키를 보니 시원하고 편하게 온 것 같고만.

"시계 예쁘네요."

내 말에 그는 기다렸다는 듯이 "그렇죠?" 하고 반색했다. 결혼 전 여자들이 다이아 반지를 만지작거리며 자랑하듯 손목에 찬 시계를 만지작대며 웃었다.

"출장 가서 사 온 거예요. 싸게 샀어요, 만오천 불 정도."

"만오천 불이요?"

"그날이 딱 제 생일이었거든요. 내가 나에게 주는 선물 같은 거랄까?"

만난 지 십 분 만에 캐릭터가 이렇게까지 확실하게 파악되는 남자는 처음이었다. 내년 이맘때까지 심심할 때마다 안주처럼 올려서 까댈 후보남의 등장이다. 그런데 이놈은 '내가 나에게 주는 소중한 선물'까지 언급하는 와중에 늦어서 미안하다는 말은 일언반구도 없다.

무심하게 관찰하던 내 표정에 점차 짜증이 어려 갔다.

3분마다 만지작거리는 차키는 BMW고, 약수터에서 준비 운동을 하듯 자꾸 털어 대는 왼손에는 롤렉스시계, 집어넣은 셔츠 밑으로 반짝이는 벨트와 차키 밑에 깔아 둔 지갑은 로고가 선명한 구찌. 나는 도돌이표를 찍듯 차키에서 벨트까지 순서대로 시선을 던지며 슬픈 눈빛을 지었다. 그런데 왜 하나같이 짝퉁으로 보이는 건지……

우리 은수는 내가 태국에서 사 온 가죽 팔찌도 명품으로 탈바꿈시키던데. 한동안 하은수 가죽 팔찌가 엄청 화제였다. 이 자식은 그걸 끊어질 때까지 하고 다녔다. 나중에 끊어졌다고 나한테 태국 어디에서 샀냐고 물어볼 때는 정말 당황했다. 방콕 시장에서 2불 주고 사 온 거라고 말할 수도 없고.

"물 따라 드리겠습니다."

검은색 앞치마를 한 여자 점원이 스테인리스로 된 주전자를 들고 레몬을 넣은 잔에 물을 따르기 시작했다. 그녀는 우리 둘을 번갈아 흘끗 보더니 나를 향해 생긋 웃었다. 누가 봐도 소개팅 하는 자리였다. 아닌 척하기에는 오늘 내 의상이 너무 여자 1호 같았다.

"앗, 차가!"

"어머, 죄송합니다."

점원이 물을 너무 세게 따랐는지 물 잔에서 물방울들이 튀어 올랐다. 제임스 박은 뺨에 튄 물을 손등으로 닦으며 버럭 소리를 질렀다.

"아오, 씨! 어떡해!"

누가 보면 독극물이라도 튄 줄 알겠다. 그는 용수철처럼 튕기듯 일어나더니 제 손목시계를 보며 식겁했다. 시계에 물이 튀었나 보다. 냉큼 냅킨으로 시계를 닦으며 발을 동동 굴렀다. 그의 손목시계 브랜드를 확인한 점원의 얼굴은 이미 사색이 되어 있었다.

"물 튀었잖아요!"

"죄송합니다. 죄송합니다, 손님."

"아씨 이거 고장 나면 안 되는데. A/S 되나?"

나는 한심한 눈으로 그를 쳐다보며 냅킨을 앞쪽으로 슥

밀었다. 이거라도 보태서 닦으렴. 그런데 이 와중에 이런 생각하는 나도 웃기지만 저 남자 유학파라고 들었는데 A/S를 본토 발음으로 또박또박 말하는 게 웃겨서…… 하긴, 롤렉스에 물이 튀었다는데 이런 게 중요하겠냐만은.

"저기요, 나중에 잘못될 수도 있으니까 연락처 좀 주세요."

나는 턱을 괸 채 핸드폰에 번호를 찍는 점원을 쳐다보았다. 소개팅 자리에서 소개남이 다른 여자의 번호를 따가는 광경을 볼 확률은 얼마나 될까?

솔직히 처음에 물 튀었을 때는 금세 이성을 차리고 "괜찮아요, 하나 더 사면 되죠."라는 식으로 허세 부릴 줄 알았다. 그런데 흰자위가 보일 만큼 뒤집어져서 유난 떠는 모습을 보니 또다시 슬퍼졌다. 이 자리에 앉아 있는 내 자신이 가련하고 이 상황이 너무나도 비극적이다.

다시 핸드폰 화면의 시계를 확인했다.

7시 3분.

오늘은 지구가 자전을 역주행하나 보다. 그렇지 않고서야 시간이 이렇게까지 안 갈 리가 없지. 혹시 인셉션 같은 건가? 나는 지금 다른 차원의 꿈속으로 계속 떨어지는 중인가? 아니면 여기가 림보인가? 한 번 갇히면 나갈 수 없다는 그곳. 아니면…….

함정이다.

이 남자는 주선자가 놓은 덫이 틀림없어.

죽여 버리겠다, 오 대리.

밥 먹으며 와인까지 한 잔 마신 남자는 술이 깨야 한다는 이유로 세 시간이나 더 내 발목을 붙잡았다. 밥 먹고 카페만 두 군데를 더 돌았다. 밥값부터 커피값까지 정확하게 더치페이를 했다. 쟤가 아무리 내 발목을 붙잡아도 나는 절대 발목 잡힐 구실 하나도 남기지 않겠다는 강한 의지의 발현이었다.

남자만 애국가를 부르는 게 아니다. 여자도 애국가를 부른다. 몇 시간 동안 이 남자와 무슨 이야기를 나눴는지 하나도 기억나지 않았다. 내가 건진 건 BMW의 승차감이 내 애마인 503번 버스보다 구리다는 것뿐이었다.

"여기 사시는구나."

차에서 내린 제임스 박이 내 오피스텔 건물을 올려다보며 빙긋 웃었다. 몇 층인지 세어 보는 동공의 상하 운동이 보인다. 왜 세어 볼까? 나는 우리 집 몇 층인지 안 알려 줄 건데.

"태워다 주셔서 감사해요. 피곤하실 텐데 얼른 가 보세요."

"전혀 안 피곤해요. 우리 후식으로 아이스크림 하나씩 먹을까요?"

제임스 박이 오피스텔 1층에 위치한 CU편의점을 흘끗거리며 물었다. 순간 입에서 욕 나올 뻔했다. 세 시간 동안 커피와 생과일주스로 후식 대잔치 하지 않았니?

　"어? 하은수 맥주 광고도 하네?"

　은수의 이름이 나오자, 피곤한 척 연기를 하던 나는 고개를 들었다. 편의점 문에 붙어 있는 맥주 광고였다.

　"요즘 맨날 노는 것 같던데."

　"그래요?"

　"제가 좀 알거든요, 하은수."

　"어떻게요?"

　제임스 박은 뒤틀린 입꼬리로 피식거리며 비아냥거리는 어조로 말했다.

　"저랑 같은 미용실 다녀요. 청담에 아우리스라고 남자 배우들이 많이 가는 곳 있거든요. 희한하게 갈 때마다 있더라고요. 한 번은 건물 밖에서 같이 담배 피운 적도 있어요. 인사 정도는 하는 사이죠."

　은수 담배 안 피우는데.

　"이미지가 좋긴 한데 은근 양아치예요, 저 자식."

　그는 침이라도 뱉을 양 몸을 뒤로 젖혔다가 맨땅을 향해 발길질을 했다. 여자인 내가 봐도 축구공이라고는 평생 안 차 본 자세로 허공에 슛을 날린다. 바닥에 빈 깡통 구르는 소리가 울려 퍼졌다.

깡깡.

어디서 개 짖는 소리가 들려오지 않냐? 급격한 피로감이 밀려왔다. 진짜 들어가야겠다. 인상을 쓰며 미간을 주무르던 순간, 등골에 오싹한 한기가 흘러내렸다.

안경 너머로 보이는 제임스 박의 싸늘한 눈초리에 혐오와 독선이 짙게 어려 있었다.

이상하다.

은수는 군대도 육군 현역으로 제때 다녀왔기 때문에 남자들에게도 이미지가 좋은 편이었다. 일반인에게 이렇게까지 미움받는 일은 결코 흔한 경우가 아니다.

소개팅의 막바지, 나는 생각지도 못한 고민에 빠졌다.

이 남자, 한 번 더 만나 봐야 하나?

긴 주말이었다.

평소에는 눈뜬 채 도둑질 당한 주말에 두 주먹 쥐고 분개하기 바빴는데, 이번 주말은 아무리 눈을 감고 이불을 킥

해도 월요일이 함흥차사다.

그만큼 저번 소개팅이 끔찍했기 때문이겠지. 아무리 노력해도 하루 이틀 만에 기억이 소각되기란 무리였다. 핸드폰에 저장된 제임스 박의 이름을 롤렉스 박으로 바꿔 놓았다. 구찌 박, 넷찌 박, 물렉스 박. 뭘 해도 소용없다. 분노가 가시질 않는다.

지잉, 다시 진동이 울렸다. 설마 아예 전화를 거는 건가? 두려운 눈으로 조심스럽게 핸드폰을 뒤집었다. 휴, 다행이다. 재현 오빠였다.

[은수, 오늘 피아노 친다.]

똥 머리를 한 채 침대에 엎드려 있던 나는 기립근이 활처럼 휠 정도로 벌떡 일어났다.

피아노? 은수가 피아노를 친다고?

은수는 최근 새 드라마 촬영을 하고 있다. 인터넷 뉴스 기사에서 읽은 바에 의하면 쓰는 것마다 대박을 친다는 김은영 작가의 대본이라는데, 처음부터 은수를 남자 주인공으로 염두에 두고 썼다고 한다.

오랜만에 하은수의 브라운관 복귀작이라 화제가 되는 모양인데, 정작 나는 관심 없는 척 아무것도 묻지 않았다. 이상하게도 은수 역시 작품 이야기를 꺼내지 않았다. 평소 같으면 대본 연습이니 뭐니 하면서 먼저 장난칠 법도 한데.

그 이유를 오늘에서야 알았다. 매니저인 재현 오빠의 비밀스러운 메시지가 아니었으면 땅을 치며 통곡을 했을 것이다. 지체할 시간 없이 냉큼 옷장을 열었다.

재현 오빠가 보내 준 주소지는 〈숲속의 소나무〉라는 평창동의 한 카페였다. 도착하자마자 방송사 로고가 붙은 촬영차들이 지그재그로 주차된 모습이 제일 먼저 눈에 들어왔다. 미리 나와 있던 재현 오빠가 골목에 선 택시를 향해 손을 흔들며 걸어왔다.

"딱 맞춰 왔네?"

은수 못지않게 커다란 키에 딱 벌어진 어깨. 은수와 이종사촌인 재현 오빠는 까무잡잡한 피부에 옆 광대가 살짝 나온 얼굴형인데, 동네 헬스장에 가면 보일 법한 건장한 인상이었다.

"은수는요?"

"안에 있어."

가슴이 실로폰을 치듯 퐁당퐁당 뛰기 시작했다. 옷매무새를 다시 한번 점검했다. 얇은 코랄색 시폰 블라우스에 스키니진. 평소 은수가 예쁘다고 한 옷들이었다. 데님 재질의 힐은 은수가 몇 년 전 생일 선물로 준 거다. 손거울을 한번 본 뒤 허리를 곧추세우고 또각또각 걸음을 내딛었다.

오래된 고택을 개조한 이곳은 북한산을 등진 채 숲에 에

워싸인 듯한 분위기를 안고 있었다. 멋스러운 소나무들 사이로 듬성듬성 이어진 돌길을 따라 건물 내부로 들어서자, 독특한 디자인의 가구들이 목재 향기를 뿜어내며 손님을 맞이했다.

군데군데 전시된 현대 미술 작품들이 시선을 사로잡았다. 회화도 있었고 조각도 있었다. 벽 사이사이 틈새로 뚫고 나온 나뭇가지들과 잎사귀들도 인상적이었다. 지저귀는 새소리는 오디오인가? 마음이 평화로워지는 기분이었다.

나선 모양의 계단을 올라가자 어디선가 졸졸 물소리가 들려왔다. 2층의 전면은 통유리로 이루어져 있었다. 남향인 듯 햇살이 한가득 따스하게 마루로 쏟아져 내린다. 좌우로 뻥 뚫린 벽은 자연 암석으로 이루어진 절벽이었다. 절벽을 따라 흘러내리는 물이 아래에 작은 연못을 이루고 있었다.

"은수 저기 있다."

재현 오빠가 손가락으로 가리키며 웃었다. 카페 2층 중앙에 솟은 얕은 무대 위에는 검은색 그랜드 피아노가 한 대 놓여 있었다.

"피아노 멋있지?"

"185사이즈네요. 야마하 같은데……. G3이려나?"

"그냥 보기만 해도 알아?"

"짐작이에요. 한국 사람들은 C보다 G시리즈를 많이 쓰니까요."

재현 오빠는 제법이라는 눈빛으로 감탄했다. 내 시선은 천장으로 향해 있었다. 우드 재질의 천장은 군데군데 벌집처럼 구멍이 나 있다. 그 사이로 소나무 가지들이 화폭처럼 구부정하게 뻗어 내려온다.

동양적이고 우아한 선.

소나무에서 솔향기가 검은 피아노 위에 아름다운 능선처럼 펼쳐지고, 하얀 셔츠를 입은 은수의 어깨선까지 물결치듯 이어진다. 얇고 섬세한 붓으로 그린 듯한 이마 선과 콧날. 내 시선을 빼앗은 건 피아노가 아닌 은수의 근사한 옆모습이었다.

두근거림에 아랫입술을 꾹 누르고 있던 윗입술이 들렸다.

"이번 드라마, 어떤 내용이에요?"

"첫사랑."

생각지도 못한 대답에 나는 인상을 쓰며 재현 오빠를 쳐다보았다. 재현 오빠는 나 못지않게 은수의 팬이다. 그 검은 피아노 앞에 앉은 은수를 뿌듯하게 바라보는 그의 표정만 봐도 드러난다. 그는 은수가 출연할 작품들을 매번 함께 꼼꼼히 검토해서 고르는 편이었다.

"첫사랑이요?"

"응, 나도 몰랐는데 김은영 작가가 직접 은수 녀석한테 인터뷰까지 해서 글을 썼다더라."

"오빠도 대본 읽어 봤어요?"

"응."

"미국에 있는 언니 얘기예요?"

"미국에 있는 언니?"

"하은수 첫사랑 얘기라면서요. 미국에 간 그 언니 얘기냐고요."

"글쎄, 잘 모르겠는데."

재현 오빠는 놀리듯 싱글벙글 웃으며 대답했다.

대본 읽어 봤다며, 읽어 봤는데 왜 몰라.

갑자기 정수리까지 열이 확 뻗쳐올랐다. 남들 앞에서 피아노는 죽어도 안 치던 녀석이 웬일로 피아노 앞에 앉았나 했더니 그런 이유에서였다.

첫사랑.

유진 언니에 관한 이야기라면 당연히 피아노가 빠질 수 없겠지.

고교 입시로 정신이 없었던 열여섯의 마지막, 은수는 다시 사귀게 된 그녀와 흐지부지한 관계가 되어 있었다. 자세한 정황은 모르겠지만 대충 분위기가 그랬다. 궁금해서 캐 보고 싶어도 은수가 그때 일에 관해서는 통 입을 열지 않으니 별수 없었다. 녀석은 아직도 나한테 미안한 감정이 있는 모양이다.

나중에 알게 된 사실이지만 이후 유진 언니네 가족은 세간의 시선을 못 이기고 미국으로 이민을 떠났다고 한다.

그렇게 가 버린 첫사랑에 대한 미련이 남아서일까? 은수는 그 이후 어떤 여자도 만나지 않았다. 내가 아는 한은 그렇다. 일 때문에 바쁜 것도 있지만, 기본적으로 여자한테 관심을 두지 않았다. 유진 언니도 예뻤지만 그보다 더 예쁜 여자들이 고백해 온 적도 많았는데.

여태까지는 녀석의 눈이 더럽게 높아서 그런 거라고 생각했다. 아니면 병적인 무언가가 있든가. 이를테면 결벽증 같은 거. 그것도 아니면 누군가에게 일편단심 순정을 바치고 있다는 이야기인데……. 그것만큼은 정말 찝찝한 가설이었다. 그렇다면 녀석의 심장은 13년 전부터 지금까지 줄곧 한 여자에게 옭매여 있다는 이야기가 되는 거니까.

촬영 장비들로 즐비한 좁은 카페 내부는 분주했다. 계단 앞에 서 있던 나는 바삐 움직이는 스태프들의 어깨 사이를 조심스럽게 비집고 들어갔다. 다행히 아무도 내 존재를 신경 쓰지 않는 듯한 분위기였다.

감독님으로 보이는 분이 아이스커피 한 잔을 손에 든 채 등장했다. 50대 초반 정도로 보였는데 땅딸막한 키에 건빵 모자, 그리고 멜빵 바지가 묘하게 귀여운 분이었다. 그는 은수에게 다가가더니 어깨 각도와 시선 등을 일러 주며 구도 잡는 데에 여념이 없는 모습을 보였다. 지시를 마친 그는 날카로운 눈초리로 둥글게 깔린 레일 위 카메라와 지미집을 확인한 뒤 메인 카메라 뒤로 걸어왔다.

"자, 들어가 봅시다."

"네."

짧게 대답한 은수가 가만히 건반 위에 손을 올렸다. 카메라 앞에 선 감독님이 검지를 편 채 손을 올리자 촬영장은 순식간에 쥐 죽은 듯 고요해졌다.

"하이……."

은수의 긴 속눈썹이 호흡을 누르며 가만히 감겼다. 이윽고 정면을 바라보는 그의 눈빛에는 경건한 기색이 감돌았다.

"액션!"

나는 기도하듯 양손을 모은 채 입을 가렸다. 가슴 판막이 고동고동 뛰었다. 잘해야 할 텐데. 기대와 걱정이 어우러진 채 목구멍을 조였다.

잠시 후, 숨소리 하나 나지 않는 적막이 이어졌다.

"왜 저러지?"

누군가 작게 속삭인 목소리가 얕은 웅성거림이 되어 흘러나왔다. 카메라 감독님도 의아한 표정으로 고개를 들었다.

"은수 씨, 왜 그래?"

감독님의 목소리에 은수가 정신이 번쩍 든 듯 고개를 들었다. 그는 창백한 얼굴로 감독님 쪽을 응시했다. 녀석의 손은 건반 위에 묶인 듯 얼어붙어 있었다.

그 뒤로 몇 번을 재촬영해도 소용없었다. 은수는 카메라가 돌아가기만 하면 숨 쉬는 것도 잊은 듯 꼼짝도 하지 않았다. 넋이 나간 표정으로 패닉 상태가 되었다.

"어디 몸이 안 좋은가?"

초조한지 팔짱을 낀 재현 오빠가 손톱을 깨물기 시작했다. 나는 머뭇거리며 앞으로 걸어갔다. 자세히 보니 건반을 쳐다보는 녀석의 동공이 확장된 채 떨고 있었다. 파리한 그의 입술이 간신히 호흡만 내뱉는 게 보였다.

그 순간, 머릿속이 하얘졌다. 뭔가 생각하기도 전에 내 두 발은 은수를 향해 뛰어가기 시작했다.

"쟤 누구야? 뭐 하는 거야!"

피아노를 향해 뛰어가는 내 등 뒤로 날카롭게 외치는 조명 감독의 목소리가 울려 퍼졌다. 반사판을 들고 있던 스태프 앞에 누군가 달려와서 양손을 커다랗게 엑스 자 모양으로 만들며 "쟤 빨리 빼!"라고 외쳤다.

"아니야, 그냥 둬."

그 순간 감독님이 제지하듯 손을 들었다. 그는 미간을 좁힌 채 팔짱을 끼고 앉아 나와 은수를 가만히 지켜보았다.

무대 위로 올라온 나는 은수가 앉아 있는 피아노 의자 아래 쪼그리고 앉았다. 패닉 상태에 빠진 은수는 고개를 푹 숙인 채 멍하니 건반을 내려다보고 있었다.

"하은수."

나를 본 은수의 동공이 놀란 듯 움찔 굳었다. 아래에서 올려다본 녀석의 얼굴색은 예상대로였다. 긴장한 기색으로 굳어 있던 은수가 황당한 표정을 지었다. '네가 왜 여기 있어?'라는 눈빛이었다.

"너 먹은 거 체했지?"

식은땀이 맺힌 그의 안색이 창백했다. 그 모습에 안쓰러운 마음이 들었지만 내색하지 않은 채 장난치듯 말을 걸었다.

"얼굴색 보니 완전 시체다."

팔을 뻗어 은수의 손목을 어루만져 보았다. 얼음장처럼 차가웠다. 은수는 어릴 때부터 참는 게 버릇이다. 자존심이 강해서 빚지는 것도 싫어할뿐더러 남에게 뭘 부탁한다거나 약한 소리는 절대 하지 않는다. 은수가 이쪽에 발을 들이게 된 것도 사실 밤낮없이 일만 하시는 아줌마의 부담을 줄여 주기 위해서였다. 아줌마는 원래 하나뿐인 아들이 의대에 가서 의사가 되기를 원하셨는데.

"바보."

은수의 충혈된 눈이 보였다. 알고 있었다. 항상 강해 보이는 나의 이웃집 건담은 사실 부서질 듯 섬세한 녀석이라는 것을.

"너 긴장하면 물만 마셔도 체하잖아."

어느 날 문득 은수가 말했다. 나를 만나지 않았더라면, 자기는 아직도 관처럼 끔찍한 피아노 속에 갇힌 열여섯 소년이었을 거라고.

피아노를 칠 때의 은수는 허물을 벗고 가장 무방비한 모습이 된다. 나는 녀석의 그런 가장 여린 부분을 알고 있다. 그것은 어쩌면 은수 본인도 잘 알지 못할 본인만의 순수하고 투명한 색채였다.

누구도 알지 못하는 은수.

누구도 알지 못하는 나만의 비밀스러운 소유욕.

나는 일어서서 은수의 머리를 꼭 끌어안았다. 은수는 때때로 이렇게 내 앞에서 열여섯 소년의 모습으로 돌아간다. 나는 여전히 그런 은수에게 약했고, 또 그가 내 앞에서만큼은 이런 식으로 무너져 주기를 바랐다.

명치에서 느껴지는 은수의 입김이 따뜻하게 배를 적셨다. 내 심장 소리와 은수의 숨소리가 하나의 연주처럼 낮고 안정적으로 얽혀 갔다. 우리는 서로를 위로하듯 토닥였다.

은수가 한층 편안해진 목소리로 물었다.

"재현이 형이 말해 줬어?"

"응."

"소개팅은 잘했고?"

"일찍도 물어본다."

그가 고개를 들고 내 얼굴을 쳐다보았다. 나는 심통 난 표정을 지었다. 그런 내 모습에 은수의 눈빛이 잘게 흔들렸다.

"어땠는데?"

최악이었어, 두 번 다시는 만나고 싶지 않아.

"일단은 한번 더 볼까 해."

내 말에 은수의 눈초리가 일그러졌다. 나는 왜 거짓말을 하고 있는 걸까? 울컥하는 녀석의 저런 모습이 싫지 않아서? 치졸한 오기? 알량한 자존심? 모르겠다. 대체 내가 왜 이러는 건지.

"일단은?"

"그냥. 확인할 게 있어서."

"그게 뭔데?"

나는 말없이 은수를 내려다보았다. 내 침묵에 그의 미간이 점차 좁아졌다. 무심한 내 눈빛에서 뭔가를 읽어 내려는 듯이.

"체온."

"뭐?"

"그 남자의 체온이 궁금해서."

피아노 의자가 뒤로 우당탕 넘어갔다. 벌떡 일어난 은수의 눈이 크게 얼어붙어 있었다. 농담한 건데, 이렇게까지 격한 반응을 보일 줄은 몰랐다.

"은수 씨, 괜찮아?"

감독님 목소리였다. 나는 흠칫 놀라 주위를 둘러보았다. 우리를 유심히 지켜보던 스태프들의 표정이 혼란스러워 보였다. 어색한 침묵이 감돌았다.

남자 스태프 하나가 달려와서 냉큼 피아노 의자를 똑바로 세웠다. 은수는 곁눈질로 의자를 확인하더니 감독과 스태프들을 향해 90도로 꾸벅 허리를 숙였다.

"죄송합니다. 이제 괜찮습니다."

감독님은 한숨 놓았다는 듯 후우, 하고 미간을 잡았다.

"그럼 은수 씨 긴장도 풀 겸 한 곡 쳐 봐. 우리는 그냥 편안하게 감상할 테니까. 카메라는 안 돌릴게, 오케이?"

나는 슬그머니 엉덩이를 뺐다. 그러자 녀석이 내 손목을 덥석 잡았다. 피아노 의자에 앉은 은수가 내 얼굴을 빤히 쳐다보았다. 무표정한 얼굴로 나를 담담하게 응시하는 걸 보니 이제 긴장은 다 풀린 듯했다.

"그냥 거기 있어."

"다들 쳐다보잖아."

은수는 내 어깨 너머로 감독님과 시선을 교환하더니 내 손목을 확 잡아당겼다. 그리고 낮게 속삭였다.

"떨리니까 네가 좀 가려 줘."

나는 경계선 위의 깍두기처럼 난처한 기색으로 오도 가도 못한 채 눈치만 살폈다. 감독님은 느긋하게 의자에 앉아 있었다. 스태프들도 팔짱을 낀 채 은수의 연주를 기다렸다. 다들 무관심해 보였지만 말없는 시선 너머에는 호기심이 피어오르고 있었다.

완벽주의자로 알려진 하은수가 보인 카메라 공포증과, 어미 새처럼 달려와 그를 끌어안은 정체불명의 여자와, 소문으로만 무성했던 그의 숨겨진 피아노 실력.

그 모든 걸 파헤치고 싶다는 눈동자들이 우리 둘을 뚫어져라 주시했다. 숨이 막히는 것 같았다. 불안한 얼굴로 서 있는 나를 보며 은수는 입꼬리를 비틀어 웃었다.

"김여울 이제 큰일 났네."

"뭐가? 왜?"

신경이 날카로워진 나는 동공을 산만하게 움직였다. 등 뒤에서 느껴지는 따가운 눈총들이 불편해 견딜 수가 없었다. 역시 다들 화가 났나 보다. 감독님이 괜히 이 일로 은수에게 뭐라고 하는 건 아닐지 걱정이었다.

"은수야, 역시 나는 저쪽에 있는 편이……."

"아무 데도 못 가."

"뭐?"

"너 이제 아무 데도 못 간다고."

진짜 나한테 왜 이러는 건데? 나는 너와 달리 카메라가 아주 불편한 인간이란 말이다. 평범한 사람이라고.

은수가 건반 위에 조용히 손을 올렸다. 세상에서 제일 음흉하고 뻔뻔한 녀석이지만 이 순간만큼은 성당의 조각상처럼 우아하고 아름다웠다. 나는 홀린 듯 녀석의 연주에 시선을 고정시켰다.

숙성된 그랜드 피아노의 나무를 통해 깊은 울림이 퍼져 나왔다. 녀석의 손이 어느새 건반을 어루만지듯 부드러운 선율을 자아내고 있었다.

쇼팽의 녹턴.

나는 불안과 설렘이 뒤섞인 채 기도하듯 양손을 마주잡았다. 은수가 마치 나를 위해 연주하는 듯한 기분이 들었다. 간간이 내 얼굴로 향하는 은수의 시선에서 감출 수 없는 감정의 격한 굴곡이 엿보였다.

빨려 들어갈 듯 소용돌이치는 그의 날카로운 눈빛에 나는 꼼짝도 할 수 없었다. 늘 자장가처럼 다정하던 곡이 오늘만큼은 폭풍우가 몰아치는 밤처럼 거세고 격정적이었다.

약 4분간의 연주가 끝났다.

피아노 건반을 잠시 내려다보던 은수는 오른손을 말아 쥐었다가 펴기를 반복했다. 얼핏 보기에는 손가락을 스트레칭하는 운동으로 보였지만 초점 없는 그의 눈동자는 얕은 생각에 잠겨 있었다.

무슨 생각을 하는 것일까?

중학교 때 이후로 아마 처음일 것이다, 은수가 이렇게 많은 사람들의 앞에서 피아노를 친 것은. 나는 은수가 피아노를 사랑한다는 걸 알고 있다. 나에게 쳐 주는 은수의 피아노 음색은 언제나 세상 그 어떤 연주보다 따뜻하고 상냥하기 때문이다.

그 연주를 13년 만에 세상이 듣게 되는 순간이었다. 두려움을 이겨 내고 멋지게 연주를 끝마친 은수가 자랑스럽고 대견했지만 한편으로는 씁쓸하기도 했다. 오직 나만을 위해 피아노를 치던 은수는 더 이상 볼 수 없겠구나 하는 생각이 들었다. 상실감에 가슴 한 구석이 허전했다.

잠시 후 은수가 자리에서 일어나자 숨죽인 채 서 있던 스태프들이 하나둘씩 박수를 치기 시작했다. 감독님은 감동한 듯 모자를 벗은 채 기립 박수를 쳤다. 나는 뒷짐을 진 채 살그머니 속삭였다.

"하은수 최고."

내 옆을 스치듯 지나가던 은수가 흘끗 시선을 던졌다. 비뚜름한 눈초리가 눈썹을 치켜세운다. 나는 엄지를 척 세워 올리며 말했다.

"역사적인 날인데, 뭔가 상이라도 줘야겠네."

"뭘 줄 건데?"

"뭘 줄까?"

"……."

"뭐 받고 싶은 거라도 있어?"

"키스해도 돼?"

녀석의 눈동자가 평소보다 어지럽게 흐려져 있었다. 흥분한 듯 기분 좋아 보이는 입술 선도 그렇고 평소와 달랐다.

"그게 무슨……."

미친 소리야.

경악한 내 표정을 물끄러미 바라보던 은수는 서늘한 눈초리로 웃더니 그럴 줄 알았다는 듯 어깨를 으쓱했다. 나는 멀어지는 은수의 뒷모습을 보며 어버버 하던 입을 다물었다. 아무렇지 않은 척 받아쳤지만 순간 심장이 떨어지는 줄 알았다.

장난친 거겠지?

감독님에게 간 은수는 뭔가 설명하는 듯 긴 대화를 나누기 시작했다. 내 쪽을 보며 고개를 끄덕이는 감독님을 보니 방금 전 상황을 둘러대고 있는 모양이었다. 곁눈질로 나를 흘끗거리는 은수와 시선이 마주칠 때마다 뒷목이 따끔거렸다.

왜 이러지?

방금 전 녀석의 목소리와 표정이 머릿속에서 지워지지 않았다. 낯설고 어지럽다. 13년간 알아왔던 은수의 얼굴 속에 저런 눈빛은 없었다. 피아노를 치는 와중에도 감독님과 대화를 나누는 와중에도, 계속 나를 주시하는 은수의 표정이 금방이라도 무슨 일을 저지를 것만 같아서 가슴이 울렁거렸다.

온몸의 신경 세포가 날 선 반응을 하며 긴장한다. 은수가 처음 전학을 왔던 무렵처럼, 우리 둘 사이에 팽팽한 긴장감이 흐르고 있었다.

소년의 비딱한 눈초리, 관찰하듯 지켜보던 날카로운 시선, 조롱하듯 웃던 보조개 미소와 머리카락을 잡아당기며 괴롭히던 짓궂은 장난들.

― 키스해도 돼?

그때 은수는 기분이 좋아서 웃은 게 아니었다. 피아노 건반처럼 까맣게 물든 그의 동공에 비친 불쾌한 감정의 일면.

은수는 화가 나 있었다.

밖으로 나와 주차된 차들 사이를 서성이며 하늘을 올려다보았다. 새파랗다. 새벽에 비가 조금 왔다는데 그래서인지 미세먼지 하나 없는 청명한 하늘이었다. 어수선하고 복잡한 내 머릿속까지 개운하게 비워 줄 것 같은 그런 색감.

무사히 촬영을 마친 은수는 감독님과 잠시 이야기를 나누고 온다고 했다. 녀석은 간혹 눈이 마주치면 차가운 눈빛만 보일 뿐, 여전히 내게 싸늘한 태도를 유지했다.

갑자기 왜 이렇게 된 것일까?

사실 며칠 전부터 위화감을 느끼고 있었다. 그게 수면 위로 보글거리며 존재감을 드러낸 것뿐이다. 먼저 수상한 행동을 한 건 은수 쪽이었다. 녀석이 회식 자리에 불쑥 나타난 게 모든 일의 발단이었으니까. 그때만 해도 원인 제공을 한 건 나라고 생각했다.

오늘도 내가 원인 제공을 하긴 한 것 같은데…….

땅을 보며 발을 툭툭 던지듯 걷다가 앞에 서 있던 뭔가에 이마를 콩 하고 부딪혔다. 비틀거리며 뒤로 물러서자 전봇대만한 그림자가 꿈틀거리며 움직였다.

"아, 죄송합니다."

장신의 남자는 검은색 벤에 기대 서 있었다. 그는 천천히 뒤돌아서 내 얼굴을 흘끗 내려다보았다. 까무잡잡한 어깨에 걸친 민소매 티셔츠가 총알 모양으로 구멍이 송송 나 있었다. 수영복처럼 헐렁한 반바지 밑으로 흉터가 잔뜩 새겨져 있는 무릎과 종아리가 보였다.

남자의 얼굴을 본 나는 사고 회로가 정지된 듯 자리에서 굳었다. 그도 내 얼굴을 본 순간 멈칫하더니 입에 물고 있던 담배를 떨어뜨렸다. 담배꽁초를 발로 비벼서 끈 그는 신기하다는 듯 앞머리를 넘기며 나를 뚫어져라 응시했다. 그때 남자의 눈썹 위에 파인 듯 새겨진 십자 흉터가 눈길을 사로잡았다.

"너 설마……."

거무스름한 잇몸색은 여전했다. 커다란 입이 짓는 뱀 같은 미소. 내 기억이 순식간에 달음박질쳐서 13년 전 중학교 교실 문을 드르륵 열었다.

"오랜만이네, 짝꿍."

교복을 입은 나는 커다란 손에 머리채를 잡힌 채 울며 애원했다. 그런 나를 녀석은 짐승처럼 내려다보며 비웃었다. 잇몸이 보이게 웃던 녀석은 우쭐거리며 2분단 두 번째 줄의 책상을 발로 뻥 차고 앉았다. 은수의 이름이 써진 교과서와 노트가 서랍에서 와르르 쏟아져 내리고 있었다. 나는 그러지 말라고 외쳤다. '그러지 마, 은수한테 그러지 마!'

아이들이 낄낄거리며 웃었다. 서럽게 우는 목소리가 점점
목이 쉰 채로 잠겨 갔다. 나는 멍하니 주저앉은 채 잘려 나
간 머리칼을 내려다보았다.

뒷걸음치던 발이 돌아서서 무작정 달렸다.

감독님과 함께 카페에서 걸어 나오던 은수는 겁에 질린
채 뛰어오는 나를 보고 놀란 듯 눈이 커졌다. 허둥지둥 달
려오던 나는 그의 품에 와락 안겼다.

"왜 그래? 무슨 일이야?"

흐느끼듯 몸을 떠는 내 모습에 은수는 심상치 않은 일이
발생했다는 걸 직감했다. 그는 손에 들고 있던 커피를 감
독님께 넘긴 뒤 내 뺨을 어루만졌다.

"여울아, 괜찮아? 어디 다쳤어?"

"밖에, 밖에 녀석이……."

"녀석?"

온몸이 사시나무처럼 떨렸다.

그때 고개를 든 은수의 눈빛이 돌변했다. 내게 위협을 가
한 대상의 정체를 발견한 그는 서늘한 시선으로 정면을 응
시했다. 누군가 이쪽을 향해 어슬렁어슬렁 걸어오고 있었
다. 감독님이 반가운 듯 웃으며 손을 흔들었다.

"형욱 씨 왔어?"

"안녕하세요?"

"은수 씨, 인사해! 한국 액션 스쿨의 이형욱 팀장이야. 이번에 우리랑 함께 작업할 스턴트 팀을 리드할 친구거든? 액션 쪽은 이 친구가 그림 짤 거야. 센스가 좋아."

머리를 처박고 있던 나는 귀를 의심했다. 액션 스쿨의 팀장이라고? 나는 가만히 은수의 셔츠를 움켜잡았다. 차마 뒤돌아볼 용기가 나지 않았다.

"선생님께서는 몸이 안 좋으신가 보네?"

은수는 감독님께 내가 자신의 피아노 개인 교습 선생님이라고 설명한 모양이었다. 행여나 나보고 피아노 한 곡 쳐 달라고 요청하시면 어떡하나, 하는 우려가 들었지만 은수는 걱정 말라는 듯 내 머리를 툭 쓰다듬었다. 그 순간 밀려오던 불안감이 거짓말처럼 사라졌다. 신기하게도 은수랑 있으면 뭐든 안심이 된다. 녀석은 여전히 나의 슈퍼 갑옷이었다.

"밖에 나왔다가 웬 고양이만 한 쥐를 보셨다네요. 선생님한테 막 달려들었다고 하더라고요."

"쥐? 어이쿠, 놀라셨겠네……."

너털웃음을 짓는 감독님 옆에서 이형욱은 아무 말도 없었다.

"아무리 그래도 꼭 여자 친구처럼 안고 있네. 혹시 두 사람 사귀는 거 아니야?"

은수가 말없이 웃는 게 느껴졌다. 좀 전까지 촬영장에서의 싸늘했던 태도가 무색하리만큼 부드럽고 다정한 손길로 내 어깨를 어루만지고 있었다.

"오늘 수고 많았어. 화제성 하나는 엄청날 거야, 대박 기원하자고!"

은수의 어깨를 툭 친 감독님은 들어가라며 인사를 했다. 고개를 드니 감독님의 등이 어느새 저만치 멀어져가고 있었다. 반면 이형욱은 팔짱을 끼고 선 채 여전히 우리 앞에 서 있었다.

"너는 왜 안 가냐?"

"주연 배우님께도 인사 좀 드리려고."

"인사?"

은수는 이형욱이 신고 있는 하얀색 슬리퍼를 물끄러미 쳐다보며 말했다.

"슬리퍼, 너 이 작품 하지 마라."

이형욱은 어깨를 으쓱하더니 곤란하다는 눈빛을 지었다.

"너야 스타 배우인 몸이니까 일거리가 넘치겠지만 나는 아니라서."

"그 스타 배우가 너랑 하기 싫다는데."

은수가 신경질적으로 대꾸하자 이형욱의 눈초리가 음산하게 변했다. 그는 한숨을 쉬며 중얼거렸다.

"하 배우, 착하고 겸손하다고 소문이 자자하던데 지금

보니 영 아닌가 봐.”

“내 소문까지 다 알아보고……. 걱정이 되긴 되었나 보네?”

은수의 목소리가 한층 더 낮아졌다. 반듯하게 구겨진 눈초리가 보였다. 불쾌한 거다. 은수는 지금 아주 많이 불쾌한 상태다.

“네 전 여자 친구가 그런 말 한 적 없어? 내가 제일 싫어하는 행동이 뭔지.”

은수의 질문에 이형욱은 혼란스러운 표정으로 되물었다.

“뭐? 그게 뭔데?”

이형욱의 전 여친이라면 김민경을 말하는 건가? 은수가 제일 싫어하는 행동이라면……. 일단 결벽증이 있으니 누가 자기 몸, 자기 물건에 손대는 건 끔찍하게 싫어하는 편이고, 잦은 연락으로 자꾸 귀찮게 하는 것도 굉장히 싫어하는 편이다.

“예전에 네가 우리 교실에 놀러올 때마다 내가 뒷문만 수십 번은 처닫으면서 얘기한 것 같은데.”

은수의 말에 이형욱의 시선이 내 얼굴로 향했다. 나를 빤히 쳐다보던 그의 동공이 흐리흐리해졌다.

잠시 후 이형욱은 무덤덤한 목소리로 말했다.

“대체 무슨 말을 하는 건지 모르겠네.”

“그래?”

은수는 태연하게 되묻고 넘어갔다. 짧고 고요한 침묵이 이어졌다. 이형욱은 은수의 눈치를 살폈다. 은수는 의미 없는 말을 하지 않는다. 특히 이렇게 화가 났을 경우에는 더더욱.

은수는 자신만의 울타리가 아주 철저한 편이었다. 매니 저이자 사촌인 재현 오빠조차 혀를 내두르게 만들 정도면 말 다 했다. 어딜 가서나 반듯하게 구는 만큼 누구에게도 곁을 내주지 않는 사람이었다. 간혹 은수의 그 사적인 영 역을 침범하려는 사람들이 있었는데, 그럴 때마다 은수는 가차 없는 면을 내보였다.

이를 테면 집요하게 고백을 하거나 유혹을 하는 여자들 말이었다. 한 번은 어떤 여자가 어떻게 알아냈는지 은수의 집 현관문 앞까지 쫓아와 울며불며 협박 아닌 애원을 해 대는데, 그녀를 치리하는 은수의 모습은 가슴이 철렁 내려 앉을 정도로 살벌했다.

은수의 그런 태도에 돌변해서 저주를 퍼붓고 욕한 건 여 자 쪽이었다. 문 안쪽에서 듣고 있던 내가 다 화나서 '저걸 그냥 귀싸대기를 한 대 쳐서 쫓아낼까?' 하고 생각할 만큼 막장이었다. 걸레를 입에 물었는지 아주 지랄발광을 하던 그녀는 결국 도로 울며불며 흐느끼더니 가련한 모습으로 퇴장했다.

여자의 꽁무니가 사라지는 걸 확인한 은수는 집 문을 열다가 현관 앞에 서 있는 나를 발견하고선 당황한 채 굳었다.

─ 김여울, 오해하지 마.

행여나 내가 화나서 나가기라도 할까 봐 녀석은 얼른 문을 닫고 내 팔을 붙잡았다. 이후 은수는 그녀를 집에 데려온 적이라고는 한 번도 없었다면서 필요 이상으로 장황한 변명을 쏟아 냈다.

그런 것쯤은 굳이 말하지 않아도 알고 있었다. 사람을 경계하는 은수의 폐쇄적인 면은 지난 13년간 더 심해지면 심해졌지 나아지지는 않았으니까.

"근데 너희 둘은 아직도 사귀고 있었냐?"

이형욱이 깍짓손을 잡고 있는 우리 둘 손을 흘끗거리며 물었다. 은수는 아무 말도 하지 않았다. 이형욱은 재미있다는 듯 입가에 조소를 띠었다.

"기자들한테 잘도 숨겼네."

"사귀는 사이 아니야."

나는 깍지를 끼고 있던 손을 대뜸 뿌리쳤다.

"사귀는 사이 아니니까 이상한 상상하지 마."

은수는 주머니에 냉큼 손을 찔러 넣는 내 행동을 말없이 응시했다. 이형욱은 놀란 듯 눈을 휘둥그레 뜨더니 은수를 쳐다보았다.

"뭐야, 너 꼬맹이랑……."

"입 다물어."

은수의 조용한 목소리에 이형욱의 동공이 더 크게 팽창했다. 칼날이 허공을 가른 듯 주변 소리가 끊겼다. 침묵 속에서 서로를 마주 보던 두 남자의 표정이 상반되게 변하기 시작했다. 인상을 쓰며 고개를 돌린 은수와 달리 이형욱은 손으로 제 입을 틀어막더니,

"풉……."

새어 나오는 웃음을 터뜨리기 시작했다.

와하하!

녀석은 어깨를 들썩이며 배꼽을 잡고 웃었다. 나는 영문을 모른 채 넋을 놓았다. 저 미친개가 드디어 실성했나? 이미 미쳤는데 또 실성하면 그건 미친놈의 미친 상태가 되는 건가? 히긴 저 발암 분자 자식은 임세포마저 암에 걸리게 할 수 있는 능력자이니 나 같은 인간이 감히 이해할 수 있는 존재가 아니다.

2층에서 정리를 하던 스태프들 몇 명이 별안간 들려오는 웃음소리에 창밖을 내다보았다. 그들은 은수와 장난치듯 떠들고 있는 이형욱을 보더니 흐뭇하게 웃었다. 기가 막혔다. 설마 이 자식도 스태프들한테 인기가 많은 거냐? 제발 아니라고 해 주라…….

은수는 끓는점에 도달하기 직전인 듯 고요한 눈초리로 서 있었다. 녀석이 폭발할 것 같은 감정을 억누르며 초인적인 인내심을 발휘하는 게 보였다.

"와, 하은수! 존경한다. 존경해!"

눈물까지 훔치며 웃던 이형욱은 감탄조로 짝짝짝 박수까지 쳤다. 그래도 한때 안양까지 이름을 떨쳤다는 깡패 자식이 옛날보다 많이 방정맞아진 느낌이었다. 성격도 종잡을 수 없는 게 조증과 울증을 넘나드는 수준이다. 이형욱은 더워서 땀이 나는지 손등으로 이마를 문질렀다.

그 순간 드러난 녀석의 손목이 내 눈길을 사로잡았다. 단단해 보이는 팔 안쪽에는 여기저기 푸르스름한 멍이 들어 있었다.

내 시선을 눈치챈 이형욱이 얼른 팔을 내렸다. 벌겋게 핏줄이 선 놈의 눈동자는 매우 피곤해 보였다. 아까는 몰라봤는데 몰골이 꽤 수척하다. 며칠 밤이라도 샌 사람처럼.

다행인 것은 더 이상 녀석을 봐도 몸이 떨리지 않는다는 것이었다. 몸만 자랐을 뿐, 녀석의 정신 상태는 13년 전과 조금도 달라진 게 없었다.

"주연 배우님께 인사도 마쳤으니 이만 퇴장한다."

검은 수염, 아니 검은 잇몸은 원피스를 찾아가듯 손을 흔들며 떠났다. 나는 멀어져 가는 이형욱의 뒷모습을 바라보며 중얼거렸다.

"나는 쟤가 교도소 같은 데에 들어가 있을 줄 알았는데."

은수는 아무 말도 하지 않았다. 말없이 벤으로 걷는 은수의 옆을 따라가며 불쑥 물었다.

"근데 아까 이형욱이 왜 그렇게 웃은 거야? 무슨 조커인 양 낄낄대는데 소름 돋더라."

"몰라."

"갑자기 너는 왜 존경한대?"

"그런 말을 했어?"

"그랬잖아. 막 물개처럼 박수까지 치면서 존경한다고."

걸음을 멈춘 은수는 허공을 보더니 눈을 가늘게 접었다. 반쯤 뜬 눈동자가 인형처럼 표정이 없었다.

"그랬어?"

천천히 되묻는 은수의 목소리가 낮게 침전했다. 이형욱이 사라진 쪽을 돌아보는 은수의 속눈썹이 평소보다 길게 늘어져 있었다. 은수는 화가 나면 눈을 저렇게 접어 뜨는 버릇이 있다. 반듯한 콧날에 그늘진 듯한 눈초리가 꽤 섬뜩하다.

"너 딴생각했지?"

"응."

"무슨 생각했는데?"

은수의 눈이 말없이 나를 쳐다본다. 요즘 애가 이상하다. 대화 도중에 이렇게 말을 끊고 내 얼굴을 빤히 응시하고는 한다. 분위기가 왠지 아까 촬영장에서 뻘쭘하던 그 상태로 돌아가는 것 같은데.

"왜 쳐다봐? 내 생각이라도 했어?"

나는 은수의 기분이라도 풀어 줄 겸 애써 장난스럽게 웃었다. 은수가 미간을 좁히며 불쾌한 듯 인상을 썼다.

"맞네. 내 생각했네."

검지로 쿡쿡 은수의 옆구리를 공격했다. 간지럼을 잘 타는 은수는 이렇게 하면 백전백승 웃음이 터진다. 나는 소리 내어 웃는 은수의 낮은 웃음소리가 좋다. 피아노 선율처럼 내 가슴을 노크하듯 다가오는 그 울림이 참 좋다.

"어떻게 알았어?"

"뭐를……."

내 어깨를 잡아 세운 은수가 어깨와 고개를 비스듬히 숙였다.

"네 생각하고 있었는데."

낮게 깔린 목소리가 윗입술에 닿으며 숨결을 적셨다. 얼어붙은 듯 서 있던 나는 머릿속이 하얗게 마비되는 충격을 받았다. 눈을 내리깐 은수의 속눈썹이 콧등에 닿고 있었다. 그의 입술이 스치듯 내 윗입술을 쓸고 아랫입술을 포개듯 문댔다.

정신이 번쩍 들었다.

녀석의 정강이를 향해 발길질을 퍽 날렸다. 은수의 입술 사이로 "윽……." 하고 신음 소리가 터져 나왔다.

"하은수!"

격한 분노로 목소리가 바르르 떨렸다. 나는 입 안의 잇몸을 치아로 악물며 떨림을 억눌렀다.

"너 진짜 왜 그래!"

평소라면 그냥 가볍게 정강이만 걷어차고 넘어갈 수도 있는 일이었다. 아니, 모르겠다. 나만의 착각인지도 모르겠지만 요즘 은수의 행동은 대본 연습이라며 능청을 떨던 전과는 분명 다르다.

어제의 악몽 같던 소개팅의 영향일지도 모른다. 제임스 박과 함께 있으면서도 나는 머릿속으로 자꾸만 은수를 떠올렸고, 핸드폰을 쳐다보며 계속 은수의 연락을 기다렸다. 물론 이상한 건 아니었다. 소개팅 내내 화장실에서 소영이와 카톡을 주고받은 것처럼, 은수한테 전화해 볼까 하고 생각한 건 친구 사이에서 할 수 있는 자연스러운 행동 중 하나였으니까.

하지만 자꾸 초조했다.

은수의 말 하나, 행동 하나에 죄 지은 사람처럼 깜짝깜짝 놀라게 되는 내 자신이 한심해서 미칠 것만 같았다. 이상한 생각하지 말자고, 쓸데없는 기대하지 말자고, 혼자서 설레지 말자고 수없이 속삭여 봐도 콩닥거리는 심장은 매번 내 의지를 보란 듯이 배신하며 질주했다.

이형욱의 등장은 13년 간 굳게 닫아 놓았던 내 마음 속 빗장을 망치로 깨부수듯 열어 놓았다. 흡사 열여섯 그 시절로 돌아간 것만 같았다. 나 혼자 발을 동동 구르고, 별의별 상상을 다 하며 스스로를 지옥으로 떨어뜨리고는 했던 그 롤러코스터 위에 또 올라타는 기분이었다.

나는 이제 은수가 낯설기까지 했다. 지난 13년간 녀석과 웃고 떠들었던 시간은 사실 존재하지 않았다는 착각마저 일었다. 실은 13년 전 은수는 다시 전학을 갔고 며칠 전 다시 재회를 한 게 아닐까 하는 망상을 할 만큼, 내 앞에 서 있는 녀석이 타인처럼 낯설게 느껴졌다. 자연스럽게 시간이 흘러 은수에게 고백을 했던 그날의 연장선을 밟고 있는 것만 같았다.

아니, 이래서는 안 된다. 두 번 다시 그 롤러코스터 위에 타지 않을 것이다. 그러기 위해서는 극약 처방이 필요했다.

"우리 당분간 보지 말자."

정강이를 부여잡고 있던 은수가 놀란 듯 고개를 핵 들었다. 당황한 듯 커진 녀석의 동공이 충격을 받은 듯 충혈된 채 흔들렸다. 은수는 벌떡 일어나더니 내 어깨를 잡았다.

"여울아!"

"만지지 마, 나 잡지 말라고!"

깜짝 놀란 은수가 손을 떼더니 멍하니 서서 나를 바라보았다. 나는 들썩이는 숨소리를 내뿜으며 녀석을 죽일 듯 노려보았다.

"방금 그거 장난이었……."

"장난? 너 요전번에도 비슷한 짓 했지?"

나도 제정신이 아니었다. 조금이라도 이성이 있었다면 멀리서 고개를 갸웃거리며 다가오는 재현 오빠를 발견했을 것이고, 차들 사이를 오가며 장비를 정리하는 스태프들이 말다툼을 하는 우리를 흘끗거리고 있다는 걸 눈치챘을 것이다.

"여울아, 그게……."

"너 뭐야, 너 나랑 뭘 하고 싶은 거야? 여친이 없으니까 뭐…… 성욕, 그런 거야?"

"아니야! 그런 거 아니야, 절대 아니야!"

은수가 창백한 얼굴로 고함을 치다가 이마를 짚었다. 손으로 얼굴을 쓸어내리는 그의 표정이 답답하고 복잡해 보였다.

"너 요즘 이상해. 내가 알던 하은수 아닌 거 같아. 이상한 말로 사람 들쑤셔 났다가 혼자 기분 싸해져서 사람 숨 막히게 하고……."

"……."

"넌 내가 너랑 관련된 일이라고만 하면 만사 제치고 달려오니까 우습지? 내가 장 봐서 너희 집 냉장고 채워 놓고, 음식도 해 놓고, 도시락도 싸 주고 그러니까 네 팬들처럼 너한테 홀딱 빠졌다고 생각하는 거지? 어쨌든 김여울은 옛날에 하은수 좋아했었으니까, 사귀자고 고백도 했었으니까, 첫사랑이니까!"

흥분한 나는 온갖 못된 말을 다 쏟아 내고 있었다. 만사 제치고 달려오는 건 은수도 똑같다. 나를 위해서라면 은수는 지구 반대편에서 헤엄이라도 쳐 올 녀석이었다.

"근데 이제 아니야. 내가 말했잖아, 나한테 너 남자 아니라고. 내가 너한테 옛날에 고백했다고 이런 식으로 장난치고 사람 조롱하는 거…… 나한테는 모욕이야."

은수의 입가가 미세하게 떨리는 게 보였다. 주먹을 움켜쥔 그의 손은 뭔가 할 말이 많아 보였다. 하지만 나는 아무것도 듣고 싶지 않았다. 그저 이 현기증 나는 열차에서 얼른 내리고 싶었다.

"나 이제 너 안 좋아해, 하은수. 안 좋아한다고."

은수는 뭔가 말을 하려다가 입술을 사리물었다. 괴로워

보이는 표정이었다.

"나 간다."

은수의 눈동자가 얼어붙은 채 굳었다. 돌아서는 내 등을 멍하니 쳐다보던 은수가 "김여울!" 하고 매달리듯 내 팔을 붙잡았다. 나는 날카롭게 뒤를 쩨려보았다. 내 눈초리에 그는 주춤주춤 손을 놓았다. 하지만 붉어진 눈시울은 나를 애원하듯 바라보고 있었다.

나는 야멸차게 외면했다.

하얀색 밴 앞에 넋을 잃은 채 오도카니 남겨진 은수의 뒷모습을 보니 가슴이 콕콕 쑤셨다. 낯익은 광경이었다. 고개를 푹 숙인 채 눈두덩을 매만지는 은수에게서 13년 전 그날의 풍경이 겹쳤다. 내 고백을 거절해 놓고 버려진 강아지처럼 제자리에 서 있던 그 녀석. 그날처럼 은수는 뭔가에 절망한 채 멍하니 땅을 바라보고 있다.

왜 아무런 변명도 하지 않는 것일까?

카페를 나와 골목 모퉁이를 돌아선 나는 손으로 시큰해진 눈시울을 비볐다. 어느새 해가 저물고 있었다. 하이힐을 신고 언덕을 내려가려니 무릎이 아팠다.

택시, 택시를 불러야지……

은수가 쫓아오지 않는다는 사실에 다행이라고 생각하면서도 가슴 한구석이 차갑게 시렸다. 나도 내가 무엇을 바라고 그렇게 매몰차게 쏘아붙인 건지 알 수 없었다.

눈물이 왈칵 차올랐다.

녀석이 원망스럽고, 또 서운해서.

다만 나의 조막만 한 자존심과, 빗장 안에 숨겨 놓은 비밀을 가까스로 지켜 냈다는 사실 하나만이 스스로에게 작은 위로가 될 뿐이었다.

14. 단축 번호 1번

14. 단축 번호 1번

촬영장에 다녀온 뒤로 열흘이 흘렀다.

어항 속의 물고기가 된 듯 무료한 일상이었다. 나는 무더위에 지쳐 가고 있었다. 특별할 것 없는 하루하루에 짓눌리듯 이유 모를 압박감을 느꼈다.

〈'05년도 가림중학교 3학년 2반 졸업생 동창회 제1회〉

일시: 2018년 9월 1일 (토) 오후 7시

장소: 써드 키친 2층 (철산 상업 지구)

주최자 연락처: 곽다정 010-4788-1001

PS 참석 여부를 꼭 알려 주세요.

저번 주 월요일에 날아온 문자에 결국 가겠다고 답한 건 변덕이 아닌 사죄에 가까웠다. 은수의 연락처를 알면서 왜 말 안 해 줬냐고 쏘아붙이는 곽다정의 공격에 결국 못 이기듯 고개를 끄덕이고 만 것이다.

강남역과 역삼역 일대는 두 달째 팔팔 끓는 가마솥 안이었다. 출근길 지하철역에서 나오는 순간 한증막에라도 입성한 듯 숨이 턱 막혔다. 빌딩숲 내 일개미들은 서로에게 떠밀리듯 부지런히 걸어와 각자의 철창 앞에 도착했다. 나도 군단의 한 마리였다. 회전문을 밀자 먼저 통과하는 앞사람의 목덜미에 땀방울이 성글성글 맺힌 게 보였다. 온몸이 끈적거렸다. 아침부터 다들 진이 빠진 채 구부정한 자세로 회전문을 통과하는 중이었다.

짜증, 짜증, 짜증…….

하루 빨리 과학 기술이 진보하여 순간 이동 기술이 실현되었으면 좋겠다. 그럼 거기에 저 두 놈을 실어서 다른 은하로 귀양살이를 보내 버릴 텐데. 보낸 다음에 기계를 박살 내면 영원히 돌아올 수 없는 시스템이기를 희망한다.

"안녕하세요?"

"오, 김 대리 왔어?"

책상 정리를 하던 박 대리가 컨디션이 좋은지 쾌활하게 인사를 받았다. 이목구비가 큰 박 대리는 최근 잦은 회식으로 인해 얼굴도 같이 증식하는 중이었다. 결혼 전에 중년에 진입하는 남자의 전형적인 표상이 뭔지 보여 주리라 마음먹은 듯했다.

전 주임은 더위 먹은 얼굴로 의자에 앉아 늘어진 채 헥헥대고 있었다. 다달이 모친께서 기력 떨어지지 말라고 홍삼이니 뭐니 챙겨 보내 주는 것 같은데, 아들이 홍삼에 술을 타먹으리라고는 상상도 못 하시겠지.

오늘 나의 출근 의상은 흰색 민소매 블라우스에 베이지색 반바지였다. 그래도 우리 회사는 의상 하나만은 자유롭다는 게 장점이었다. 슬리퍼로 갈아 신고 데스크톱 모니터를 켰다. 화면이 밝아지자마자 메신저 대화창이 날아왔다.

[13층 휴게실로!]

잽싸게 곁눈질로 주위를 훑었다. 오전에는 바둑판 같은 사무실이 대개 쥐 죽은 듯 고요하다. 다들 커피 한잔 마시며 업무에 집중하거나 눈 뜨고 자는 기술을 발휘하느라 바빴다. 나는 눈치를 보다가 슬그머니 화장실에 가는 척 몸을 일으켰다.

소영이는 먼저 와서 커피를 타고 있었다. 우리는 창가 쪽 구석 테이블에 서로 어깨를 대고 바짝 붙어 앉았다. 소영이가 킬킬거리며 웃었다.

"곽다정 걔는 너 오면 하은수도 올 줄 아는 거 아니야?"

"은수 못 갈걸? 촬영 때문에 정신없어."

"아, 촬영 들어갔어? 그럼 너랑도 잘 못 보겠네?"

달그락, 달그락. 나는 말없이 티스푼으로 커피 잔을 저었다. 소영이의 눈이 취조하는 형사처럼 가늘게 접혔다.

"뭐야, 이거 뭐 있는데. 표정이 왜 그래?"

"걔 요즘 드라마 찍어."

"그래?"

티스푼을 쥔 오른손이 커피를 젓는 속도가 점점 느려졌다. 나는 티스푼을 톡 털어서 테이블 위에 놓았다. 아직 마시지도 않은 커피가 쓰게 느껴졌다. 입 안에서 맴돌던 말이 입술을 축이며 나왔다.

"첫사랑에 관한 이야기래."

"첫사랑?"

"확실히지는 않은데 김은영 작가가 은수한테 직접 인터뷰 따서 썼다는 거 같아. 피아노 치고 그러는 거 보니까 대충 맞는 거 같고……."

"피아노가 왜?"

"은수가 그 언니랑 어렸을 때부터 같이 피아노 배웠거든. 기억나지? 우리 중3 때 은수가 사귄다고 했던 언니."

"아……."

소영이의 눈이 동그랗게 커졌다가 점차 파동을 그리며

작아졌다. 그녀는 죄인처럼 고개를 푹 숙인 채 테이블 아래를 응시했다. 자세히 보니 핸드폰을 꺼내 뭔가를 톡톡 검색하고 있었다.

"김은영 작가 신작, 하은수 출연 열여섯의 너에게……. 이건가 보네. 근데 왜 열여섯이야?"

"몰라. 둘이 그때 헤어지고 다시 만나서 그런가 보지."

소영이는 말없이 액정을 응시했다. 혼란스러워 보이는 표정이었다. 미간을 매만지며 인상을 쓰던 그녀는 조심스럽게 입을 열었다.

"여울아, 있잖아……."

"응?"

"너 고등학교 간 뒤로 은수랑 몇 년간 말도 안 하고 지낸 적 있었잖아. 걔 진성고 들어가고 너는 광명고 가고……."

"응."

"나중에 너희 화해하고 나서 걔가 우리 중3 때 일에 대해 뭐 말해 준 거 없었어?"

"없었는데."

"갑자기 그 언니랑 다시 사귄 이유라든가, 진성고 간 이유라든가, 방학 때마다 집에는 왜 안 기어들어 오고 기숙사에 처박혀 있었는지 그런 거……."

"그건 뭐……. 내가 걔한테 고백해서 그렇지."

소영이는 머리를 쥐어뜯더니 버럭 소리쳤다.

"기집애야! 너는 왜 그걸 고등학교 내내 나한테 비밀로 해 가지고!"

"고백했다 차인 게 뭐 자랑이냐? 동네방네 말하고 다니게."

"내가 동네방네야? 네 성격에 그렇게 고백까지 했으면 진짜 좋아한 건데……. 왜 나한테까지 비밀로 했냐고!"

"창피하니까 그렇지. 바로 차였단 말이야."

"내가 알았으면, 그것만 알았어도 에휴……."

소영이가 답답하다는 듯 가슴을 치더니 커피 한 잔을 원샷 했다. 살짝 도드라진 그녀의 광대뼈가 홍조를 띤 채 젖었다. 이윽고 그녀는 곁눈질로 나를 쏘아보더니 입술을 삐죽였다.

"다른 비밀은 없지?"

순간 얼마 전 풍경이 뇌리를 스쳤다. 허리를 굽히며 다가오던 은수와 눈이 휘둥그레지던 내 모습이 유리창에 맺힌 서리처럼 뿌옇게 떠오른다.

"없는데……."

아무리 소영이라도 도저히 이것만큼은 털어놓을 수가 없다.

소영이는 석연치 않다는 표정을 지었다. 머리를 긁적인 그녀는 됐다는 듯 시선을 접었다. 내 성격상 닦달해 봤자 말하지 않을 거란 걸 알아서 그런지도 몰랐다.

"그나저나 너 용케 아직 소문 안 났다? 영업2팀 회식 자리에 배우 하은수가 왔다더라 이런 이야기는 아직까지 없던데."

"이게 웃기는 건데, 곽다정 덕분인 것 같아."

"반장이 왜?"

"전 주임이나 박 대리나 요즘 나한테 심심하면 묻는 게 그거야. 그때 회식 멤버로 언제 또 뭉치냐고."

"웃긴다, 걔네가 눈깔이 삐었냐? 안 그래도 체크걸들 우리 회사 남사원들 완전 무시하는데, 걔네는 그날 하은수까지 봤잖아. 여파가 클걸? 역시 배우는 배우인가……. 은수 걔는 나이 먹을수록 더 멋있어지는 거 같아."

어떻게든 나를 연결 고리 삼아 곽다정이나 체이스 카드 여사원들을 한 번 더 볼 생각인 것 같은데, 나는 전혀 응해 줄 생각이 없었다. 그건 아마 곽다정도 마찬가지일 것이다. 그녀의 기준에 한참 못 미치는 남자들과 두 번 놀아 줄 생각은 없을 테니.

"걱정 마. 세상에 연예인하고 친구인 게 너 하나뿐이니? 그렇게 신기할 것도 없고, 소문나도 상무들이 사인 몇 장 해 달라고 귀찮게 하는 거 빼고는 별거 없을 거야."

"상무들만 해 달라고 하면 다행이지, 뭐. 우리 팀 지은 씨만 해도 벌써 은수 나왔던 드라마랑 영화 OST 앨범 포스터 다 들고 와서 사인 좀 받아 달라고 내밀더라."

"근데 하은수는 대체 거길 왜 왔대? 네가 부른 것도 아니라면서."

"모르겠어."

소영이는 내 커피 잔을 뺏어서 홀짝이며 시선을 흐렸다. 둘이 따로 연락을 하지는 않지만 소영이나 은수나 서로가 어떤 사람인지 제 손바닥을 들여다보듯 훤히 꿰뚫고 있었다. 10년 넘게 나를 통해 직간접적으로 경험하면서 쌓인 연륜 같은 거였다.

은수도 평소 소영이 얘기를 하면 내 맞은편에 자리를 잡고 앉아 흥미롭게 들었다. 둘이 또 거기를 다녀왔냐면서, 박소영이 오늘은 자기 뒷담 안 했냐면서. 우리가 평소 대화하는 주제들을 스무고개 하듯 척척 맞춘다.

"하은수 그런 거 되게 조심스러워 하잖아. 특히 너에 관한 일이라면 언론이나 팬들한테 노출되지 않게 하려고 그동안 엄청 신경 쓰지 않았어? 그런데 거길 뜬금없이 왜 갔다니?"

"박 대리가 무슨 개소리를 한 거 같아."

박 대리에게 따로 물었지만 별 얘기는 안 했다면서, 김 대리는 자기가 집에 잘 데려다줄 테니 걱정 말라고 한 것밖에 없다며 얼버무렸다. 하지만 그 이상의 뭔가가 오갔다는 건 직감할 수 있었다. 며칠 뒤 그에게 다시 묻자 잘 기억도 나지 않는데 왜 자꾸 물어보냐고 신경질적인 반응을 보이기도 했다.

– 김 대리는 그 친구랑 정말 그냥 친구 사이야?

오히려 내게 쏘아붙이듯 질문을 던지며 의심스러운 눈초리를 보내던 박 대리의 모습이 떠올랐다. 뭔가를 캐내려는 듯 얼굴을 뚫어져라 쳐다보는 시선이 불편해서 더 이상 그날에 관한 이야기는 꺼내지 않았다.

"어쨌든 너도 갈 거지?"

"어딜?"

"동창회."

소영이는 짐짓 나를 흘겨보더니 엊그제 새로 한 손톱을 만지작거리며 고민에 잠겼다. 왼손 두 번째 손톱을 잡아 뜯을 듯 뽑아 내던 그녀는 썩 내키지 않는다는 어조로 말했다.

"가기는 할 건데 아주 속이 뒤집어져서 올 것 같다."

"왜? 반장 때문에?"

"이윤아 결혼한다잖아. 솔직히 동창회의 탈을 쓴 브라이덜 샤워 아니겠어? 걔 애들한테 청첩장 돌리고 앉아 있을 것 같은데."

소영이는 비뚜름한 눈초리로 턱을 괸 채 핸드폰 액정을 성의 없이 터치했다. 그녀가 열어서 보여 준 건 이윤아의 인스타그램 계정이었다. 이건 또 어떻게 찾았대? 나는 눈을 흘기며 웃었다. 웨딩드레스를 입고 우아한 자태를 뽐낸 이윤아의 사진이 수십 장은 올라와 있었다.

"얘 무슨 일 해?"

"몰라, 계정에는 무슨 쇼핑몰 모델이라고 써 놨던데."

"쇼핑몰 모델? 그래서 이렇게 날씬한가?"

"근데 좀 이상하지 않아? 얘 허리랑 어깨가 저렇게 가녀릴 수가 없는데. 얘는 워낙 어릴 때부터 통통했잖아. 그냥 살이 아니고 뼈대나 골격 같은 게 듬직한 체형인데 저렇게까지 여리여리해 보인다는 건……."

"보인다는 건?"

"포샵이란 소리지. 자기 말로는 요가랑 필라테스해서 뺐다고 써 놨는데 글쎄다……. 나는 살면서 개처럼 운동 싫어하고 못하는 애는 본 적이 없어서."

사진들을 보니 중간중간에 요가와 필라테스 관련된 포스팅이 보였다. 얼굴도 예전과는 완전 딴판이었다. 계정에 본인 이름 안 써 놨으면 정말 못 알아볼 수준이었다.

"그래도 많이 예뻐졌네. 포샵을 했든 안 했든 살 많이 뺀 것 같아."

"그렇겠지. 듣기로는 거식증 걸려서 음식점만 가면 화장실 가서 30분 동안 안 오고 그런다더라."

"진짜?"

"몰라, 나는 그냥 쟤가 너무 싫어."

소영이는 꼴 보기 싫다는 듯 핸드폰 화면을 꺼 버렸다. 나도 이윤아가 썩 좋지는 않지만 소영이는 그 애를 정말 싫어했다. 예전에 나 모르게 둘이 치고 받고 했던 건 아닌지 의심될 정도로.

사실 이윤아의 근황은 별 관심도 없었다. 잘 살면 잘 사는 대로, 못 살면 못 사는 대로 감흥 없었다. 다만 애 이야기를 들으며 잔 속의 아이스커피를 쳐다보고 있자니 느닷없이 비위가 상했다. 눈앞의 짙은 갈색의 액체가 갑자기 구역질 나는 똥물로 보였다.

이윤아, 중학교 시절, 체육복, 화장실, 걸레 물…….

하나씩 연상되는 단어들이 입 속까지 텁텁하게 만들었다.

기자가 꿈이었다는 그녀는 중학교 시절 아침마다 재잘거리며 가상의 마이크를 잡고서는 인터뷰를 하듯 내 옆을 졸졸 따라오고는 했다.

– 김여울 씨, 오늘 아침에도 하은수 씨랑 같이 등교를 했나요? 둘이 사귀는 겁니까? 누가 먼저 고백한 겁니까?

그러나 스물아홉의 그녀는 전혀 다른 사람이었다. 그때 그렇게 빛나던 모습이 무색하리만큼.

"넌 걔랑 연락도 안 하면서 어떻게 그렇게 잘 알아?"

"걔네 고등학교 간 애들한테 물어봤지. 걔 싫어하는 애들이 어디 한둘이냐? 원래 원수네 집 앞에는 제일 좋은 망원경을 설치해 두는 법이야."

내가 기억하는 이윤아의 마지막은 언제나 홀로 앉아 이어폰을 낀 채 조용히 공부를 하던 모습이었다. 누구도 말을 걸지 않았고, 누구도 같이 밥을 먹지 않았던, 그 애는 그렇게 침묵 속에 외톨이가 되어 있었다.

"얘는 예나 지금이나 정신이 약간 이상한 거 같아."

나는 그랬나 싶어서 기억을 되짚었다. 솔직히 이제는 예전의 이윤아가 어땠는지 거의 생각나지 않는다. 그저 어느 순간부터 나를 무표정한 얼굴로 바라보던 그 애와, 그 애를 거의 혐오하는 수준으로 싫어하던 은수의 모습만이 떠올랐다. 그런 두 사람에게서 등을 돌린 채 앉아 있던 나는 사각사각 연필을 깎으며 고집스러운 눈으로 수학 문제를 풀었다.

"야, 들어가자. 우리 과장이 나 화장실에서 똥 싸는 줄 알겠다."

소영이가 기지개를 켜며 일어났다. 벽에 걸린 시계를 본 나는 놀라서 핸드폰을 챙겼다. 벌써 15분이나 지났네.

"참, 소영아."

"응?"

"나 저번에 이형욱 봤다."

"누구?"

"이형욱, 우리 중학교 때 노는 애들 중에 김민경하고 사 권 애 있었잖아. 나랑 은수 괴롭히다가 퇴학당했던."

그새 바지 단추를 풀어 놨던 소영이는 배에 힘을 흡 주면 서 놀란 듯 내 얼굴을 쳐다보았다.

"은수 촬영하는 곳 갔었거든. 거기서 봤어, 걔도 그런 쪽 일 하더라고."

"너 괜찮아? 별일 없었어?"

"응. 은수도 같이 있었는데 뭘. 그리고 촬영장에서는 걔 가 은수 눈치 보더라."

오른손에는 아직도 은수와 깍짓손을 끼었던 감촉이 남아 있다. 내 손가락 사이사이를 누르듯 마디마디 움켜잡던 힘.

― 키스해도 돼?

바람 한 점 불지 않는 듯 평온한 눈동자를 보니 그에겐 그 질문이 참 쉬워 보였다. 비뚜름한 자세로 툭 던지듯 묻고선 어깨 한번 으쓱하고 돌아서던 순간, 나는 은수와 내 사이를 잇고 있던 무언가가 뚝 끊어지는 느낌을 받았다.

그 명료함에 화가 났다. 아무렇지 않게 내 옆을 스쳐 지나가던 무심함에 몸이 부들부들 떨렸다. 내가 알던 은수가 맞나 싶었다. 사실 그때까지만 해도 나는 내가 분노하고 있는 줄도 몰랐다.

이형욱을 만나고 와서야 봇물 터지듯 감정이 폭발했다. 희한하게도 이 분노는 하루하루 시간이 지날수록 곱절로 불어 가고 있었다.

찾아오기만 해 봐, 전화하기만 해 봐…….

분노한 나는 녀석도 나처럼 붕 떴다가 추락하기를 바라고 있었다. 불안감에 손가락을 꼽으며 왜 그랬지 하고 밤새워 후회하기를 원했다. 지금 우리 관계에서 느끼는 이 위태위태한 줄타기를 은수는 나보다 훨씬 두려워하며 앓기를 바랐다.

하지만 다 부질없는 바람이다.

녀석은 그 뒤로 내게 연락 한 번 없었다.

6시 종이 땡 치자 퇴근 방송이 울려 퍼졌다. 컴퓨터가 15분 후에 꺼진다는 알림창이 떴다. 이거 뜬다고 야근 못하는 거 아니다. 알림창이 뜨면 뭐 하나? 연장 버튼만 누르면 계속 일할 수 있는데.

그러나 난 요즘 별명이 김퇴근이 된 만큼, 오늘도 칼같이 6시에 일어서서 꾸벅 인사를 했다. 독수리 타법으로 이메일을 쓰던 전 주임이 구부정한 등 위로 눈을 게슴츠레 뜨고 묻는다.

"김 대리님, 요즘 매일 데이트라도 하나 봐요?"

나는 말없이 전 주임을 응시했다. 남이야 매일 데이트를 하든 투잡을 뛰든 각자 할 일만 알아서 하고 집에 가면 되지. 본인이 일을 못해서 남아 있다고 물귀신처럼 저렇게 남의 발목도 잡고 늘어지는 종자는 맞아야 정신을 차린다.

"전 주임님도 데이트하고 싶으면 업무 시간에 웹툰 좀 그만 보세요."

내 말에 전 주임은 뜨끔한 표정으로 과장님 쪽을 쳐다보았다. 안경을 닦으며 서 있던 과장님이 미간을 세우며 전 주임을 응시했다. 나를 죽일 듯 노려본 전 주임은 다시 고개를 처박고 탁탁 양손 검지로 타자를 쳤다. 나는 구겨진 바지를 탁탁 턴 뒤 돌아섰다. 그래도 아직까지 사내 질서는 업무 능력을 따라가는 법이다. 정의를 구현한 뒤라 그런지 발걸음이 더욱더 날아갈 듯 가벼웠다.

엘리베이터 문이 열리자 잽싸게 발을 들여놓았다. 닫힘 버튼을 고속으로 누르는데 누군가 손으로 문 사이를 비집고 들어왔다.

"같이 갑시다."

너스레를 떨며 합승한 인간은 박 대리였다. 나는 경악한 눈으로 박 대리를 쳐다보았다. 그의 어깨에는 평소 들고 다니는 검은색 백팩이 메여 있었다.

"나도 오늘은 칼퇴하려고."

"아, 네."

나는 대답과 동시에 열림 버튼을 누르고 엘리베이터에서 내렸다. 박 대리가 의아한 표정으로 쳐다보자 가볍게 목례를 전했다.

"대리님 먼저 타고 가세요."

회사 내에 엘리베이터가 여섯 개나 되는데, 굳이 저 남자랑 그중 하나를 공유하면서 타고 갈 필요는 없다.

"저는 화장실 좀 들렀다 가려고요."

박 대리의 표정이 굳는 게 보였다. 눈치 하나는 빠른 남자니 대충 무슨 의미인지 알아챘을 것이다.

"그냥 타, 김 대리."

"화장실 가야 해서요."

"화장실 안 갈 거잖아."

어떻게 알았지?

"나랑 엘리베이터 같이 타기 싫어서 그래?"

열림 버튼을 누르고 버티던 박 대리는 어떤 여자가 "감사합니다." 하고 냉큼 올라타자 움찔하며 버튼에서 손을 뗐다. 나는 손을 흔들었다.

날이 아무리 더워도 똥차는 패스한다.

올 여름부터 새롭게 다짐한 내 신념이었다.

그때 핸드폰이 지잉 하며 울렸다. 화면에 카카오톡 메시지 알림창이 떠 있었다. 갸웃거리며 열자 롤렉스 박의 이름이 떡하니 떠올랐다. 예상치 못한 불쾌함에 동공이 흔들렸다. 분명 대화는 열흘 전에 끝낸 걸로 기억하는데…….

[여울 씨, 뭐 해요?]

[아직 퇴근 안 하셨죠? 같이 저녁 먹어요!]

거의 1초 간격으로 날아온 두 개의 메시지에 잘못 봤나 싶어서 다시 읽었다. 놀랍게도 제대로 읽은 게 맞았다.

이윽고 온 세 번째 메시지에 내 눈은 경악과 공포로 커진 채 굳었다.

[저 지금 여울 씨 회사 로비 1층이에요.]

미친…….

후다닥 화장실로 와서 거울을 쳐다보았다. 치장을 하려고 그런 게 아니라 차분하게 생각을 하기 위해서였다. 어이가 없으니까 웃음이 나왔다. 메시지를 씹고 대화를 끊은 게 이쪽이니 한 번쯤은 전화가 올 수 있을 거라 생각했지만, 이렇게 아예 회사 앞으로 찾아올 줄은 몰랐다.

야근한다고 할까? 그럼 기다린다고 하겠지? 오늘 휴가 썼다고 할까? 그럼 집 앞으로 온다고 하겠지? 세면대에 고개를 처박은 채 이 상황을 어떻게 돌파할지 생각했다.

[죄송한데 저 이미 퇴근했어요.]

[벌써요?]

[네, 약속이 있어서요…….]

비상계단으로 향하는 문을 열고 화물용 엘리베이터 앞에 섰다. 우리 회사 건물은 언덕에 위치해서 대로변에 난 정문은 1층으로 이어지고, 뒷골목으로 난 후문은 지하 1층 주차장으로 이어진다. 화물용 엘리베이터를 타고 지하 주차장으로 간 다음 후문으로 빠져나갈 생각이었다.

에어컨이 나오지 않는 화물용 엘리베이터는 벽면에 충격 보호재까지 걸어 놔서 더 답답했다. 뒷면에 종이로 써 붙인 경고문이 보였다.

뛰거나 구르지 마세요.
엘리베이터가 멈출 수 있습니다.

나는 머피의 법칙을 믿는 편이다. 그만큼 인생에서 악재가 겹칠 때가 많았다. 얼마 전 여름휴가 때 홀로 유럽에 여행을 갔다가 소매치기를 당했던 경우도 그러했다. 싸구려 호텔은 계좌 이체가 불가능한 곳이었고, 주변에 거래 가능한 은행은 없었으며, 대사관은 찾아가기 불가능한 위치였다.

회사원들밖에 없는 이곳에 누가 뛰거나 구른다고 저런 걸 붙여 놓은 걸까? 큰 짐을 옮길 때 외에는 쓸 일이 없는 엘리베이터를…….

쿵!

갑자기 머리 위에서 큰 마찰음이 울려 퍼졌다. 동시에 엘리베이터가 좌우로 크게 흔들렸다. 놀라서 비명도 지르지 못한 채 충격 보호재로 푹신한 벽을 짚었다. 관자놀이를 타고 식은땀이 흘렀다.

끼기기긱!

머리 위에서 쇠 긁는 듯한 소리가 소름끼치게 울려 퍼졌다. 후들거리는 다리로 주저앉은 채 벽에 붙어 있는 손잡이를 잡았다. 공포가 온몸을 덮치니 목구멍에서는 아무런 소리도 나오지 않았다. 거칠어진 호흡만 가쁘게 내뱉었다.

추락하는 건가?

그때 천장에 달린 전등이 깜빡이더니 이윽고 핏 하고 불이 꺼졌다. 다시 쾅! 소리가 나자 입 안에서 비명이 터져 나왔다.

엄마야!

마침내 흔들림이 멈췄다. 단 몇 초의 순간이 이토록 길게 느껴진 적이 있나 싶었다. 머리를 감싼 채 바닥에 앉아 있다가 멍한 얼굴로 고개를 들었다. 아무것도 보이지 않는 어둠 속에서 두 눈만 끔뻑였다.

핸드폰……

더듬더듬 어깨에 멘 가방 속에서 핸드폰을 찾다가 조심스럽게 벽을 짚고 일어섰다. 핸드폰 액정으로 앞을 비추며 살얼음판을 걷듯 조심스럽게 발을 떼었다.

"저기요."

비상 버튼을 누르자 건너편에서 "네?" 하고 목소리가 들려왔다.

"여기 엘리베이터가 멈췄는데요."

— 잠시만요.

건너편 남자의 목소리는 태연했다. 이쪽은 목숨 줄이 대롱대롱 위태롭게 느껴지는데 여유가 느껴질 만큼 심드렁한 대꾸였다.

"저기요!"

아무런 대답도 없었다. 덜컥 겁이 났다. 계속해서 건너편에 소리쳤다.

"저기요! 여보세요!"

하지만 지직거리는 스피커 너머로 들려오는 건 침묵뿐이

었다.

소영이한테 전화를 걸었지만 받지 않았다. 아직 근무 중인 모양이었다. 짤막하게 메시지를 남겼다.

[나 회사 엘리베이터에 갇혔어. 화물용 엘리베이터.]

작고 어두운 공간 속에 두 다리를 모은 채 앉았다. 바닥은 어둠뿐인 지하였다. 이러다가 갑자기 뚝 떨어질지 모른다는 불안감이 숨통을 조이듯 밀려왔다.

지은 씨한테 연락을 해야 하나?

핸드폰 홈 버튼을 꾹 눌렀다. 그날 평창동 카페에서 찍은 하늘 사진이 배경 화면으로 떠올랐다. 상자 속에 갇힌 나는 더 작은 상자 속의 하늘과 구름을 응시했다.

1번을 누르고 통화를 눌렀다. 연결음이 계속 이어졌지만 한참을 기다려도 상대는 전화를 받지 않았다.

그때도 그랬다. 나폴리에서 소매치기를 당했던 순간, 그날도 핸드폰을 들고 바로 1번을 꾹 눌렀다. 하지만 전화는 연결되지 않았다. 겨우 연결된 재현 오빠는 녀석이 촬영 중이라 당분간 외부와 연결이 되지 않을 거란 말만 전했다. 녀석의 탓이 아님에도 불구하고 서운함이 앞섰다.

너는 왜 필요할 때마다 내 곁에 없는지.

주위가 고요했다. 공기는 점점 후끈해지고 있었고 폐부가 조이듯 숨이 막혔다. 괜찮아, 엘리베이터 추락사는 영화에서나 나오는 거야. 실제로 엘리베이터가 추락할 확률은 개미 똥만큼이나 적다잖아.

등이 땀으로 축축하게 젖고 있었다. 더운데 왜 오슬오슬 오한이 드는 건지, 등을 구부린 채 무릎 사이에 얼굴을 묻었다. 숨을 못 쉬겠다. 누가 목을 조르는 것처럼 호흡이 점차 가빠지고 있었다.

그때 핸드폰이 울렸다.

"여보세요?"

— 여울아!

소영이었다. 나는 끊어질 듯한 목소리로 겨우 "응." 하고 대답했다.

— 지금 회사 건물 전체가 정전이래. 엘리베이터 탄 사람들 다 갇혔다고 하더라. 복구하는 데 삼십 분에서 한 시간 정도 걸린다는데.

"여기 너무 덥다. 나 숨을 못 쉬겠어."

— 너 거기 혼자 있어? 괜찮아?

"응, 혼자야……."

나는 바닥에 거의 엎드린 채로 목을 움켜잡았다. 가슴이 답답했다. 누가 목을 조르는 것처럼 모세 혈관이 다 터질 듯 괴로웠다. 소영이의 목소리가 귓가에서 점점 웅웅거리며 멀어져 가고 있었다.

― 여울아, 괜찮은 거야?

손에서 툭 떨어진 핸드폰은 어둠 속에 불빛을 비추며 팽이처럼 돌아갔다.

어둠이 무서우리만큼 짙었다. 밀폐된 공간 속에서 증발해 가는 듯한 공기가 체내의 수분을 다 뺏어 가는 것 같았다. 핸드폰을 향해 입술을 모아 대답했지만 목소리가 나오지 않았다. 끅끅대는 숨소리만이 간신히 흘러나왔다.

부족한 산소 때문인지 온몸이 떨렸다. 몽롱해져 가는 눈동자를 힘없이 깜빡였다. 벽을 기어올라 위로 탈출해야겠다는 생각이 들었다. 구하러 올 사람은 아무도 없다. 어떻게든 여기서 빠져나가야 했다. 이 엘리베이터는 곧 추락할 거야. 이 좁고 폐쇄된 공간 속에서 질식사를 하거나 온몸이 찌그러진 채 죽을지도 몰라. 여기는 위험해, 빨리 나가야 해…….

하지만 아무도 오지 않는다. 아무도 구하러 오지 않을 것이다…….

"……여울!"

아득해져 가는 의식 속에 누군가 쇠문을 쾅쾅 두들기는 소리가 들렸다.

"김여울! 김여울!"

낯익은 목소리가 필사적으로 내 이름을 불렀다.

지잉. 핸드폰은 계속 바닥에서 진동을 하며 울려 대고 있었다. 나는 어둠 속을 더듬으며 핸드폰을 집었다. 바닥에 닿은 뺨 근처로 핸드폰을 끌어서 가져왔다.

"여보세요……."

– 너 엘리베이터 안이지? 문 두들기는 소리 들려?

쾅쾅!

둔탁한 소리가 머리 위에서 울려 퍼졌다.

– 들리냐고! 왜 아무 말도 안 해? 어디 다쳤어?

나는 곁눈질로 뺨에 댄 핸드폰 화면을 확인했다.

이웃집 건담.

식은땀으로 흥건한 손에서 핸드폰이 미끄러지듯 떨어졌다.

"은수야……."

– 그래, 나 왔어. 괜찮아, 겁먹지 말고.

"숨…… 숨 막혀……."

– 천천히 호흡해 봐. 숨 크게 들이마시고, 내쉬고……. 거기 깜깜해서 무섭지? 나랑 계속 얘기하자.

위에서 다시 쿵쿵 하고 문을 두들기는 소리가 났다. 멍해지던 정신이 번쩍 들었다. 헉헉대던 숨이 조금 진정되는 느낌이었다.

"회사에 오면 어떡해, 누가 보면 어쩌려고."

― 괜찮아. 정전돼서 아무도 못 봐.

"어떻게 왔어?"

― 박소영이 알려 주던데.

"내가 당분간 보지 말자고 했잖아."

먼저 전화해 놓고 쏘아붙이는 내 말에 은수는 황당한지 말이 없었다.

― 당분간이 얼마큼인데?

"그건 모르지."

― 보름? 한 달?

나는 대답하지 못했다. 일단 화나서 뱉고 본 말이었다.

― 아까 간발의 차로 전화 못 받았어. 그리고 몇 번이나 다시 전화를 걸었는데 안 받더라.

"……."

― 덜컥 겁이 나서 박소영한테 전화했어. 여울이가 왜 내 전화를 안 받냐고. 박소영이 그제야 네가 보낸 톡 확인하고 말해주는 거야, 네가 엘리베이터에 갇힌 것 같다고.

지난 열흘, 전화는커녕 메시지 하나 없던 은수가 괘씸했다. 집 앞으로 찾아와 두 무릎 꿇고 사죄해도 모자랄 판에 연락을 끊어? 그 괘씸함을 어떻게 단죄해야 할지 분노 속에서 고민하던 참이었다.

– 아직도 화났어?

"응."

– 내가 키스하려고 해서?

"진짜 하려고 했어?"

수화기 건너편이 잠잠했다. 평소처럼 능청스럽게 넘길 줄 알았는데 침묵이 흘렀다.

– 나는 너 못 보면 죽어.

"그럼 죽어야겠네."

– 여울아.

"왜?"

– 내가 잘못했어.

"……."

– 다시는 너 화나게 하지 않을게. 소개팅 나간다고 심술도 안 부릴게. 회식 자리 가서 난처하게 안 할게. 네 친구들 있는 곳에 나타나지 않을게. 촬영장에서 멋대로 스킨십 같은 거 안 할 테니까…….

은수는 긴장한 듯 숨소리를 삼켰다. 잠긴 채 갈라진 그의 목소리가 입술을 악문 듯 말을 겨우겨우 내뱉었다.

– 나 안 본다는 말은 하지 말아 주라.

어느새 몸을 일으킨 나는 핸드폰을 꼭 쥔 채 들고 있었다.

그때 캄캄하던 엘리베이터 내부에 불이 번쩍 들어왔다.

덜컹거리며 움직이기 시작한 엘리베이터는 위로 천천히 올라가기 시작했다. 조금 올라가는 듯싶더니 '띵' 소리와 함께 멈췄다.

문이 열리고 청바지와 회색 티셔츠를 입은 채 서 있는 은수의 모습이 보였다. 바닥에 거의 쓰러지다시피 한 자세로 앉아 있던 나는 고개를 들어 그를 물끄러미 응시했다. 귀에 대고 있던 핸드폰을 내린 은수의 눈동자가 나를 보자 흔들렸다.

"하은수……."

은수의 얼굴을 본 나는 할 말을 잃고 말았다. 평소 말끔하던 그의 턱 선에 수염 자국이 거뭇거뭇하게 난 게 보였다. 퀭한 눈 밑에도 시커먼 그늘이 져 있었다.

"잘못했어, 여울아."

덩치 큰 어린애가 서 있는 것 같았다. 선뜻 다가오지 못한 채 날 바라보는 눈동자에는 내가 그토록 보고 싶었던 불안과 절망이 어려 있었다.

그런데 그걸 본 내 가슴은 오히려 멍울지듯 시큰거렸다. 그곳에 간절하게 바랐던 통쾌함 따위는 없었다. 저울처럼 기울어진 왼 가슴이 흉부를 향해 묵직한 통증을 안겨 줄 뿐이었다.

"다시는 안 그럴게, 다시는……."

은수가 저렇게 진심으로 잘못했다고 빌고 있는데, 내 속은 이상하게도 더 답답했다. 내가 듣고 싶었던 말은 이게 아니다. 다시는 안 그러겠다고, 잘못했다고, 나는 은수에게서 그런 말을 듣고 싶은 게 아니었다.

나는 몸을 웅그린 채 중얼거렸다.

"못 일어나겠어."

내 말에 은수의 눈이 커졌다. 평소 같으면 벌써 들어와서 내 몸부터 확인했을 텐데, 오늘 녀석은 어디 나사 하나라도 빠진 듯 허둥거렸다. 엘리베이터 안에 들어온 은수는 내 앞에 무릎을 꿇더니 업히라며 등을 댔다.

"이거 백만 불짜리 등이잖아. 중국 도자기 뺨치게 비싼 몸뚱이에 업히라고?"

잔뜩 긴장한 채 대기하던 은수가 흘끗 돌아보며 내 얼굴 표정부터 확인했다. 입술을 뿌루퉁하게 내밀고 툴툴거리는 내 모습에 풀죽어 있던 녀석의 눈동자가 살아났다. 심지어 입가에 옅은 미소까지 걸렸다.

"옆집 사는 누구께서 이미 수백 번은 더 스매시 때린 등이야. 새삼스럽게 이제 와서 뭘 조심하고 그래?"

맞는 말이었다. 이제 와서 아껴 주는 척하면 뭐 하겠냐. 나는 냉큼 업혀서 너른 등에 이마를 댄 채 눈을 감았다. 코에서 쿵쿵 느껴지는 은수 냄새가 내 침대보다 포근하고 아늑했다. 은수는 지하 1층을 누른 뒤 모자와 마스크를 등 뒤로 건넸다. 나는 손사래를 쳤다.

"네 얼굴부터 가려야지."

"여긴 너네 회사잖아."

어쩔 수 없이 모자만 눌러쓴 채 마스크는 다시 은수에게로 건넸다. 얼굴은 네 어깨에 묻고 가리면 된다고. 그것보다 서울역 노숙자 같은 네 면상부터 가리라고. 저런 얼굴로 용케 촬영은 했나 보다.

"하은수."

"응?"

"너 진짜 나 없으면 죽어?"

"……."

"엄마가 된 듯한 기분이네."

"내가 변태냐? 엄마한테 키스하고 싶다고 하게."

뭐지 이 당당함은? 아직도 화났냐면서 눈치를 보던 게 불과 3분 전 아니었나? 금방이라도 올 것 같은 표정으로 잘못했다며 싹싹 빌던 게 누군데 이렇게 회복이 빨라도 되는 거야? 양심이 있으면 3일은 더 눈치 봐야 하지 않냐고.

"김여울, 몇 킬로야?"

"왜? 막 깃털 같냐?"

"혼자 수박 한 통은 먹고 나온 것 같은데."

"······."

"화장실은? 너 혹시 또 며칠째 화장실 못 가고 있는 거아니야?"

나는 주먹을 쥐고 은수의 뒤통수를 향해 냅다 날렸다. 뒤통수에서 퍽 소리가 나자 은수가 비명을 지르며 휘청거렸다. 덕분에 업혀 있던 내 목숨까지 잠시 위태로울 뻔했다.

"백만 불짜리 몸한테 이게 무슨 짓이야?"

"앞만 보고 가라, 옥수수 털어 버리기 전에."

"너 호신술 배우지?"

"내가 요즘 가방에 돌을 안 넣고 다니는 이유가 이거다. 내 불주먹이 그보다 더 단단하기 때문이지."

"진짜 원피스 그만 봐라."

나는 킬킬거리며 은수의 등에 코를 묻었다. 내 후진 농담을 받아 주는 건 은수뿐이다. 내가 옆에 앉아 마음 편하게 만화책을 볼 수 있는 사람도 은수뿐이고, 우리 집보다 만화책이 더 많은 장소도 은수네 집뿐이다. 파고들 듯 어깨를 안고 뺨을 비비자 뒤를 흘끔 본 은수가 낮게 웃었다.

회사 후문 앞에 세워 둔 은수의 차는 전봇대가 있는 모퉁이에 바짝 붙여진 채 주차되어 있었다.

"너 백 퍼 딱지 떼였다. 여기 카메라 있는데."

"할 수 없지."

"근데 있잖아."

차에 탄 은수가 시동을 걸며 내 쪽을 바라보았다. 평소보다 나긋해 보이는 눈길은 내 착각일까? 나는 기어 옆에 꽂혀 있는 은수의 핸드폰을 곁눈질하며 물었다.

"너 핸드폰 단축 번호 1번이 누구야?"

"너."

은수는 별 시답지 않는 걸 물어본다는 듯 대답했다. 생각보다 너무 쉽게 들은 대답에 기분이 머쓱해졌다. 괜히 손을 올려 앞머리를 정돈했다. 당연히 재현 오빠이거나 없을 줄 알았는데. 입 밖으로 부풀리던 풍선껌을 팟 터뜨린 기분이었다.

"너는 누군데?"

은수도 궁금한 듯 되물었다. 선뜻 대답이 나오지 않았다.

"……없는데."

대답을 기다리던 은수의 눈동자에 실망이 어렸다. 아무렇지 않은 척 고개를 돌린 녀석의 표정이 어둡게 가라앉았다. 나는 창문을 내리고 가만히 밖을 내다보았다.

– 나는 너 못 보면 죽어.

'너'라고 대답한 은수와 그러지 못한 나 사이에 간극이 엿보였다. 창밖으로 속눈썹을 스치고 가는 바람에 눈을 한 번씩 깜빡여 본다. 잡힐 듯 잡히지 않는 바람이 약 올리듯 공중으로 달음박질쳤다.

"은수야."

"응."

나는 창턱에 팔을 대고 그 위에 턱을 괴었다. 이마를 툭 툭 치고 가는 바람을 향해 다시 손을 뻗었다. 손등에 닿는 석양빛이 적당히 따스했다.

"나 또 궁금한 거 있는데."

"뭔데?"

— 하은수, 해바라기 좋아해?

"지금은 찾았어?"

"뭘?"

"좋아하는 거."

"……."

"환장하게 좋아하는 거."

뜬금없는 질문에 은수는 잠시 침묵했다. 그사이 퇴근길 사람들로 붐비는 골목을 빠져나온 차는 서초역으로 향하는 대로변을 달리기 시작했다.

– 그냥……. 싫지는 않은데.

– 피아노는?

– 싫지는 않지.

– 축구는?

– 그것도 싫지는 않아.

나는 창밖으로 뻗었던 손을 거뒀다. 왼손으로 핸들을 잡은 채 운전하는 은수의 눈초리가 좁은 공간을 확 접는 부채처럼 날카로웠다.

신호등이 빨간불을 띄우며 성급한 차들을 일렬로 세웠다. 클랙슨을 울리는 차들 사이로 우리 차도 천천히 유영하듯 멈췄다. 창밖에서 들이닥치는 뜨거운 열기가 귓바퀴를 데웠다. 뺨까지 열기가 오른다고 느껴질 때쯤 별안간 창문이 모두 닫혔다.

에어컨으로 서늘해진 차 안에는 '57분 교통 정보 라디오'가 흘러나왔다. 무심결에 라디오를 듣던 나는 머리를 쓰다듬는 은수의 손을 올려다보았다. 커다란 손 뒤로 선천적으로 살짝 올라간 입꼬리가 보였다.

"왜 웃어?"

"그냥."

"질문에 대답은 안 하고……."

은수는 말없이 라디오 음량을 키웠다. 나는 차창에 머리를 콕 찧었다. 창문에 들러붙은 열기가 이마를 뜨뜻미지근하게 적신다.

– 넌 싫지 않은 게 좋은 거니?
– 환장할 만큼 좋지는 않으니까.

눈앞이 핑글핑글 어지러웠다. 옹송그린 어깨에 오슬오슬 한기가 맺혔다.

"좀 자."

은수가 차량 실내 온도를 높이더니 내 뒷머리를 손으로 천천히 쓸어내렸다. 부드러운 손길에 반쯤 감긴 눈이 스르르 닫혔다. 조수석에 기대 곤히 잠든 후에도 은수의 오른손은 도착할 때까지 내 어깻죽지 사이를 주무르듯 어루만지고 있었다.

밖은 너무 덥고 안은 너무 추웠다.

그날, 나는 여름 감기에 걸렸다.

15. 좋아해, 정말 많이

15. 좋아해, 정말 많이

  토요일이다. 더위가 한풀 꺾였는지 숨통이 좀 트이는 기분이었다. 오전 내내 늦잠을 잔 뒤 신경 쓴 차림으로 외출을 했다. 대학 병원은 예약을 하려니 대기가 너무 길어서 나름 유명하다는 곳을 검색해 선릉역으로 향했다.

  "어릴 때요……. 열여섯 살에 아파트 지하실에 갇힌 적이 있었어요."

  "혼자 갇혔었나요?"

  "아니요, 친구랑 같이요."

  "그 뒤로도 어둡거나 좁거나 지하에 갇히면 이러한 증상이 나타났나요?"

  "아니요, 처음이었어요. 월요일에 엘리베이터에 갇혔을

때 처음 나타났어요."

"지난 13년간은 그런 증상이 없다가 말이죠?"

"네."

지난 일주일간 생각하고 또 생각해 봤다. 그날, 내게 도대체 무슨 일이 일어났던 것인지.

"아침에 지하 주차장에 가려고 엘리베이터를 탔어요. 엘리베이터 안에서는 아무렇지 않았어요. 그런데 지하 1층에 도착해서 분리수거장으로 간 순간, 천장의 백열등이 나가더니 주위가 온통 깜깜해진 거예요. 몸이 막 떨리기 시작하더라고요. 그때 그런 생각이 들었어요. 어쩌면 엘리베이터가 아니라 어둡고 폐쇄된 공간이 문제일지도 모르겠다. 혹시 이거 정신병인가요? 저 왜 이러는 거죠?"

40대 중반의 여자 의사는 입가에 부드러운 미소를 띠었다. 그녀가 등지고 있는 책상 위에는 '정신과 전문의 홍정화'라고 쓰인 명패가 놓여 있었다.

"사람들은 흔히 폐소 공포증이 트라우마에서 발생한다고 생각하지만 사실 그렇지 않은 경우가 더 많아요. 심리적인 불안감에서 기인하는 경우가 대부분이죠. 원인은 다양할 수 있어요. 혹시 최근 일상에서 갑작스러운 변화는 없었나요?"

"갑작스러운 변화요?"

"직장에서의 어려움이라든가, 경제적인 문제라든가……."

"아니요."

"가까운 사람과 정서적인 갈등이라든지."

"아니요, 그런 건……."

내가 멈칫하자 선생님은 안경을 치켜세웠다. 두 개의 가죽 소파 가운데 원목 테이블을 두고 마주 앉은 우리는 서로를 바라보며 침묵했다. 조용히 기다리던 그녀가 먼저 입을 열었다.

"여울 씨의 무의식적인 세계에서 발현되는 진짜 공포를 찾는 게 중요해요. 내면에 감춰진 두려움이 어릴 때 겪은 공포의 이미지로 나타나는 거니까요. '나는 어릴 때 지하에 갇힌 적이 있어, 그러니까 어두운 지하라든지 깜깜한 곳에 갇히면 불안에 떨게 될 거야.' 이런 자기 최면적인 생각이 일종의 방어 기제로 작용해요. 진짜 문제와 대면하는 게 본인에게 있어 커다란 스트레스이기 때문이죠. 숨이 막혔다고 했죠? 엘리베이터는 오래 갇힌다고 해서 산소가 부족하거나 하진 않아요."

그건 알고 있었다. 나중에 집에 와서 혼자 곰곰이 생각했다. 왜 나는 그 순간 말도 안 되는 상상을 하면서 극도의 공포에 빠진 것일까? 엘리베이터에 불이 난 것도 아닌데, 어째서 산소가 부족하다느니 그런 비이성적인 생각을 한 걸까?

"최근 가까운 사람과 이별을 한 경험이 있나요? 아니면 다른 정신적인 스트레스의 원인이 될 만한 사건이 있었을까요? 단기적 상황이든 장기적 상황이든 말이에요."

"그게⋯⋯."

나는 머뭇거리다가 입을 열었다. 15평 남짓한 상담실 안에는 커다란 책장 두 개가 벽면에 마주 본 채 서 있었다. 나뭇결이 아름다운 원목 책장에는 두툼한 책들이 빼곡히 꽂혀 있었고, 그 사이에 위치한 창턱에는 선인장 화분들이 일렬로 도토리 키 재듯 조르르 세워져 있었다. 창 너머로 스미는 오렌지빛 햇살이 눈부셨다. 베이지색 벽지가 흔들리는 블라인드 그림자에 물결치며 스륵스륵 반짝인다.

"오랫동안 알고 지낸 친구 하나가 있어요. 아까 말했던 어릴 때 지하에 같이 갇혔던 친구인데요."

"남자분인가요?"

"네."

그렇다, 은수는 남자다.

"사실 제가 예전에 좋아했던 친구였어요."

네모난 무테안경 너머로 선생님의 눈빛이 날카로워지는 게 보였다. 나는 허공에 부유하는 먼지를 응시했다. 막상 이야기를 시작하려니 어디서부터 말을 꺼내야 할지 막막했다. 이런 경험이 무수하게 많았을 선생님은 익숙한 자세로 깍지를 풀었다. 편안하게 얘기해 보라는 듯 그녀의 입가에 선한 미소가 떠올랐다. 내 이야기에 집중하는 그녀의 오른손 검지 위에서 검정색 볼펜이 빙그르르 돌아가기 시작했다.

"지금은 좋아하지 않나요?"

"지금은⋯⋯."

나는 까맣게 꺼진 핸드폰 액정을 바라보았다. 어제 집에 와서 침대에 웅크리고 앉아 한동안 생각에 잠겼다. 그러고 나서 핸드폰에 저장한 단축번호 1번을 삭제했다.

"안 좋아해요."

다짐 어린 말이 자그마한 입 모양을 통해 새어 나왔다. 선생님은 서류철로 된 종이에 뭔가를 적어 내려가고 있었다. 감정을 진찰받는 것은 처음이다. 초연할 줄 알았던 마음이 의외로 초조했다. 원하지 않는 결과가 나오면 어떡하지? 받아들일 수 없는 진단서를 받게 되면 어떻게 해야 하지?

쿨럭, 마른기침이 새어나왔다.

그냥 이비인후과에나 갈걸 그랬나?

상담은 한 시간 넘게 이루어졌다. 피로감은 없었다. 오히려 무릎에 차고 있던 물주머니라도 떼어 내 버린 듯 속이 후련했다.

12층짜리 건물 유리문을 밀고 나오면서 바닥을 응시했

다. 나뭇잎이 울창한 가로수의 그림자가 내 발밑을 삼킨 채 시원한 그늘을 선사하고 있었다.

　- 존재의 상실에 대한 두려움, 보통 그런 것들이 공포증으로 발현돼서 나타나죠. 여울 씨가 마주 보아야 할 것은 어두운 지하에 대한 공포가 아니에요.

　돛단배를 닮은 나뭇잎 그림자 사이사이를 밟았다. 붉은 돌담을 따라 흥얼거리던 시간이 쫓아온다. 뚱땅거리던 피아노 소리도, 불도그처럼 호통을 치던 소년의 목소리도, 계절의 마법 덕분인지 귓가에 생생했다. 나는 더 이상 그때의 열여섯 소녀가 아니다. 그럼에도 불구하고 그림자밟기는 즐겁다.

　선릉역에서 철산역까지는 약 1시간이 걸렸다. 개도 안 걸린다는 여름 감기는 귀신처럼 들러붙어서 내 기와 수분을 쪽쪽 빨아먹고 있었다. 편도선은 괜찮아졌지만 얕은 기침이 목을 간지럽혔다.

　오늘은 9월 1일, 동창회가 있는 날이다.

　심호흡을 한 뒤 회색 건물의 3층 '써드 키친'이라고 써진 간판을 쳐다보았다. 혹시 몰라 엘리베이터를 두고 계단을 이용했다. 2층에 다다르자 벌써부터 왁자지껄한 소리가 들려왔다. 미리 단체 채팅방을 파 둔 곽다정은 동창회 멤버 27명을 초대했다. 조용히 눈팅만 하던 나는 도착 후에도 따로 연락하지 않은 채 발을 들였다.

"어서 오세요. 이쪽입니다."

출입문이 열리자 한 남자가 잽싸게 나와 손짓을 곁들이며 안내했다. 꽁지머리에 수염을 기른 그는 30대 후반 정도로 보였는데 독특한 패션 감각이 인상적이었다. 직원들에게 지시를 하는 걸 보니 이곳 사장인 듯했다.

"여울아, 이쪽이야!"

곽다정의 목소리가 들렸다. 오늘 이 레스토랑은 우리가 전세를 냈다고 했다. 몇 개의 테이블을 모아 중앙에 커다란 직사각형을 만들고, 그 위에 만찬을 하듯 술과 안주를 보기 좋게 깔아 놓은 게 보였다.

천장에 달린 촛대 모양의 조명들이 적당한 채도와 밝기를 유지하며 와인 잔들을 밝히고 있었다. 나쁘지 않은 분위기였다. 허름한 건물 외관과 달리 내부는 말끔하고 식기나 인테리어가 고급스러웠다.

검은색 원피스를 입은 곽다정이 웃으며 다가왔다. 내 뒤에 누가 없는지 살핀 그녀가 의아한 표정으로 물었다.

"소영이는?"

"오고 있는 중일 거야."

안 그래도 도착하자마자 연락을 했는데 이 계집애가 아까부터 전화도 안 받고 메시지에 답도 없다.

애들은 가운데 대형 테이블 주변에 모여 삼삼오오 수다를 떨고 있었다. 서로 이름을 크게 부르며 반가운 듯 웃음을 터뜨리는 소리가 들려왔다.

"여울아, 너 최근에 소개팅 했어?"

곽다정이 내 귓가에 소곤거리며 물었다. 그걸 얘가 어떻게 알았지? 박 대리가 얘기했나? 놀란 표정으로 쳐다보자 그녀가 난해한 눈빛을 지었다.

"그 남자 누군지는 알고 한 거야?"

"누구?"

"네가 소개팅 한 남자 말이야. 누군지는 알고 한 거냐고."

갑자기 이건 왜 묻는지 이해가 되지 않았다. 곽다정이 손가락 끝으로 가리킨 그곳에는 한 여자가 웃음을 터뜨리며 서 있었다. 흰색 오간자 재질의 블라우스와 인디핑크색 물결 무늬 스커트를 입은 그녀. 나는 잠시 이마를 찡그리며 생각했다. 소영이가 보여 준 인스타그램이 아니었다면 누군지 알아보는 게 힘들었을 듯했다.

이윤아, 그리고 그 옆에는 그 남자가 서 있었다.

롤렉스 박, 아니 제임스 박.

나를 발견한 제임스 박이 안경을 치켜세우며 하얀 이를

드러내고 웃었다. 하얀색 빈폴 셔츠에 슬랙스를 입은 그가 나를 향해 손을 흔들었다. 제임스 박을 쳐다보던 이윤아도 이쪽으로 눈을 돌렸다.

서로를 향한 시선이 허공에서 마주쳤다.

13년 전 이형욱 앞에 무릎을 꿇고 울던 날 이후로 처음이었다. 이어폰을 끼며 나를 외면했던 그녀가 내 얼굴을 똑바로 응시한 것은.

"오랜만이네요, 여울 씨."

"제임스 씨가 여기는 어쩐 일이세요?"

우리 둘을 번갈아 쳐다보던 이윤아가 신기하다는 표정을 지었다.

"너희 둘 왜 그래? 서로 왜 존댓말은 쓰고 그래?"

나를 여기에 떨어뜨리고 간 곽다정은 멀찍이서 꽁지머리 사장과 대화를 나누고 있었다. 이쪽을 흘끔거리며 계속 주시하는 눈초리가 보였다.

"두 사람 소개팅 했다며?"

나는 말없이 제임스 박을 뚫어져라 응시했다. 내 눈초리에 제임스 박은 조용히 하라는 듯 이윤아의 팔꿈치를 건드렸다. 뭔가 이상했지만 애써 차분한 말투로 물었다.

"둘이 아는 사이인가 보네요."

"네? 아, 그게……."

"얘 승환이잖아! 박승환, 기억 안 나?"

그제야 머쓱한 듯 안경을 치켜세우는 제임스 박의 행동 너머로 익숙한 풍경이 보였다.

4분단 맨 앞줄에 앉아 있을 당시 짝꿍이었던 남자애. 둔한 몸으로 우리 반 골키퍼 역할을 했던 아이. 약육강식의 논리에 따라 이형욱의 눈치를 보면서 나를 절벽 아래로 밀어 넣는 데 동참했던 친일파 같은 새끼.

"놀랐지?"

박승환이 개구쟁이처럼 웃었다.

놀랐냐고? 놀랐냐고…….

헛웃음이 나왔다.

그동안 어떻게 지냈냐면서 안부를 묻고, 묻지도 않은 자신의 근황을 장황하게 펼치던 박승환이 돌연 "아!" 하고 뭔가 생각났다는 듯 화제를 전환했다.

"근데 여울아, 나 물어볼 게 있는데."

"뭔데?"

쟤가 반말을 하니 나도 반말이 튀어나왔다. 제임스 박에서 박승환이 되었다고 이미지가 달라지는 건 없었다. 박승환이라고 듣고 보니 롤렉스 박이라는 닉네임이 더욱더 그럴싸하게 어울린다.

"그날 회사에 있었으면서 왜 퇴근했다고 한 거야?"

"뭐? 언제?"

"회사 정전되었던 날."

안경 너머로 박승환의 눈초리가 나를 꿰뚫어 볼 듯 바라보았다.

이 자식이 그걸 어떻게 알았지? 오 대리한테 물어봤나? 그럴 리가 없는데. 소개팅 하고 월요일에 오 대리 족치러 갔을 때 그녀 말로는 제임스 박과 아는 사이가 아니라고 했다. 설마……. 기다리다가 나랑 은수가 같이 있던 걸 본 건 아니겠지?

"뭐야? 분위기 왜 이래?"

"아니야, 내가 착각했나 보다."

"뭐야, 둘이 진짜 뭐 있는 거야? 소개팅 나간 거 장난이었다며."

이윤아가 너스레를 떨며 웃었다. 얼굴은 완전 딴판이 되었지만 웃을 때 치열이 다 드러나게 웃는 건 여전했다.

"야, 아무리 그래도 내가 장난으로 나갔겠냐? 아는 형이 소개팅을 한다면서 여자 사진을 보여 줬는데 아무리 봐도 너무 익숙한 얼굴인 거야. 그래서 이름을 물어보니까 김여울이라잖아. 와, 어떻게 이런 우연이 다 있냐? 게다가 여울이가 정말 예뻐졌더라고! 그래서 엄청 부탁했지. 내가 대신 나가고 싶다고……."

"그러게, 여울아 너 진짜 예뻐졌다. 근데 주근깨는 여전하네? 이거 피부과 가서 레이저하면 바로 없어지는데."

"너희 둘은 계속 연락하고 지냈나 보네."

"응, 우리 완전 친해."

"윤아랑 결혼하는 사람이 내 친구야."

이윤아는 박승환을 팔꿈치로 치며 웃었다. 고등학교 2학년 때 박승환은 미국으로 유학을 갔고, 이윤아와는 페이스북으로 연락이 닿아 그때부터 계속 친분을 이어 갔다고 했다. 대학을 마치고 한국에 돌아온 후에는 마치 베프처럼 지내며 우정을 쌓았다면서.

"내가 윤아 때문에 여자친구를 못 만들잖아. 얘랑만 연락하면 여자애들이 그렇게 질투를 하고 화를 내고 그런다니까?"

"야, 그런 스쳐 지나갈 여자들보다는 내가 더 중요하지!"

이윤아가 돌연 이쪽을 쳐다보더니 불쑥 속내를 캐듯 물었다.

"여울아, 너는 어때? 승환이가 나랑 연락하는 거 싫어?"

"뭐?"

"남자 친구한테 친한 이성 친구 있는 거……. 좀 그렇지?"

"네 예비 신랑께서는 뭐라시는데?"

진심으로 궁금했다. 이윤아의 남자 친구는 박승환의 존

재를 알고 있나? 저 둘의 야리꾸리한 관계를 알면서도 묵인하고 있는 건가? 결혼하면 안방 침구까지 같이 골라 줄 사이로 보이는데.

"글쎄……. 잘 모르겠어. 결혼할지도 모르겠고."

곽다정한테 얼핏 듣기로는 날도 잡고 청첩장도 다 돌렸다는 거 같던데 모르긴 뭘 몰라? 세상에는 정말 이상한 사람들이 많다. 지가 해 놓고 모르는 일이라고 잡아떼는 방법도 점점 참신하게 여러 가지다.

"그게 무슨 소리야? 날 잡았다며."

"모르겠어, 다 힘들다."

"괜찮아?"

박승환이 걱정스럽게 묻자 이윤아가 그의 어깨에 이마를 떨어뜨리듯 기댔다. 계속 눈치를 보듯 곁눈질을 하던 그녀의 눈동자가 나와 시선이 마주쳤다. 잘못 본 건가? 침울한 척 연기를 하던 눈이 가느다랗게 웃고 있었다.

미친년.

화장실에 들어오자마자 세면대로 가서 수도꼭지를 올렸다. 찬물이 콸콸 쏟아지며 손등 위로 튀었다. 양손을 바가지처럼 모아 물을 받았다. 메이크업만 아니었다면 세수라도 하고 싶은 심정이었다. 웅덩이처럼 고인 물을 바라보다가 '촤악!' 세면대에 내버렸다.

– 김여울하고 박승환이 소개팅을 했대!

두 손을 모으고 외치는 이윤아의 목소리에 눈이 휘둥그레지는 애들을 보자마자 어디로든 숨어야겠다고 생각했다. 쟤는 아무래도 내가 소개팅에서 박승환에게 반하기라도 한 줄 아는 모양이었다. 입만 열면 허풍 나발을 불어 대는 박승환이 어떻게 포장했을지는 안 봐도 뻔했지만 억울하고 열 받는다.

도대체 쟤는 왜 저렇게 나를 싫어하는 걸까?

그때 제일 안쪽 칸막이 문이 '탕!' 하고 열렸다. 팔꿈치로 문을 밀면서 나온 여자가 높은 힐을 또각거리며 걸어왔다. 짧은 단발 아래 보이는 목덜미가 유난히 하얗고 가늘었다. 여자의 긴 숨소리에 담배 냄새가 풍겨 나왔다.

민소매 티셔츠를 입은 여자의 쇄골에 나비 모양 문신이 새겨져 있었다. 그곳에 닿던 내 눈길이 그녀의 새빨간 입술을 바라보았다. 거울을 쳐다보던 여자가 나와 눈이 마주치자 웃었다.

"어? 오랜만이네, 김여울."

가녀린 몸에서 걸쭉한 목소리가 흘러나왔다.

"나 모르겠어?"

그녀는 여전히 색소가 옅었다. 예전에도 말했었지만 눈이 툭 튀어나올 정도로 깡마른 얼굴이 광대뼈를 도드라지게 만들었다. 참 예뻤었는데 독한 인상만 남았다. 밖에서 이미 초고난이도의 인물을 겪다 와서 그런지 이쪽은 알아보기가 엄청 쉬웠다.

"널 왜 몰라. 김민경."

무뚝뚝한 인사말이었지만 그녀는 만족스럽게 웃었다. 김민경은 겨드랑이에 끼고 있던 핸드백에서 담배를 꺼내 물었다.

"화장실 내 금연이야."

"넌 안 펴?"

"안 펴."

아쉽다는 눈초리가 망설이더니 순순히 담배를 집어넣었다. 그녀는 붉은색 매니큐어를 칠한 손톱으로 이마를 긁더니 팔짱을 낀 채 나를 응시했다.

"밖에 이윤아 있던데."

"알아."

"인사했어? 너네 예전에 친했잖아."

"지금은 안 친해."

김민경과 나 그리고 화장실은 별로 좋은 궁합이 아니다.

늘 화장실이 문제였다. 지금도 화장실이 문제일까?

눈 화장을 진하게 한 그녀의 눈매가 지쳐 보였다. 혹시 오늘도 출근해서 일했나? 눈 밑에 번진 화장과 밤을 샌 듯 피곤해 보이는 안색. 야근을 2주 정도 빡세게 했을 때 볼 수 있는 낯빛 수준이었다. 문 쪽을 곁눈질하던 김민경이 뭔가 생각난 듯 빠른 말투로 물었다.

"하은수는?"

"……."

"너 이제 걔랑 연락 안 해?"

"그건 왜?"

"아니, 뭐 그냥."

"아직 연락해, 우리."

곽다정에게는 말해 주기 싫었는데 의외로 김민경한테는 입이 솔직했다. 그녀가 의외라는 듯 눈을 크게 뜨더니 비릿하게 웃었다.

"그럴 줄 알았어. 하은수가 너랑 연락을 끊을 리가 없지."

"……."

"넌 특별하잖아."

주위 사람들은 내가 은수에게 있어 특별하다고 한다. 나는 조금 다르게 생각한다. 은수와 나는 유별난 관계다.

"너는 아직도 이형욱이랑 연락해?"

"내가 미쳤니? 걔 퇴학당하고 나서 바로 연락 끊었지."

"그래?"

"그 새끼가 날 얼마나 많이 때렸는데……."

김민경은 옛날 생각을 하며 미간을 접었다. 문신을 한 눈썹 사이로 주름이 깊게 팼다.

"너한테는 이상하게 들리겠지만 이형욱 걔도 불쌍한 애야. 걔네 아빠가 알코올 중독자였는데 술만 먹으면 걔를 그렇게 팼대. 그래도 초등학교 때까지는 같이 살았던 거 같은데, 중학교 올라오면서 어디 술집 여자랑 살림 차린다고 나가 버렸나 봐. 그리고 엄마도 걔만 놔두고 어디 나가서 재혼했대. 걔도 나처럼 할머니랑 살았어. 이형욱이 그러더라고. 지 아빠한테 배운 거는 맞는 거랑 때리는 거, 그 두 개밖에 없다고."

불쌍해? 그냥 지나가다 뉴스 기사에서 봤다면 불쌍하다고 생각했을지도 모르겠다. 학교 폭력 가해자가 사실은 이런 사정이 있었다더라. 그런데 나까지 걔를 동정하라는 건가? 그래서 뭐 어쩌라고. 그런 이형욱에게 폭행당한 나는 불쌍한 배경 따위 하나 없는데, 그럼 나보다 걔가 더 불쌍해지는 거야?

생각이 교차하며 은수가 떠올랐다. 촬영장에서 피아노를 보며 하얗게 질려 있던 은수를 보자마자 여전히 피아노가 그를 짓누르고 있다는 걸 알았다.

은수네 아버지는 은수를 직접적으로 때린 적은 없었지만 정신적인 학대를 가했다. 은수에게 있어 피아노는 아버지가 가한 폭력의 상징이었다. 은수는 아직도 그 트라우마에서 벗어나질 못했다.

나의 엘리베이터 공포증은 가짜지만 은수의 피아노 공포증은 진짜다. 그럼에도 은수는 두려움을 극복하기 위해 발버둥을 치고 있었다. 보듬어 주고 싶었다. 다만 그 이유가 그놈의 첫사랑 때문이란 것만 제외한다면.

"그 미친 새끼……. 어디서 뭐 하고 살려나?"

생각보다 멀쩡하게 살고 있단다. 번듯한 직장도 있고 인간관계도 나쁘지 않은 것 같고. 겉보기에는 사람 됐다, 걔.

김민경은 엉덩이에 팬티라도 꼈는지 뒤로 허벅지 사이에 손을 넣고 몸을 비비적거렸다. 어색해하는 표정이 내 눈치를 보다가 입을 열었다.

"그때는 미안했다."

"뭐?"

"미안했다고. 네 머리 자른 거."

가슴 한가운데가 욱신거리며 반응했다. 이상한 일이었다. 감정은 조금도 요동치지 않는데 몸이 먼저 반응했다. 흐릿해졌다고 여겼던 기억이 바로 어제 일처럼 수면 위로 파동을 그리며 떠올랐다.

이형욱의 검은 잇몸이 나를 보며 웃는다. 김민경의 손가락이 엄지와 검지에 낀 가위를 치칵치칵 부딪치는 소리를 내며 돌렸다.

"됐어, 다 지난 일인데 뭐."

돌아서던 내 눈초리가 멈칫 주저했다. 툭 튀어나온 그녀의 쇄골 밑에 보라색 멍 자국이 보였다. 화장실 내 주황색 조명 때문에 눈여겨보지 않았다면 발견하지 못했을 것이다. 자기를 때린 이형욱이 불쌍하다는 그녀. 폭력을 눈감는 건 폭력이다. 그렇다면 폭력을 보지 못하는 것도 폭력일까?

"사과 고마워."

진심이었다. 유감은 없다. 더 이상 그때 이야기로 불편해지기도 싫었다. 떠내려가는 물살에 다 흘려보냈는데 자꾸 물 밑 바닥을 헤집자는 것 같아서 피곤했다.

"먼저 나갈게."

돌아서는 내 어깨에 그녀의 손이 닿았다.

"잠깐만."

"왜?"

"내가 너한테 못된 짓 많이 한 거 아는데, 나도 억울한 거 있어."

"뭔데?"

"우리 음악 숙제 때문에 예술의 전당 간 거 기억나? 그때 네가 티켓 없어졌다고 난리쳤잖아."

"내가?"

"내가 네 티켓 갖다 버렸다면서 내 머리 다 뽑아 놨잖아."

쟤가 무슨 말을 하는 건가 싶었다. 그때 일이라면 나도 김민경 못지않게 여기저기 긁히고 피가 났던 걸로 기억하는데. 아니 솔직히 기억은 잘 안 나지만 그랬을 거라고 확신한다.

"그게 무슨 소리야?"

김민경의 눈썹이 이마를 주름지며 올라갔다.

"너 진짜 몰라?"

"기억 안 난다니까."

"그거 이윤아였잖아."

"뭐가?"

"그때 네 입장권, 그거 이윤아가 버린 거라고."

내 머릿속은 여기저기 흩어진 퍼즐처럼 흐릿한 기억을 맞추느라 정신없었다. 예술의 전당 로비에서 얘랑 엎치락뒤치락하면서 싸운 건 어렴풋이 기억난다. 다만 그 전말이 모호했다. 내가 입장권을 어디서 잃어버렸었더라.

"이윤아 걔 하은수 좋아했잖아. 여름 방학 때 하은수랑 같은 조 되려고 음악 선생님한테 부탁까지 했을걸?"

"윤아가 은수를 좋아했다고?"

"나랑 곽다정 때문에 말은 못했지만 속으로 얼마나 좋아했는데."

덤덤하던 내 눈가에 서서히 균열이 일었다.

"걔가 너 뒷담을 얼마나 깐 줄 알아? 대놓고 하은수한테 꼬리친다고 아주 이를 박박 갈더라. 그때 우리 입장권 다 이윤아네 엄마가 해 줬잖아. 그래서 너한테 아줌마가 곧 올 거니까 기다리라는 식으로 말하지 않았어? 그거 다 뻥이었어."

그녀는 나를 보며 희한하다는 표정을 지었다.

"하은수는 알고 있었던 것 같던데⋯⋯. 너한테 말 안 해 줬어?"

그날, 예술의 전당에 관련된 가장 또렷한 기억은 계단에 쪼그리고 앉아 있던 나를 발견하고선 화난 얼굴로 소리치던 은수의 모습이었다.

은수는 그날 왜 그렇게 화가 났던 것일까? 여름 방학 이후 이윤아를 벌레만도 못한 취급을 하며 경멸하던 은수의 행동들⋯⋯. 풀리지 않던 자물쇠가 탁 열리는 것 같았다.

화장실 문을 벌컥 열고 나오자 김민경이 내 눈치를 보며 뒤따랐다. 그러나 테이블 쪽으로는 오지 않은 채 몇몇에게 눈짓으로만 인사를 한 뒤 출입문으로 향했다. 남자애들 시선이 그녀의 뒤꽁무니를 쫓았다.

이윤아는 여전히 박승환 옆에서 오늘의 주인공처럼 웃으며 애들하고 사진을 찍고 있었다. 그녀의 모든 행동은 과장되고 가식적이었다. 흡사 무대에서 연기라도 하는 것처럼.

"여울아! 어디 갔었어?"

"화장실."

이윤아가 가방에서 뭔가를 꺼내 내밀었다. 하얗고 빳빳한 종이 위에는 드라이로즈가 달린 노끈이 리본으로 묶여 있었다. 올해 본 청첩장 중에 가장 두툼하고 화려했다.

"올 거지?"

가슴이 미약하게 두방망이질을 쳤다. 분노인지 두려움인지 알 수 없었다. 김민경과 대면했을 때는 초연하던 감정이 용솟음치며 목구멍에서 꿈틀댔다.

"그만 좀 해."

시종일관 웃던 이윤아가 웃음을 뚝 그쳤다. 그녀의 눈동자가 동그랗게 커진 채 나를 바라보고 있었다.

"내가 네 결혼식에 초대받을 만큼 가까운 사이는 아니잖아. 대체 나한테 이러는 이유가 뭐야? 왜 쓸데없는 신경전을 벌이는 건데?"

어느새 홀 안의 모든 시선이 우리를 향하고 있었다.

"여울아, 왜 그래⋯⋯."

누군가 나무라듯이 속삭였다. 이런 분위기가 불편하다는 어조였다. 나도 불편했다. 알면서 아닌 척 싫으면서 아닌 척, 비아냥대면서 아닌 척, 그런 식의 말장난은 이제 지긋지긋했다.

"이유가 뭐냐고?"

이윤아가 입매를 비틀며 웃었다. 그녀의 충혈된 눈동자가 보였다.

"그걸 몰라서 물어?"

몰라서 묻는다, 몰라서.

"너 때문에 나는 졸업할 때까지 친구 하나 없이 왕따로 지내야 했어. 말 한 마디 걸어 주는 애 없었다고."

"그게 왜 나 때문인데?"

"네가 날 모른 척했잖아! 네가 날⋯⋯ 나쁜 년으로 만들었잖아!"

뺨을 붉히며 원망스럽게 소리쳤다. 나는 멍하니 그녀를 쳐다보았다.

내가 널 외면해?

우리를 빙 에워싼 채 쳐다보던 애들은 쑥덕거리며 눈초리를 주고받았다. 판사가 최종 판결을 할 때 두들기는 망치 소리가 머리를 띵 하고 내리치는 느낌이었다.

잠시 잊고 있었다. 여론이란 게 얼마나 쉽게 형성될 수 있는지, 그리고 곽다정, 그녀가 그런 분야에 있어서 얼마나 천재적인지.

"울지 마, 윤아야……."

곽다정이 안쓰러워 죽겠다는 듯 한숨을 토하며 이윤아의 등을 다독였다. 나는 입술을 꽉 깨물었다. 그녀가 나를 이곳에 부른 이유를 이제야 알 것 같았다. 곽다정이 연출하고 싶은 드라마란 바로 이거였다. 이 광경이 보고 싶었던 거였다. 이 드라마가 극적으로 전개되려면 나와 이윤아가 바로 이곳에서 이렇게 마주쳐야만 했다.

어차피 그 당시 일을 정확하게 기억하는 이는 아무도 없다. 당사자인 나조차도 조각조각 떠오르는 파편 외에는 모든 것이 불분명한데, 나와 이윤아를 제외한 나머지 서른 명 남짓한 애들은 오죽하겠는가? 그녀가 나를 괴롭혔는지, 내가 그녀를 괴롭혔는지는 이곳에 있는 대다수가 기억하지 못할뿐더러 관심조차 없다. 그저 이 상황에서 누가 피해자고 가해자인지만 중요한 것이다.

이 순간만큼은 내가 가해자였다.

"은수 때문에 이러는 거야?"

고개를 파묻고 울던 이윤아가 흐느낌을 멈췄다. 고개를 든 그녀의 눈동자가 나를 날카롭게 노려보았다.

"네가 은수를 좋아하는데 내가 몰라 준 게 서러웠어? 아니면 질투가 나서?"

"김여울 너는 항상 그런 식이더라. 혼자만 아닌 척, 그러면서 뒤에서는 배신 때리고."

"내가 뭘 아닌 척했는데?"

"너도 하은수 좋아했잖아."

"……."

"좋아했잖아……. 좋아했으면서 왜 인정 안 하는 건데!"

악다구니를 쓰며 소리치는 그녀의 모습에 눈시울이 뜨거워졌다. 대체 그게 왜 그렇게 중요한데? 매일같이 붙어 다니던 단짝 친구를 배신자로 낙인찍고 외면할 만큼 그게 그렇게도 중요했어?

"그래, 좋아했어. 그게 뭐?"

"뭐?"

"내가 은수를 좋아한 게 너를 왕따로 만들었어? 그게 널 괴롭혔어? 내가 화장실에서 너한테 걸레 물이라도 뿌렸어?"

"거기서 걸레 물이 왜 나와?"

죄인은 제가 저지른 죄명만 기억하는 법이다. 나는 핏대를 세운 채 목소리를 높였다.

"은수가 무슨 공공재라도 돼? 다 같이 공유해야 하는 신성불가침의 영역이라도 되냐고. 선수 치면 나쁜 년, 뭐 그런 이론을 설파하는 거야?"

"그게 아니라 네가 날 기만한 게 문제인 거야."

"기만? 아, 친구 입장권을 몰래 갖다 버리고 안 그런 척 위로한 다음 뒤에서 낄낄대는 그런 거?"

이윤아의 눈이 흠칫하며 커졌다.

"그냥 솔직하게 말해."

"머, 뭘……."

"그저 단순한 시샘과 질투였다고. 그런 이유라면 충분히 납득하고 이해할 수 있으니까."

그녀의 커다란 동공이 나를 한참 동안 쳐다보았다. 어쩌면 재는 정말 본인도 인지하지 못한 새 기억이 조금씩 세월에 각색되었을지도 모른다. 진심으로 자신이 피해자라고, 김여울 때문에 자기 학창 시절은 엉망이 되어 버렸다고 그렇게 믿고 있는지도 모른다.

"납득과 이해……. 네가 나를 이해한다고?"

이윤아가 중얼거리며 쓴웃음을 지었다. 그녀 옆에 서 있던 박승환이 눈치를 보며 슬그머니 뒷걸음질을 쳤다. 순순히 인정하고 사과할 거라고는 생각지도 않았다. 역시 쓸데 없는 소모전이었을 뿐이다. 그냥 집에나 갈 걸 그랬다.

"너 은수랑 아직도 연락하고 지낸다며?"

이윤아의 질문에 나는 곽다정을 쳐다보았다. 그녀는 움

찔하며 시선을 회피했다.

한편 불편한 표정으로 말다툼을 관전하던 나머지 애들이 술렁이기 시작했다. "은수? 그 하은수?"라면서 속닥거리는 목소리가 들려왔다.

"아직도 하은수 좋아하냐?"

기가 막혀 웃음이 나왔다. 이 아이는 아직까지도 나와 경쟁을 벌이고 있었다. 자기는 이제 웨딩마치를 올리는 예비 신부지만 나는 아직도 은수의 주위를 맴돌며 질척거리는 패배자라는 듯이. 그게 그녀의 상처 입은 자존심을 장식할 마지막 영광의 브로치였다.

"아직도 좋아하면 어쩔 건데?"

이윤아는 입매를 비틀며 웃었다. '그럼 그렇지.' 하는 표정이었다. 그녀와 달리 박승환의 눈초리는 나를 죽일 듯 노려보며 일그러지고 있었다.

"들었지? 김여울이 너 좋아한대."

아까부터 부산스럽게 쑥덕거리던 아이들이 입을 가린 채 눈을 휘둥그레 떴다. 이윤아 옆에 서 있던 박승환도 표정이 굳은 채 얼어 있었다. 그들 시선 모두가 내 어깨 너머로 다가오는 누군가를 멍하니 쳐다보았다.

설마······.

익숙한 시트러스 계열의 우디 향이 코끝을 스쳤다. 재작년 겨울에 우연히 시향을 했다가 마음에 들어서 샀던 존 바바토스의 아티산이었다. 대뜸 사 와서 은수의 손목에 칙 뿌리고 킁킁거렸던 기억이 난다. 그런 나를 빤히 쳐다보던 은수의 눈동자가 떠올랐다.

천천히 돌아선 내 눈동자에 비친 은수가 그날처럼 복잡한 눈초리로 나를 쳐다보고 있었다.

"넌 너 좋다고 하는 애들 다 싫어했잖아. 이제 김여울도 싫어하겠네?"

나는 입술을 사리문 채 눈빛으로 말했다. 착각하지 마, 하은수. 방금 그건 쟤 반응 보려고 헛소리한 거니까 이상한 생각하지 마.

은수의 입가에 어이없다는 미소가 맺혔다. 불길한 예감이 들었다. 내가 뒷걸음질을 치자 은수는 한 걸음 성큼 다가왔다. 녀석이 커다란 손으로 내 뺨을 움켜잡았다. 비스듬히 고개를 숙인 입술이 순식간에 코앞까지 다가오자 나는 재빨리 주먹으로 어깨를 밀쳐 냈다.

"뭐 하는 거야!"

어깨를 문지르며 뒤로 물러선 은수가 공허한 눈으로 날 바라보았다. 손등으로 입을 막고 선 내 모습을 확인한 그는 돌아서며 이윤아를 향해 서근서근하게 웃었다.

"봤지?"

"……."

"요즘 여울이와 내가 이런 상황이야."

이윤아는 상황이 잘 이해되지 않는 듯 말을 잇지 못했다. 반면 곽다정은 옆에서 얼굴색이 노랗게 변해 가고 있었다.

나는 은수 옆에 서서 악다문 잇새로 속삭였다.

"죽을래? 이제 이런 짓 안 한다며."

"혹시나 해서."

"뭐가 혹시나야?"

"좋아한다고 하니까."

"설마 그걸 진짜로……."

"진짠 줄 알고 설렜어."

날 응시하던 은수의 목소리가 아래로 향하는 눈꺼풀과 함께 허스키하게 가라앉았다.

"설렜다고, 진짜로."

예전에 은수와 함께 버스를 타고 집에 가는데 갑작스럽게 소나기가 내린 적이 있었다. 잘 기억은 나지 않지만 우리는 말다툼을 하고 있었다. 기분이 영 별로인 내게 은수가 물었다.

– 김여울, 넌 남자 친구 사귀어 본 적 있어?

그때는 이상하게 자존심이 상해서 거짓말을 했다.

— 당연하지.

은수는 내가 한 말을 곧이곧대로 믿었다. 희한하게도 녀석은 내가 거짓말이라고는 개미 오줌만큼도 못 한다고 생각한다.

"뭐야……. 너희 둘 썸 타냐?"

이쪽을 비딱하게 쳐다보던 박승환이 눈 밑 근육을 꿈틀거렸다.

"김여울, 너 좋아하는 사람 있으면서 나랑 소개팅 한 거야?"

허리를 숙인 은수가 등 뒤에서 낮은 목소리로 속삭였다.

"쟤야?"

"뭐가?"

"체온이 궁금하다는 남자."

아……. 맞다, 그런 말을 했었지. 하여간 나는 이놈의 못된 심보가 문제다. 마음에도 없는 말은 왜 내뱉어 가지고.

"쟤구나."

곁눈질로 훔쳐본 은수의 눈초리에 불쾌감이 묻어났다. 제대로 대답하지 못하는 내 모습에 더 짜증이 난 듯했다.

나는 최근 은수의 행동을 이해할 수가 없어서 화가 났

다. 내가 모르는 은수의 모습을 인정하기 싫었던 건지, 아니면 실망한 건지는 모르겠지만 아무튼 불편했다.

은수의 예측할 수 없는 행동들 기저에 존재하는 심리적 변화보다도 그동안 내가 알아 왔던 은수의 모습이 전부가 아니란 사실에 분노했다.

일종의 비뚤어진 소유욕이었다.

은수가 갑자기 "아……." 하고 중얼거리더니 박승환 앞에 가서 얼굴을 빤히 응시했다.

"너 나랑 같은 미용실 다니지?"

"어……. 어?"

박승환이 주춤거리며 물러섰다.

"파란색 BMW 3시리즈, 차량번호 6264."

"……."

"발렛 기다리면서 내 차에 담배빵하고 도망갔잖아."

"내, 내가 언제……."

"바보냐? 거기 살롱 입구에 있는 CCTV에 다 찍혔어, 너."

나는 팔짱을 낀 채 흥미진진하게 구경했다. 그러고 보니 박승환의 머리 스타일이 은수 머리 스타일과 비슷했다. 설마 거기서 '하은수 머리랑 똑같이 해 주세요' 뭐 그런 건 아니겠지?

얼굴이 시뻘게진 채 땅을 노려보던 박승환은 은수의 어

깨를 확 밀치더니 출구 쪽으로 도망치듯 걸었다. 은수는 쫓아가지도 않는데 흘끔거리며 따라오지 말라는 듯 으름장을 놓았다. 자동 출입문 버튼을 누른 그는 씨근덕대며 돌아서더니 분을 못 참고 소리쳤다.

"하은수, 넌 네가 잘난 줄 알지? 허우대 빼고는 좆도 없는 게 여자들이 좋아해 주니까 우쭐해서 뭐라도 된 양 스포츠카나 끌고 다니고! 연예인 돼서 돈 쉽게 만지니까 세상이 쉽냐? 재수 없는 새끼……."

표정이 굳어 가던 은수가 싸한 눈초리로 쳐다보자 박승환은 흠칫해서 냉큼 출입문 밖으로 뛰어나갔다. 문 너머로 그가 엘리베이터에 타기 전에 고함을 치는 게 들렸다.

"그 미용실 내가 먼저 다녔어! 내가 먼저 다녔다고!"

황당한 얼굴로 구경하던 애들은 기가 막힌다는 듯 대화를 나눴다.

"왜 저래?"

"미쳤나 봐."

"근데 쟤 좀 이상하지 않아? 아까부터 자기 옷 자랑, 시계 자랑만 하고……. 원래 저런 성격이었나?"

"옛날에는 소심했던 거 같은데."

"기억난다, 쟤 완전 찌질했잖아."

나는 찝찝한 표정으로 박승환이 사라진 출입문 쪽을 바

라보았다. 은수의 말에 한마디도 반박하지 못하고 애꿎은 바닥만 노려보던 박승환의 이마에는 힘줄이 튀어나와 있었다. 이를 빠드득 갈고 있던 그의 눈초리가 심상치 않아 보였다.

혹시 박승환은 예전부터 은수를 싫어했나? 녀석이 나와 소개팅을 한 것도 자기를 무시했던 옛 짝꿍에게 달라진 모습을 보여 주기 위해서가 아니라, 하은수와 친했던 김여울에게 볼일이 있었던 건가?

뚱보 골키퍼, 박승환. 이형욱과 맞서던 내 옆구리를 몰래 꼬집던 녀석의 음습한 눈초리는 너도 그만 복종하라는 무언의 메시지를 담고 있었다. 저 녀석은 약자가 아니라 폭군의 기생충이었다.

어쨌든 은수의 등장에 분위기는 반전됐다. 조금 전까지 나와 이윤아 사이에 떠다니던 팽팽한 긴장감은 어느새 찾아볼 수 없었다. 이윤아를 등진 애들은 나와 은수의 주위로 몰려들었다.

"은수야, 나 기억나? 나 정환이!"

"그때 우리 같이 판치기 하고 그랬잖아."

"야, 은수는 나랑 더 친했어!"

줄곧 조용하던 남자애들이 웬일로 신났다. 은수도 편안하게 장난을 주고받으며 짓궂게 웃었다. 생각해 보면 은수는 옛날부터 남자애들하고 더 잘 놀았다.

여자애들은 홀로 오도카니 서 있는 이윤아를 흘끔거리며 내게 팔짱을 끼고 붙었다. 이윤아는 와인을 가득 따른 잔을 홀짝이며 핸드폰 액정을 확인했다. 인상을 쓴 채 액정을 빠르게 터치하는 손이 취한 듯 흔들거렸다.

그때 내 핸드폰도 진동을 울렸다.

[여울아, 미안! 뚱이가 갑자기 이상해서 동물 병원에 왔어.]

뚱이는 소영이가 15년째 키우는 반려견이다. 짤막한 다리로 뒤뚱뒤뚱 걷는 게 매력적인 뚱이는 최근 노환으로 몸 여기저기가 아팠다. 소영이는 뚱이한테 의지를 많이 하는 편이라 최근 뚱이 얘기를 하면 우울해 했다. 나는 괜찮으니까 신경 쓰지 말라고 답장을 했다.

[아까 하은수한테 전화 왔었는데 정신이 없어서 그냥 동창회 장소 알려 줬거든. 별일 없지?]

이 녀석이 어떻게 왔나 했더니 이번에도 소영이가 범인이었다. 다시 핸드폰이 지잉 하고 울리며 메시지를 띄웠다.

[너 요즘 하은수랑 괜찮은 거지?]

[응, 괜찮은데.]

[나 오늘 너한테 할 말 있었는데.]

[뭔데?]

새삼스럽게 우리 사이에 무슨 할 말? 잠시 뜸을 들이듯 답장이 없던 소영이가 슬픈 표정의 이모티콘을 보냈다.

[우리 중3 때 은수가 병원에서 퇴원하고 갑자기 연상의 여자 친구랑 사귄다고 했잖아.]

[응, 근데?]

이어진 소영이의 메시지를 본 순간, 나는 충격에 휩싸인 채 굳었다.

[그거 내가 시킨 거짓말이었어.]

부유스름한 기억 속에서도 원심을 찍은 점처럼 선명한 장면이 있다. 내 생애 가장 숨을 오래 참았던 순간, 판화처럼 뇌리에 남은 은수의 목소리.

– 미안, 안 될 거 같아.

나는 돌아서서 은수를 쳐다보았다. 손에 쥔 핸드폰이 두어 번 더 진동을 울렸지만 확인하지 않았다. 내 안색을 본 은수가 테이블에 비스듬히 기댔던 몸을 일으켰다.

"왜 그래?"

"너 여기 왜 왔어?"

"그게 갑자기 무슨 소리야?"

"오늘도 나 때문에 왔어?"

뒤에서 와인을 홀짝이던 이윤아가 코웃음 치며 웃었다.

김여울 저 미친년이 도끼병에라도 걸려서 헛소리를 한다고
생각하는 모양이었다.

"아니면 아직도 6번, 그거 하는 중이야?"

조명에 비친 은수의 동공이 매끄럽게 빛났다. 나를 말없
이 응시하는 녀석의 눈동자에 수풀로 가려진 감정이 보인
다. 옆에서 킬킬거리며 은수와 찍은 사진들을 돌려 보던
남자애들도 눈이 동그랗게 커진 채 "뭐야, 뭐야?" 하면서
우리를 쳐다보았다.

나는 한층 고조된 목소리로 소리쳤다.

"아직도 캐스팅인지 뭔지 연기하고 있는 거냐고!"

"연기?"

벌이 코끝을 톡 쏘고 지나갔다. 은수 역시 인내심에 한계
가 온 듯 사나운 눈초리였다.

"아닌 거 알잖아."

나는 지난 몇 주간 계속 앞지르지 않으려고 노력했다. 괜
히 넘겨짚었다가 체해서 죽을까 봐, 조금만 가슴이 답답해
져도 얼른 냉수를 들이켜며 정신을 차렸다. 그렇지 않으면
꽃놀이라고 착각했던 들판에 넘어져 진흙탕 속에서 허우적
거리게 되는 건 나라고, 그 맘고생을 되풀이하는 건 다름
아닌 나라고.

하지만 아까 박승환을 보던 은수의 비딱한 눈초리에 실

린 감정. 그건 아무리 봐도 착각이 아니었다.

"하은수 너."

목소리가 갈라져 나왔다. 억울하고 화났다. 우리 사이에 흐르던 물살을 막고 있던 댐이 사실은 신기루처럼 존재한 적도 없었다는 걸 깨달은 순간, 온몸의 혈관이 뜨겁게 팽창했다.

"나한테 숨기는 거 있지?"

은수의 눈이 동요로 흔들렸다.

− 6번, 13년째 널 짝사랑하는 남자 사람 친구.

1번부터 5번까지 보기 내용이 뭐였는지는 잘 기억나지 않는다. 어차피 녀석이 말하고 싶었던 6번 빼고는 실상 중요하지도 않은 내용이었을 게 뻔했다.

"나 6번 안 할래."

나도 지금 내가 어느 기름통에 불을 붙이고 있는 건지 알 수 없었다. 연쇄 폭탄처럼 터져서 다 망칠 수도 있는데, 현재 내 속은 그보다도 더한 핵탄두를 품고 있어서 냉정한 판단이 불가능했다.

"어차피 나머지는 다 비슷비슷한 거였잖아. 아무거나 해, 1번부터 5번까지 다 섞어도 되고."

은수는 말문이 막힌 듯한 표정이었다.

"얼른 시작해."

"……."

"싫어?"

"아니."

그래도 대답은 재빠르다. 반사 신경 하나만큼은 끝내주는 녀석이니까. 미동도 하지 않은 채 나를 쳐다보던 은수가 확인하듯 입을 열었다.

"괜찮겠어?"

"뭐가?"

"이번에는 나 안 본다고 해도 안 통해."

녀석의 눈동자에서 그날, 잔뜩 갈라진 채 흘러나왔던 목소리가 들려왔다.

– 나는 너 못 보면 죽어.

손으로 꾹 누르고 있던 두꺼비집이 와르르 무너지는 기분이었다. 심장이 욱신, 숨통을 조인다. 옹그려 쥔 내 손안에 남은 마지막 진흙 한 줌이 쓰러진 깃발 아래로 술술 빠져나가고 있었다. 은수와 내가 견고하게 만들어 왔던 두꺼비집이……

"윤아야, 밖에 네 남자 친구분 와 있는 거 같은데?"

곽다정의 목소리가 신호등처럼 빨간불을 켰다. 팽팽했던 공기가 두리번거리는 시선들로 인해 산만하게 흩어졌다.

곽다정이 저쪽이라며 손가락질을 하자 이윤아는 술에 취한 눈으로 출입문을 쳐다보았다. 출입문 밖에 하얀색 티셔츠를 입은 뚱뚱한 남자가 서성이는 게 보였다. 그는 안쪽을 흘끔거리다가 이윤아를 발견했는지 반갑게 손을 흔들었다. 이윤아가 벌게진 얼굴로 뛰쳐나가며 소리쳤다.

"오빠, 여긴 왜 왔어! 오지 말라니까!"

"아니, 난……."

자동문이 닫히자 둘의 옥신각신하는 목소리가 배수구로 빠지는 물처럼 조르륵 멀어졌다.

"웬일이야, 남자 나이가 대체 몇이야?"

"몰라, 한 오십은 되어 보이던데……."

"그 정도는 아니고 사십 대 중후반?"

순식간에 남자의 모습을 스캔한 애들이 호기심 어린 눈빛으로 말을 주고받았다.

"이윤아, 쟤도 이상하지 않아?"

"쇼핑몰 모델인가 그것도 뻥 같아."

"맞아, 사진도 다 포샵이고 그냥 백수처럼 노는 거 같던데."

"야!"

"아, 왜?"

"저기 좀 봐."

"쟤네 싸우던 거 아니었어?"

나를 품안에 끌어안은 은수가 내 머리카락 사이에 뺨을 묻고 있었다. 귓바퀴에 닿는 숨결이 귀밑 목선을 스치며 속삭였다.

"나가자."

나는 작게 고개를 끄덕였다.

"먼저 갈게. 여울이가 속이 안 좋다고 해서."

"또?"

곽다정이 황당하다는 듯 되물었다. 나는 꾀병에는 그다지 소질이 없다. 그래서 그냥 덤덤하게 대답했다.

"응, 또."

뭔가 말을 덧붙이려는 곽다정을 향해 은수가 돌아서며 눈길을 보냈다. 좀 비켜 달라는 은수의 말에 곽다정은 창백한 얼굴로 주춤거리며 물러섰다.

박승환, 이윤아, 이번에는 우리 차례였다. 걸어 나가는 등 뒤로 따가운 시선이 화살처럼 쏟아져 날아 박혔다. 다들 뭐라고 웅성거릴까? 욕하고 조롱할까? 기 막히고 어이없어 할까?

조용했다.

의외로 아무 소리도 들려오지 않았다. 입구에 서 있던 꽁지머리 사장님은 밖으로 향하는 우리에게 친절한 미소로 인사했다.

생각보다 별거 아니었다. 등 뒤의 루머 따위, 그곳에서 걸어 나오면 그만이었다.

밖으로 나오자 건너편 편의점 앞에 서 있는 이윤아가 보였다. 그녀의 남자 친구는 잘못했다며 구부정한 등으로 쩔쩔매고 있었고, 이윤아는 머리숱이 몇 가닥 없는 남자 친구의 훤한 이마를 향해 손가락질을 하며 고함을 쳤다.

"이제 와서 거기서 결혼 못 한다고 하면 나보고 어떡하라고!"

"그러니까 확실해지면 청첩장 만들자고 했잖아, 내가……."

"아 됐어! 난 거기 아니면 결혼 안 해! 안 할 거야!"

"윤아야, 이번에는 어른들 말씀대로 하자. 대출까지 받아서 호텔 예식 하는 건 좀……."

그 모퉁이에서 담배를 피우고 있는 김민경이 보였다. 이윤아와 그녀의 남친 쪽을 훔쳐보는 그녀는 재밌어 죽겠다는 듯 비실비실 웃고 있었다.

"어, 윤아야! 저기 친구분 가시나 본데……."

나와 은수를 발견한 이윤아의 남자 친구가 멀찍이서 꾸벅 인사를 했다. 이윤아는 가파른 숨을 몰아쉬며 이쪽을 바라보았다. 얼마나 소리를 질러 댔으면 산소 부족으로 얼굴이 저렇게 시퍼레진 걸까? 분한 듯 입술을 깨물던 그녀의 표정이 울음이라도 터뜨릴 듯 일그러졌다.

나는 서쪽의 못된 마녀다.

나는 지금 왕자를 납치하는 중이다.

"하은수."

"왜?"

"손잡을래?"

내 말에 은수가 건너편 편의점 쪽을 다시 쳐다보았다. 그의 어깨 너머로 두 주먹을 꽉 쥔 이윤아가 보였다. 은수의 입술 끝이 피식 올라갔다.

"뭐야……. 김여울, 나 이용하는 거야?"

"응, 너 이용하는 거야."

모자를 쓴 은수가 밤거리 조명을 피해 등 뒤로 손을 내밀었다. 내가 손을 잡자 녀석이 거미줄처럼 손가락을 펼치더니 사이사이 깍짓손을 꼈다. 나란히 걷던 은수가 몸을 숙여 내 얼굴을 확인하더니 싱그럽게 웃었다. 멀리서 이윤아가 소리를 지르며 울음을 터뜨리는 게 들렸다.

오늘은 술도 마시지 않았는데 뺨의 열기가 열대야를 물리친다. 오늘 나의 이상 행동은 그 무엇으로도 설명할 수 없는 수준의 광기였다.

골목을 돌자 간판 불이 꺼진 공영 주차장이 보였다. 나는 얼른 손을 빼냈다. 빠져나가는 내 손을 바라보는 은수가 아쉬운 듯 눈길을 보냈다.

"병원에서는 뭐래?"

은수가 차문을 열면서 물었다.

"뭐가?"

"오늘 상담받으러 간다고 했잖아."

"아, 그거. 폐소 공포증은 아니래. 그냥 스트레스성이래."

"스트레스성?"

차에 탄 나는 운전석에 타는 은수를 빤히 쳐다보았다. 시동이 켜지자 스피커에서 느릿한 템포의 재즈 음악이 흘러나왔다.

왼쪽 두 번째 손가락 지문에 남은 감촉이 가시처럼 피부 속에 스미듯 박힌다. 단 한순간의 긴장으로 실처럼 팽팽해지는 공기, 나는 이제 안다. 지금 이 순간의 어색함은 나만 느낀 게 아니었다는 걸.

"너 때문이래."

"나? 내가 왜?"

은수가 의아한 눈으로 쳐다보며 물었다. 녀석은 혼자 키득거리며 웃는 내가 황당하다는 표정이었다. 웃음을 그치고 헛기침을 했다.

"미안."

"술 마셨어?"

"조금?"

"너 또……. 술기운에 장난치는 거 아니지?"

은수가 불안한 눈으로 물었다.

"무슨 장난?"

"1번부터 5번 그거."

"아, 그거."

아이들이 출입문 밖에 서 있는 이윤아의 남자 친구 쪽을 돌아본 순간, 은수는 기회처럼 다가온 사각지대에서 나를 와락 끌어안으며 속삭였다.

− 좋아해.

그 순간 가슴이 저릿하며 떨렸다.

"은수야."

안전벨트를 매던 은수의 눈이 커졌다. 그의 양 볼을 어루 만지던 나는 은수의 얼굴을 내 쪽으로 고정시켰다. 은수가 긴장한 듯 숨을 들이켰다. 나는 녀석의 붉은 입술을 바라 보았다. 그의 벌어진 입술 사이로 새어 나온 입김이 내 엄 지손톱을 스치고 멀어지기를 반복했다.

이런 기분이구나.

차 안이 어두워서 서로의 얼굴이 잘 보이지 않았다. 두 눈동자에 비친 내 감정의 열기가 암흑 속에 감춰진다. 가슴이 간질거렸다. 멈춰 있던 바람이 서서히 불기 시작하는 기분이었다.

"눈 감아 봐."

은수가 숨을 멈춘 채 나를 응시했다.

"어서."

내 채근에 망설이던 그의 눈꺼풀이 천천히 감겼다.

이번에는 술김에 그랬다는 못된 변명도 할 수 없다. 뭐라고 할지 잠시 고민하다가 관뒀다. 그냥 그랬다고 하지, 뭐. 쟤도 나한테 그냥 던진 말이 수두룩한데 나라고 못할 게 있나?

고개를 숙여 천천히 은수의 아랫입술에 입술을 겹쳤다. 앞니로 살짝 깨문 그의 아랫입술이 미세한 경련을 일으켰다. 은수는 긴장한 듯 주먹을 꽉 쥐고 있었다.

상상만으로도 아랫배 느낌이 이상했던 은수의 입술은 너무 달콤했다. 치열을 밀고 들어간 혀로 더운 숨을 넣고 그의 혀를 얽은 채 내 쪽으로 끌어당겼다.

키스라는 건 서로를 얼마나 원하는지 드러내는 가장 원초적인 방법 중 하나였다. 숨결이 가까워진 만큼 서로의 몸에 닿는 피부의 감촉도 적나라하게 느껴진다.

은수가 시트를 움켜잡으며 낮게 신음을 뱉었다. 그는 못 참겠는지 안전벨트를 풀고 내 쪽으로 상체를 기울였다. 손이 급했다. 오른손으로 내 턱을 잡은 은수가 입술을 벌리고 다시 혀를 집어넣었다. 아랫입술을 물어뜯듯 빨던 그의 입술이 머리칼이 달라붙은 뺨을 따라 이동하더니 내 귓바퀴를 깨물었다.

자극적이었다. 바로 며칠 전만 해도 까칠한 장난을 주고 받던 상대가 귓바퀴를 핥는다는 게 이렇게 에로틱한 행동이었나 싶을 정도로.

그간 참았던 걸 폭발시키듯 키스를 하던 은수가 불현듯 고개를 들어 나를 쳐다보았다. 그의 입 주변에 내 립스틱이 번지듯 묻어 있었다.

"우리 사귀자, 여울아."

내게서 눈을 못 떼는 그의 눈동자가 어느 때보다 검고 짙었다. 멍하니 은수를 쳐다보던 나는 기묘하게 인상을 쓰다가 웃고 말았다. 허공을 향해 웃음을 터뜨리는 나를 보며 은수는 불안한 목소리로 물었다.

"왜 웃어?"

"그냥."

"대답은 안 해?"

"내가 대답 안 했어?"

"응."

"잘 모르겠는데."

"왜 잘 몰라?"

"네가 내 남친이란 게 너무 이상할 거 같아서."

"내가 너무 잘해 줄 것 같아서 그래?"

"네가 참 잘도 그러겠다……."

은수가 눈을 접으며 웃었다.

"잘해 줄 건데."

나는 어이가 없어서 눈을 흘겼다. 은수의 가늘어진 눈초리가 내 살짝 벌어진 입술 사이를 바라보고 있었다.

아랫입술을 빨고 벌어진 입술 사이로 비집고 들어온 혀가 입천장에 닿았다. 간질이듯 핥은 혀가 치아를 훑고 윗입술을 삼키듯 빨아들였다.

"입술 더 벌려 봐."

다물었던 입을 열자, 그가 몸을 더 깊게 숙이며 내 몸을 덮치듯 내리눌렀다. 숨소리가 빨라졌다. 빈틈없이 겹친 입술이 나를 더 격하게 집어삼키고 키스를 이어 갔다.

조수석에 등을 기대고 있던 내 몸이 주르륵 미끄러지며 눕다시피 한 자세를 취했다. 내려간 시트 위로 어느새 그가 올라와 있었다.

도드라진 쇄골 위로 가쁜 숨이 달리는 게 느껴졌다. 어깨 끝에 닿은 숨결이 가까스로 그곳에서 멈췄다. 눈꺼풀을 내리감은 그가 이를 악물며 내게서 몸을 떼어냈다.

그 모습을 바라보던 나는 손을 뻗어 그의 아랫입술을 어루만졌다. 그러자 은수가 몸을 오싹하게 떨었다.

"만지지 마."

"왜?"

"지금은…… 만지지 마."

남자의 금욕이 사랑스럽다는 걸 처음으로 깨달았다. 내 손길 하나에 움찔거리는 그의 행동은 그 어떤 애무보다도 뜨거운 쾌감이었다.

은수가 괴로운 듯 흐려진 눈으로 나를 내려다보며 속삭였다.

"좋아해, 정말 많이."

나를 꽉 끌어안은 그는 한참 동안 꼼짝도 하지 않았다. 이제 돌이킬 수 없다며 으름장을 놓은 건 본인이면서 내가 차에서 덜컥 내리기라도 할까 봐 제 무게로 꽉 짓누르고 있었다.

조금 더 서쪽의 못된 마녀이고 싶었는데…….

나는 입가에 미소를 건 채, 그의 목덜미를 허락하듯 끌어안았다.

"응, 알아."

그날, 우리는 연인이 되었다.

View of Eunsu

16. 소년과 축제

16. 소년과 축제

여울이를 처음 본 순간, 나는 오래전 책꽂이 어딘가에서 봤던 빨간머리 앤을 떠올렸다.

고등학교에 입학하기 전 어느 날이었다. 책 정리를 하다가 예전에 읽다 덮었던 빨간머리 앤을 다시 펼쳤다. 내용은 흥미로웠다. 책 속의 앤과 길버트의 모습이 꽤 익숙했기 때문이다. 길버트가 앤을 처음 봤을 때 한 행동은 내가 여울이에게 한 행동과 거울에 비춘 듯 흡사해 보였다.

앤은 몰랐겠지만 길버트는 처음부터 앤에게 관심 있었다. 유치한 장난으로밖에 표현하지 못했던 녀석의 언행은 처음부터 앤만 바라보고 있었다는 증거였다. 전학 오던 날 교실에 앉아 있는 수많은 아이들 중에서 오직 여울이만 눈에 들어왔던 나처럼.

겨울이 지나고 봄이 왔다.

나는 원래 봄을 싫어했다. 낯선 환경이 시작되는 계절, 아버지가 집에 자주 오는 계절, 봄은 회초리 같은 계절이다.

광명에서 맞이하는 두 번째 봄이었다. 모래 냄새가 나는 바람, 먼지가 떠다니는 낡은 유리창, 둔탁한 소리를 내는 피아노 건반들이 먼발치의 풍경처럼 노을이 되어 부서져 내린다. 이제 봄은 모퉁이가 찢어진 일기장 같은 계절이다.

그리고 고등학교에 입학한 지 2개월이 되는 시점이기도 했다. 기숙사에 들어가면서 내 생활 반경은 하안동에서 철산동으로 이동했다. 놀이터에서 노는 아이들의 떠들썩한 웃음소리로 가득하던 하안동 아파트 단지에 비하면 이곳은 사막의 한가운데처럼 삭막하고 황량했다.

물론 걸어서 15분 거리에 시립 도서관도 있고, 백화점 비슷한 아울렛도 있고, 광명에서 제일 번화한 상업 지구도 코앞이었건만 왠지 모르게 감옥처럼 느껴지는 공간이었다. 내가 나를 가둔 곳, 나는 이곳에서 형벌을 받고 있는 중이었다.

1-진 생활관 3층.

앞으로 3년간 지내야 할 낡은 기숙사 건물은 늘 북적였다. 1층에는 각각 남자 기숙사와 여자 기숙사로 통하는 계단이 따로 있었고, 층층마다 복도에 여자 기숙사 구역과 남자 기숙사 구역을 나누는 중앙 분리문이 존재했다. 불투명한 유리로 된 중앙 문은 각자 금단의 영역으로 통하는 입구였다.

1학년 남학생들은 아침마다 모래로 된 운동장에 나가서 축구를 했다. 부지런한 여자아이들은 기숙사 창문 밖으로 고개를 내민 채 경기를 구경하고는 했다. 경기를 마친 남학생들은 생활관으로 돌아와 화장실에서 시원하게 등목을 했다. 간혹 여자와 남자 기숙사를 나누는 중앙 문이 한 번씩 열릴 때면, 여자애들은 손가락 사이로 눈을 가리며 웃통을 벗고 돌아다니는 남자아이들을 향해 웃음기 섞인 비명을 질렀다.

"야, 은수야."

수건으로 젖은 머리를 털며 나오다가 고개를 들었다. 형민이가 물 튀긴다며 손사래를 치며 서 있었다.

"너 그거 알아?"

"뭘?"

"여자애들이 몰래 네 출석부 사진 찍어서 소장하고 다닌대."

"……"

"너 축구할 때 운동장 밖에서 취재하듯 찍은 다음 현상해서 돌리는 애들도 있다고 하더라."

마침 누구 한 명이 중앙 문을 열고 여자 기숙사 쪽으로 걸어가면서 또 한 번 호들갑이 일었다. 아예 유리문 근처에서 보초를 서듯 지키고 있는 여자애들도 있었다.

"완전 유명인이야. 2학년 선배들도 하은수는 누군지 다 아는 거 보면."

호기심 가득한 눈망울들이 찰나의 틈새를 훔쳐본다. 닫히는 문틈으로 꺅꺅거리는 소리가 들려왔다.

– 하은수 변태! 머릿속에 그런 생각밖에 없지?

"야, 듣고 있냐?"

"어? 어……."

"예쁜 애라도 있냐? 어딜 그렇게 넋을 잃고 쳐다봐."

문 너머로 여울이가 입을 삐죽거리며 서 있는 걸 본 것 같아 잠시 멍해졌다. 갸웃거리는 형민이의 어깨를 툭 치고선 돌아섰다. 까까머리에 묻은 물기를 털면서 돌아다니는 사내 녀석들 사이로 우울감이 번졌다. 나는 죽은 물고기처럼 눈동자만 껌뻑였다.

비좁은 생활관 안에는 2층 침대들이 두 줄로 다닥다닥 붙어 있었다. 한 사람만 겨우 누울 법한 매트리스 위에는 얇은 이불들이 돌돌 말린 채 굴러다녔다. 내 자리는 2층 왼쪽 창문 쪽 제일 끝자리였다. 삐걱거리는 침대에 올라 벌러덩 드러누웠다. 새하얗게 페인트칠된 천장이 보였다. 아무것도 떠오르지 않는 내 머릿속과 비슷했다.

주말에도 집에 가지 않은 지가 벌써 두 달째다. 가고 싶은 마음은 굴뚝같은데 차마 갈 수가 없다.

― 또 학교 남아서 자습한다고? 주말인데 그냥 집에 오지.

"방학 때 갈게."

― 그래, 알았어. 어디 아픈 데는 없지?

"응, 없어. 근데 엄마."

― 응?

"별일 없지?"

― 별일이야 없지.

"심심하면 그…… 옆집 아줌마랑 놀고 그래."

― 누구? 아, 여울이네?

'걔는 잘 지낸대?'라는 말이 목구멍까지 올라왔지만 참았다. 이후 15분간, 엄마는 중학교에 들어갔다는 도연이 녀석 얘기만 잔뜩 풀어놓았다. 여울이네 아줌마, 아저씨, 도연이 얘기에 7호에 사는 불여시 아줌마 얘기까지 쏟아 내면서 정작 그 녀석 얘기는 한마디도 없었다.

"엄마, 나 그만 자습 가야 돼."

입 안에 맴돌던 질문은 끝내 하지 못한 채, 나는 무기력한 손으로 전화를 끊었다.

아직 군대는 가 본 적 없지만 요즘 간접적으로 군 생활을 체험하고 있는 중이 아닌가 하는 의문이 든다. 우리 학교는 비가 오나 눈이 오나 아침마다 전교생이 운동장으로 향하는 게 원칙이었다. 푸르스름한 수염 자국이 특징인 생활관장은 항상 정확한 시간에 칼같이 단상에 올랐다. 전교생을 내려다보며 그는 마치 거대한 함선의 선장이라도 된 듯 뒷짐을 진 채 쩌렁쩌렁한 목소리로 외쳤다.

"전방을 향해 10초 함성 발사!"

"와아아아아!"

지루한 얼굴로 하품을 하는 3학년들과 달리 1학년들은 군기가 잔뜩 들어간 채 함성을 쏘았다. 다들 얼굴이 시뻘게져서 목에 핏대가 설 때까지 소리를 질렀다.

문제는 우리 학교가 아파트 단지와 밀접해 있다는 사실이었다. 아침 7시가 되기도 전에 혈기왕성한 청소년들 몇백 명이 함성을 지르는데 그걸 견딜 주민이 몇이나 될까?

정문과 맞닿은 아파트 3층의 창문 하나가 드르륵 열리더니, 머리가 벗겨진 40대 남성이 씨근덕거리며 소리를 질렀다.

"야 이 씨발! 작작 좀……. 잠 좀 자자, 이 미친 새끼들아아!"

'드르륵, 쾅!' 하고 닫히는 창문 소리에 잠시 침묵이 내려앉았다. 누군가 킥킥거리며 배꼽을 잡고 웃었다. 운동장 가득 킬킬거리는 웃음소리가 터져 나왔다.

나는 지평선처럼 넓게 펼쳐진 담 너머를 응시하며 운동화로 모래를 비볐다. 먹구름이 낀 외딴 섬에 들어와 있는 기분이었다. 매일 반복되는 일상이 아무런 의미도 없는 것처럼 느껴졌다.

"야, 너 짝선배 정해졌냐?"

"그게 뭔데?"

옆자리에 앉은 형민이가 몸을 내 쪽으로 기울이며 눈치를 살폈다. 조용히 자습을 하는 애들은 저마다 책과 노트에 코를 박은 채 사각사각 문제를 풀고 있었다.

"진성고 명물인 짝선배, 짝후배를 모른단 말이야? 우리랑 이어진 선배 반은 2학년 3반인데, 거기에 진짜 예쁜 누나 있대. 그 누나가 너랑 짝후배 하고 싶다고 했다던데……."

형민이가 내게 하는 이야기의 80퍼센트는 대개 이런 가십거리들이었다. 나는 관심 없는 눈초리로 서랍에서 이어폰을 꺼냈다.

"내 친구는 광명고 다니는데 거기도 짝반 그런 거 있다더라."

"광명고?"

"광명고도 남자 반, 여자 반으로 나뉘어져 있대. 거기는 무슨 야자 시간에 남자애들이 여자 반으로 찾아와서 짝반하자고 프러포즈하고 그런다더라. 출석부로 미리 애들 사진 보고 예쁜 애들 몰려 있는 반으로 우르르 가고 그런대."

"짝반이 되면 뭘 하는데?"

형민이는 의외라는 듯 '네가 웬일로 관심을 다 보이냐?'는 표정을 지었다.

"뭐 짝반끼리 짝 맺고 그러다가 사귀고 한다는데? 우리 학교는 이성 교제가 진성칠무 중 하나지만, 걔네는 그런 게 없을 테니까……."

진성칠무란 진성고의 7가지 교칙으로 유명한데 1학년 때 이 중 하나라도 어기면 강제 전학을 보낸다는 말이 있을 정도로 엄격하다. 이성 교제 금지는 그중 하나였다.

– 가자마자 남자 친구부터 만들 거야. 너보다 훨씬 잘생기고 멋진 사람으로.

짜증이 치밀어 올랐다. 드르륵, 의자를 끌며 일어선 내게 형민이가 얘기하다 말고 어디 가냐며 쳐다보았다.

"화장실 가냐?"

나는 눈치 없이 따라오는 형민이를 뒤로한 채 교실 뒷문을 나섰다.

한때 공부가 재미있다고 생각한 적도 있었다. 하긴, 피아노만 아니면 다 좋았다. 그런데 어째서 지금은 뭘 해도 지루한지 모르겠다. 공부도, 축구도, 음악도, 그 무엇도 내 흥미를 끌지 못했다.

내 안에 늘 자리 잡고 있던 공허함이 이토록 견디기 힘들었던 적은 없었다. 나는 지금 무언가가 절실히 필요했다. 이건 공허가 아니었다. 갈망이었다. 나는 무언가를 몹시 갈망하며 견딜 수 없는 외로움에 몸부림을 치고 있었다.

이른 캐럴송이 울려 퍼지는 가운데 함박눈이 펑펑 쏟아지는 날이었다. 기말고사를 목전에 둔 주말, 9개월 만에 집에 돌아왔다.

"아들, 생일 축하해!"

거실에 불을 환히 켜 놓고 미역국을 끓이는 엄마의 얼굴이 행복해 보였다. 계속 분주하게 식탁으로 음식을 나르는 엄마의 모습에 죄책감이 들었다. 나 없는 집에서 엄마는 늘 혼자였을 텐데.

"공부하느라 그런 건데, 뭘."

"엄마는 내가 뭘 했으면 좋겠어?"

"아들은 뭘 하고 싶은데?"

"잘 모르겠어."

"우리 은수는 뭘 해도 잘할 거야. 어려서부터 주목을 많이 받고 커서 엄마는 늘 네가 위축되지 않을까, 스트레스 받지 않을까 걱정이었거든. 그런데 사고 한 번 안 치고 이렇게 반듯하고 착하게 커 줘서 고마워. 아들은 엄마의 자랑이야, 알지?"

거실 한가운데에는 여전히 하얀 피아노가 놓여 있었다. 뚜껑이 닫힌 피아노를 보며 미역국과 케이크를 꾸역꾸역 입에 넣었다. 설거지를 하고서 괜히 냉장고를 한번 열어 본 뒤 슈퍼에 갔다 온다며 집을 나섰다.

쥐색 떡볶이 코트와 까만 트레이닝 바지를 입은 채 슬리퍼를 질질 끌며 엘리베이터에서 내렸다. 경비실에 있는 아저씨께 꾸벅 인사를 하자, 내 얼굴을 단번에 알아보시고는 쪽문을 여셨다.

"저기, 여울이 오는 거 아니냐?"

그 말에 순간적으로 놀란 나는 기둥 뒤로 얼른 몸을 숨겼다.

아……. 찌질하다, 하은수.

나는 왜 김여울에 관한 일만 되면 이렇게 한심한 놈이 되는 걸까?

"저희 집 여기예요."

"아, 여기 살아?"

여울이 목소리다. 반가움도 잠시, 미간이 구겨졌다. 여울이 옆에 처음 보는 녀석이 있었다.

"그럼 월요일에 보자."

"안녕히 가세요, 선배."

선배? 학교 선배인가? 녀석은 꾸벅 인사를 하는 여울이의 머리를 쓰다듬으며 웃었다. 또 이 느낌이다. 불쾌하고, 짜증 나고, 못마땅한 기분. 이를 악물고 심호흡을 했다.

계단 앞에 서 있던 여울이는 인사를 하고 돌아서는 남자의 등을 한참 동안 바라보았다. 나는 그 모습을 멍하니 응시했다. 코트 속에 집어넣은 손이 주먹을 쥐었다 폈다 하며 간신히 이성을 유지하고 있었다.

계단을 올라오던 여울이가 책가방 끈을 잡은 채로 머뭇하더니 돌아서는 게 보였다. 이미 모퉁이를 돌아 사라진 남자의 그림자라도 찾듯 그녀의 얼굴은 설렘 가득한 미소를 머금었다.

나는 여울이의 저 표정을 아주 잘 알고 있다. 그건 매주 수요일, 아지트에서 나를 기다리던 그녀의 모습이었으니까.

공허함.

허전함.

그런 게 아니었다.

이건 상실감이었다. 나는 여울이가 보고 싶었던 거다. 날 기다리는 여울이의 모습이 보고 싶었던 거였다.

나는 내심 그녀가 여전히 내가 돌아오기를 고대하며 그 자리에서 나를 기다리고 있을 거라 여겼다. '하은수, 너 진짜 이러기냐'며 쏘아붙이고서는 빨개진 눈으로 씨근덕댈 여울이를, 그런 그녀의 모습을 기대하면서 설레던 내 자신이 우스웠다.

우습고 바보 같았다.

털썩 쪼그리고 앉아 머리를 숙인 내게 경비 아저씨는 빨대를 푹 찌른 요구르트 병 하나를 건넸다. 내 등을 툭툭 친 아저씨는 잘 모르겠다는 표정으로 물었다.

"둘이 싸우기라도 한겨?"

나는 허탈하게 웃었다. 이건 여울이가 좋아하는 건데……. 매번 내가 대신 받아 갔더니 아저씨께서는 내가 좋아하는 걸로 기억하고 계신 모양이었다.

말하지 않으면 상대방은 죽을 때까지 모른다. 그 침묵은 나에게도 상대에게도 독이 된다. 그걸 알면서도 용기를 내지 못하는 나는 정말 머저리 등신 새끼였다.

다음 날, 아침 일찍 버스를 타고 기숙사에 돌아왔다. 엄마와 마주 앉아 케이크를 먹을 때까지만 해도 이번 방학에는 집에 오겠노라 약속했지만, 그 약속은 또 지키지 못했다.

다음 해 여름, 그리고 그다음 겨울, 그렇게 다시 1년 남짓한 시간이 흘렀다.

12월 첫째 주 금요일은 진성고 축제인 〈효천제〉가 있는 날이었다. 학교 이사 중 한 명이 효천 출신이라 효천제란 말이 있는데, 2년마다 열리는 우리 학교 축제는 광명 내 다른 고등학교 축제보다 확실히 폐쇄적인 성향을 띠었다. 타 학교 학생들은 교내 출입이 불가하기 때문에 말 그대로 진성인만의 페스티벌이었다.

축제 당일에도 수업은 이루어졌다. 평소와 다름없이 정규 수업과 자습까지 마친 뒤, 석식 시간 이후부터 본격적인 축제가 시작된다. 대부분의 공식적인 행사는 지하에 있는 강당에서 진행되는 방식이라 솔직히 김빠진 콜라 같은 느낌을 지울 수 없었다.

연극부인 우리 동아리는 셰익스피어의 로미오와 줄리엣을 준비했고, 나는 웃기게도 줄리엣 역을 맡았다. 그게 더 재미있을 거라나? 나와 달리 로미오 역을 맡은 곽다정은 축제날까지 흥분한 채 고조된 목소리로 대사 연습에 몰두했다.

까만 연미복은 수없이 입어 봤지만 중세풍 드레스를 입은 건 태어나서 처음이었다. 여자 옷을 입는 것 자체가 생소한 경험이었다. 치렁치렁한 금발의 가발까지 쓴 뒤 온갖 닭살스러운 대사를 읊는데 정말 죽을 맛이었다. 다행히 태생적으로 포커페이스를 유지하는 능력이 뛰어나서 태연한 척 연기하는 데에는 문제가 없었다.

다만 키스 신에 돌입하자 얼굴을 바짝 들이대는 곽다정 때문에 한순간 집중력이 흐트러질 뻔했다. 뭐 하는 거냐고 고개를 틀며 피하자 곽다정은 아쉬운 듯 눈을 흘겼다. 얘는 해를 거듭할수록 점점 뻔뻔해지는 경향이 있었다.

김여울이었다면 오히려 제가 화들짝 놀라서 나를 주먹으로 밀치고 발길질까지 했을 텐데. 그런 다음 이를 갈면서 또 내 이름으로 이상한 삼행시를 만들고 변태로 몰아갔겠지.

실없는 상상을 하니 웃음이 나왔다

지난여름부터 밤마다 꿈에 여울이가 나타난다. 처음에는 그런 꿈을 꾸는 자체가 당혹스러웠는데 이제는 어느 정도 단념한 상태였다. 그럴 일은 없겠지만 행여나 녀석이 이 사실을 안다면 그때는 정말 평생 내 얼굴을 안 볼지도 모른다. 그만큼 적나라한 꿈이었다.

연극이 끝나자마자 쏜살같이 환복한 뒤 생활관 건물로 도망치듯 피신했다. 연극 자체는 폭발적인 반응을 일으켰다. 특히 1학년들이 떼를 지어 우르르 쫓아오는 바람에 빠져나오는 데 진땀을 빼야 했다.

다행히 생활관은 텅 비어 있었다. 사물함 앞에 서자 자물쇠가 풀린 채 문이 살짝 열려 있는 게 보였다. 아까 연극 준비 때문에 급하게 나가느라고 열어 두고 간 모양이었다. 교복 단추를 풀면서 사물함 문을 벌컥 연 순간, 나는 깜짝 놀라 제자리에서 굳었다.

　"뭐, 뭐야……."

　직사각형 사물함 안에 웬 여자애가 몸을 웅크린 채 숨어 있었다. 나를 본 그녀의 눈이 토끼처럼 휘둥그레 커졌다.

　"김여울?"

　그녀는 창백한 낯빛으로 좁은 어깨를 오들오들 떨고 있었다. 나는 뒤돌아서 주위를 확인했다. 복도까지 휑뎅그렁하니 아무도 없었다. 생활관 문을 쾅 닫고도 혹시 몰라 양팔을 벌린 채 사물함을 가렸다.

　"너, 너 여긴 대체……."

　너무 당황해서 말도 헛나왔다.

　"여긴 대체 어떻게 들어왔어?"

　"담 넘어서 왔는데."

　"아니 내 말은……. 일단 이거부터 입어."

　단추를 푼 교복 재킷을 마저 벗어서 건넸다. 머뭇거리던 여울이는 소매가 한참 남는 팔을 양팔에 끼우고는 킁킁 냄새를 맡았다. 강아지처럼 킁킁대는 버릇은 여전했다.

"옷 되게 크다."

그녀는 가슴 주머니에 새겨진 내 이름을 매만지며 중얼 거렸다.

"옛날 생각난다."

"그러게."

점심시간마다 축구하러 나가면서 그녀에게 교복 조끼를 던져 줬던 때가 벌써 2년 전이란 게 새삼 실감났다.

그때 복도에서 웅성거리는 소리가 들려왔다. 누가 오는 모양이었다. 나는 여울이의 손을 잡고 침대 쪽으로 급히 이동했다. 빨리 올라가라는 내 말에 여울이는 엉거주춤한 자세로 사다리를 올랐다. 조급한 마음에 침대 위로 그녀의 몸을 집어 던지듯 밀어 올렸다. 데굴데굴 굴러서 침대 위 로 안착한 여울이는 얼른 이불 속으로 기어들었다. 그 옆 에 돌아누운 나는 등 뒤에서 그녀를 끌어안았다.

"야, 잠깐……."

"쉿."

이불로 우리 몸을 덮은 뒤 여울이의 허벅지 위에 다리를 올려 최대한 몸을 밀착시켰다. 문이 열리고 누군가 과자 봉지를 부스럭거리며 들어왔다.

"어? 하은수 애는 왜 사물함을 활짝 열어 놨냐?"

"그러게?"

형민이랑 경수였다. 삐걱거리는 사물함 문을 건드리던 둘은 뭔가를 발견했는지 감탄하며 소리쳤다.

"이게 뭐냐? 하은수 또 고백받았나 본데?"

"하트네, 하트 상자."

그러고 보니 아까 여울이가 후다닥 이층 침대 사다리로 뛰어갈 때 사물함 바닥에 떨어져 있던 뭔가를 본 것 같긴 했다.

"어? 은수, 침대 위에 있는 것 같은데?"

"진짜?"

"야, 자냐?"

"어디 아픈가?"

나는 마른기침을 하며 이불 속에서 괜히 뒤척였다. 두툼한 솜이불을 머리 꼭대기까지 덮은 여울이가 움찔하며 몸을 움츠렸다.

"시끄러워! 잠 좀 자게 나가라."

허스키하게 잠긴 내 목소리에 형민이가 혀를 끌끌 찼다.

"감기 걸렸나 보네."

"야, 괜찮냐?"

형민이가 침대를 향해 걸어오자 나는 상체만 일으킨 채 어깨 너머를 흘끗 응시했다.

"옮으니까 가까이 오지 마."

"옮긴 뭘 옮아, 나랑 키스라도 할 거냐?"

"저리 꺼져라."

"양호실에서 약 가져다줄까?"

"괜찮아. 그냥 좀 자면 나을 거 같아."

"야담한테 말해?"

야담이란 야간 담임을 말한다. 정식으로 수업을 가르치는 건 아니고 대개 생활관 관리만 하는데, 청소년 수련원의 교관들과 하는 일이 비슷했다.

"아니, 됐어."

"하긴, 나 저번에 감기 걸렸다고 말했다가 괜히 처맞았잖아. 야담 말로는 아픈 것도 죄래. 자기한테 그걸 말하는 것도 죄고."

빨리 꺼지라는데 뭔 말이 저렇게 많은지, 종알대며 사물함 앞으로 걸어간 형민이는 체육복으로 갈아입으면서 계속 투덜거렸다.

"고2는 아파서도 안 된대."

"고1은 돼?"

"몰라. 야담이랑은 그냥 아무 말도 하기 싫어. 존나 싫어……."

"맞아, 뭔 말을 해도 때려."

경수가 격하게 공감한다며 중얼거렸다. 우리 반에서 야담한테 제일 많이 맞는 두 녀석의 대화니 그럴 법도 했다.

"야, 우리 간다."

"불 꺼 줄게! 잘 자라, 줄리엣!"

손바닥에 쪽 키스를 하며 입맞춤을 날린 형민이가 "오, 로미오! 로미오!"거리며 복도로 사라졌다. 경수가 깔깔 폭소를 하며 뒤따랐다. 안 본다고 약속하더니 몰래 와서 본 모양이었다. 졸업할 때까지 저 두 녀석이 '줄리엣, 줄리엣!' 하면서 조롱할 걸 생각하니 두통이 밀려왔다.

불이 꺼지자, 여울이가 이불 속에서 겁먹은 듯 속삭였다.

"갔어?"

"그런 거 같아."

먼저 침대에서 내려온 나는 문을 닫고 사다리에서 뛰어내리는 여울이를 받았다. 가만 보니 그녀는 보라색 진성고 체육복을 입고 있었다.

"그건 어디서 났어?"

"친구의 친구한테 빌렸어."

"내 교복은?"

"아, 저기."

나는 그녀의 턱짓을 따라 건너편 이층 침대를 쳐다보았다. 두 번째 사다리 위에 걸린 교복 재킷이 빨랫줄에 걸린 마른 오징어처럼 너부러져 있었다. 보아하니 침대에 올라가면서 냅다 머리 위로 집어던진 모양이다.

"이불에 들어가는데 걸리적거려서……."

예나 지금이나 얘는 내 옷을 마구잡이로 취급하는 데 일가견이 있다. 여전했다. 그 여전함에 가슴 한구석이 찌르르했다.

오랜만에 마주 본 여울이의 얼굴은 동떨어진 감각을 안겨 줬다. 그녀의 얼굴선 하나하나를 따라가는 내 시선은 처음 소묘를 그리던 미술 수업 때처럼 긴장한 채 흔들렸다. 나를 올려다보는 그녀의 눈동자가 커졌다가 작아지기를 반복했다. 머리를 만지며 어색해하는 그녀의 모습에 나는 무슨 말을 해야 할지 몰라 입술을 깨물었다.

그때 여울이가 먼저 말을 꺼냈다.

"너 키 진짜 많이 컸다."

"넌 하나도 안 컸네."

내 말에 발끈한 그녀가 조금은 컸다며 인상을 썼다. 나는 미간을 접은 채 웃음을 참았다. 자전거 뒷좌석에서 장난치듯 찔러 보았던 녀석의 몸은 나보다 조금 더 작고 가늘었는데, 조금 전 품안에 쏙 들어오던 그녀의 몸은 당황스러우리만큼 낯설었다.

내가 기억하던 그 감촉이 아니었다. 2년간 금욕 생활을 해 온 열여덟 소년에게 있어서는 너무나 생소하고 자극적일 정도로. 옷 위로 만져지는 폭신한 살결에 순간 정신을 잃고 입술을 가져갈 뻔했다. 긴장하지 않으면 이성을 잃고 무슨 짓을 할지 모른다. 긴장하자, 하은수.

"여긴 왜 왔어, 바보야."

"할 말이 있어서."

"할 말?"

"도대체가 넌 왜 주말이고 방학이고 집에를 안 오냐?"

여울이의 시선이 침울해 보였다. 혹시 나 때문에 안 오는 거냐고, 그 질문을 차마 내뱉지 못했다는 걸 알 수 있었다.

"할 말이 뭔데?"

심장이 미친 듯이 뛰기 시작했다. 선뜻 말을 꺼내지 못하는 여울이의 모습에 왜 이렇게 설레는지 한여름 운동장을 뛸 때보다 뺨이 더 뜨거웠다.

"하은수, 저기······."

"응."

이번에 나는 뭐라고 대답을 해야 할까?

나는.

김여울 나는······.

나도 사실은 너를······.

"생일 축하해."

몸을 배배 꼬던 여울이가 멋쩍게 웃으며 머리를 긁적였다.

"저기 네 사물함에 선물 넣어 놨는데······. 봤어?"

"뭐?"

일순 맥이 빠져서 귀가 다 멍멍했다. 급격한 실망은 다리의 힘마저 풀리게 만드는 모양이다. '놀랐지, 놀랐지?' 그런 표정으로 쳐다보는 여울이가 장난스럽게 웃고 있었다. 사물함을 연 나는 빨간색 하트 모양의 상자를 열었다.

파란색 건담이었다.

이게 뭐냐고 표정으로 묻는 내게 그녀가 말했다.

"아무리 생각해도 네가 좋아하는 게 뭔지 모르겠더라."

"열여덟 살이 무슨 이런 걸……."

"그거 내 보물 1호야."

"그건 아는데."

어깨를 으쓱한 여울이가 팔짱을 꼈다.

"화해의 선물."

"화해의 뭐?"

"그만 화해해 준다고."

난 어처구니가 없어서 그녀를 쳐다보았다.

"너도 나랑 화해하고 싶은 거 아니었어?"

허무해서, 너무 허무해서 웃음이 흘러나왔다. 손에 쥔 파란색 건담이 생각보다 참 작았다. 커져 버린 내 손에는 이미 철 지난 장난감인데, 여울이는 뿌듯하게 웃고 있었다.

"내가 목숨 걸고 여기까지 와서 건네준 건데."

"진성고 역사상 전무후무한 사건이다."

스스로도 뿌듯한지 팔짱을 끼고 콧대를 세우는 그녀의 모습에도 전혀 기쁘지 않았다. 파란색 건담, 이건 억지의 상징이었다. 나는 이 건담에 관해서 거짓말한 기억밖에 없다. 내가 진짜로 좋아하는 거, 여울이는 그게 뭔지 모른다.

"왜 갑자기 나랑 화해를 다 해 줄 생각을 했어?"

"그냥."

나를 바라보는 여울이의 미소가 편안했다.

"이제 괜찮아져서."

"뭐가 괜찮아졌는데?"

"네 극약 처방이 잘 들었나 봐."

배 속이 울렁였다. 배배 꼬이다 못해 누가 쥐어짜는 것처럼…….

"2년간 안 보니까, 괜찮아지더라."

괜찮아졌다고?

"옛날의 나였어 봐, 아까처럼 너랑 침대에 그렇게 있었다가는……."

여울이가 손사래를 치며 웃었다. 옅은 주근깨가 박힌 뺨이 발그스름하게 젖으며 나를 응시했다.

"아마 심장이 터졌을걸?"

"이제는 안 그래?"

"응."

왜 괜찮은데? 왜 이제는 심장이 터지지 않는 건데? 왜 너는 나를 그렇게 편안하게 바라보는 건데?

"다행이네."

"그럼 우리 이제 화해한 거다."

여울이가 내민 손을 한참 내려다보았다. 나를 말갛게 바라보는 그녀의 시선에 입 안을 피가 나도록 깨물었다. 여울이가 나를 보고 웃었다. 콧잔등에 잘게 박힌 주근깨가 싱그러운 미소로 흩어졌다. 꿈속의 나는 매일 밤, 저 예쁜 얼굴에 입을 맞춘다.

우리는 손을 잡고 살금살금 어두운 복도를 지나 냅다 달렸다. 운동장 가장자리를 사박사박 밟았다. 앞서가는 내 손을 잡고 여울이가 조용히 뒤따른다. 여울이와 함께 교내를 걷는 건 오늘이 처음이자 마지막 밤이다. 발걸음 하나하나에 아쉬움이 깃들었다.

정문에서 한 50미터는 떨어진 나무 밑에서 걸음을 멈췄다. 여울이가 내 어깨를 밟고 담 위를 기어올랐다.

"김여울."

"왜?"

"너 성적이 어떻게 돼?"

"양갓집 규수다, 왜?"

"뭐?"

"양가양가여서 양갓집 규수라고."

"그 정도야?"

"국영수는 거의 만점이거든?"

"넌 성적도 진짜 극단적이다."

"그래도 모의고사는 전교 5등 안이야. 내신만 저럴 뿐이지. 그건 왜?"

틀틀거리던 여울이의 눈초리가 내 입가를 응시했다. 멈칫하는 그녀의 시선이 잠깐 옛날과 비슷한 분위기를 띠었다. 왜 그렇게 웃냐며 삐죽거리는 눈길이 내게서 한참을 머물렀다.

"대학은 다시 네 옆집으로 가려고."

"같은 대학 가자고? 그건 사양하고 싶은데……."

"남자 친구는 생겼어?"

여울이가 뜨끔한 표정으로 날 바라보았다.

"고등학교 가자마자 만들 거라고 했잖아. 나보다 더 멋있고 잘생긴 남자 친구."

"내가 언제 그랬어."

그때 본 그 선배라는 녀석과는 다행히 사귀는 사이가 아닌 모양이다. 뭐 이런 사소한 일로 행복이 피어오르나 싶지만 기분이 매우 좋았다.

"만화책에 나오는 그런 남자애는 없다니까?"

"찾을 거야."

"제목이 뭐였지?"

"뭐가?"

"15세 미만은 보지 마세요, 그거……."

"나 갈 거야."

걸터앉은 담 위에서 건너편으로 뛰어내리려던 여울이가 뭔가 생각났는지 "아참!" 하며 이쪽을 돌아보았다.

"아까 너 연극하는 거 봤어."

신음이 새어 나왔다. 여장한 모습, 여울이에게만큼은 보여 주고 싶지 않았는데.

"잘하더라. 넌 아무래도 무대 체질인가 봐."

"무대 체질?"

여울이는 기억을 더듬는 듯 허공을 응시하더니 콧잔등을 찌푸렸다.

"근데 왜 하필 곽다정이 로미오야?"

"몰라, 내가 정한 게 아니라서."

"아까 걔랑 정말 뽀뽀했어?"

"미쳤냐?"

"진짜 안 했지?"

"응, 안 했어."

"걔는 왜 아직도 네 주변에서 그렇게 얼쩡거리는 거야?"

여울이는 여전히 반장을 싫어하는 모양이었다. 여울이는 반장만 싫어할지도 모르지만, 나는 그녀 주변을 얼쩡거리는 모든 남자가 싫다. 마음 같아서는 싸그리 없애 버리고 싶다.

"앞으로는 걔랑 연극 같은 거 하지 마. 키스 신 같은 거 하지 말라고!"

성질을 버럭 내는 여울이의 목소리가 황홀하게 들렸다. 계속 저렇게 화를 내 줬으면 좋겠는데. 여울이가 하지 말라는 건 전부 안 할 자신이 있었다. 네가 하지 말라고만 한다면, 원한다고만 한다면.

"그럼 너도 하지 마."

"뭘?"

"키스 같은 거."

"내가 언제 너한테 곽다정 말고 다른 애랑도 하지 말랬어? 그냥 걔랑 하지 말라는 거지."

그녀의 관심사는 내가 아닌 곽다정이었다. 질투는 내가 하고 있었다. 여울이의 관심을 모조리 훔쳐 간 곽다정이 거슬렸다.

"어쨌든 아까 연기하는 거 보고 놀랐어, 좀 멋있더라."

나는 이리 가까이 와 보라고 손짓을 하는 여울이 쪽으로 까치발을 들었다. 내 어깨를 짚은 여울이가 아래로 몸을 기울였다. 귓가에 그녀의 입술이 닿았다.

"이번 방학에는 집에 돌아와."

"뭐?"

"보고 싶으니까 집에 좀 오라고!"

흠칫한 나는 귓바퀴를 움켜쥔 채 뒷걸음질을 쳤다. 풀썩, 하는 소리와 함께 건너편으로 뛰어내린 여울이가 탁탁 달려가는 소리가 들렸다. 당황한 기색으로 담 너머를 바라보는 내 얼굴은 귀까지 시뻘겋게 물들어 있었다.

그날 밤, 결국 나는 동틀 무렵까지 잠을 설쳤다. 열여덟에 처음으로 욕정이 괴롭다는 걸 경험했다. 이불 속에서 닿았던 여울이의 몸을 떠올리자 미칠 것만 같았다. 밤새 이를 악물고 참아도 인내심을 짓이기는 하반신의 열기가 끓어올랐다. 도망치듯 녀석을 피해 기숙사에 들어와 금욕 생활을 했건만, 이 상사병은 나아지기는커녕 더 지독해져 버렸다.

어떡하지?

나는 베개를 끌어안은 채 옆으로 풀썩 돌아누웠다. 옆자리에 누운 형민이가 잠결에 흔들림을 느꼈는지 허공에 발차기를 해 대며 잠꼬대로 고함을 질렀다.

창밖으로 보이는 지평선에 해가 떠오르고 있었다. 눈부심에 손등으로 충혈된 눈을 가렸다. 그리고 밤새 손에 쥐고 있었던 핸드폰 슬라이드를 열었다.

22시 7분, 김쇼팽.

여울이로부터 온 메시지였다. 무슨 내용인지 궁금했지만 아직까지 확인을 못했다.

[아줌마가 너 많이 보고 싶어 하셔.]

"뭐야……."

쓴웃음이 새어 나왔다.

엄마는 지난 2년간 내게 한 번도 여울이 얘기를 먼저 꺼 낸 적이 없다. 지레짐작으로 우리 사이의 어색한 분위기를 눈치채고 그러시나 보다 여겼다.

반면에 여울이는 지난 2년간 내가 어떻게 지냈는지 술술 읊을 정도로 꿰고 있었다. 작년에 진성고 홍보 모델이 된 것과, 이번 축제 때 로미오와 줄리엣을 연기한다는 것까지 도. 그녀가 그 이야기들을 누구에게 들었는지는 굳이 묻지 않아도 알 수 있었다.

내가 없는 동안 여울이는 우리 집의 빈자리를 군말 없이 채웠다. 살갑게 구는 여울이에게 엄마는 시간 가는 줄 모 르고 내 이야기를 해 댔을 게 뻔했다. 여울이는 그저 이웃 간의 정이라고 둘러댈지도 모르겠지만 그마저도 굶주려 있 던 내 눈동자는 너절하게 무너져 내렸다.

- 태어날 때부터 좋은 건 있어?

- 없나 봐.

나는 편식이 심해서 좋고 싫은 게 확고하다. 때문에 한 번 정립된 취향은 쉽게 바뀌지 않는 성향이 있었다. 또 집 요한 구석도 있어서 애착을 가진 존재는 집착에 가깝도록 쥐고 놓지 않는다.

태어날 때부터는 아니었어도, 죽는 날까지 좋아하는 건 가능하다.

앞으로 설령 여울이가 다른 사람을 좋아한다 해도, 행여 나를 두고 멀리 훌쩍 떠나 버린다고 해도, 내 마음은 이제 딱히 변할 일이 없을 거란 예감이 들었다.

녀석과 처음 맞춰 본 젓가락 행진곡은 그야말로 최악이 었다. 그럼에도 그날은 정말 건반을 치는 내내 킬킬거리며 실컷 웃었다. 생경한 감각이었다. 운동장에서 한 시간 넘 게 축구를 했을 때보다 더 가슴이 뛰었다. 피아노는 혼자 연주하는 게 가능하지만 여울이와 함께 칠 때에만 비로소 건반 위의 나를 느꼈다. 오늘 하루, 여울이의 눈동자를 바 라보고 있었던 30분 남짓만이 내게 있어 진정한 축제였던 것처럼.

단둘만의 비밀스러운 시간.

김여울, 나는 네가 정말 좋다. 네가 다시 나와 피아노를 쳐 줬으면 좋겠다.

　그렇게 내 삶에 다시 축제가 열렸으면 좋겠다.

17. 서무날 바람

17. 서무날 바람

"뭐 하냐?"

재현이 형이었다. 해독 주스를 쪽쪽 빨아 먹으며 들어온 형은 메이크업실 문을 닫더니 티셔츠를 잡고 손부채질을 했다. 천장에서 흘러나오는 에어컨 바람이 금세 그의 이마에 맺힌 땀을 거둬 갔다.

테이블에 고개를 처박고 있던 나는 게슴츠레한 눈으로 고개를 들었다. 홀로 조용히 생각 좀 하려고 했더니 들어오는 타이밍 한번 조화롭다. 형은 흉터가 많은 무릎을 손톱으로 벅벅 긁으며 맞은편 가죽 소파에 털썩 앉았다.

"뭐야, 진희 씨랑 나 빼고 점심 먹었어?"

"여울이 왔었어, 도시락 들고."

"혼자 다 먹었냐?"

그는 테이블 위에 남은 나무젓가락과 1회용 알루미늄 포장지를 보며 코를 킁킁거렸다. 제삿밥 먹으러 온 귀신도 아니고, 잔류한 음식 냄새만 맡고 메뉴가 뭐였는지 척척 맞추며 입맛을 다셨다.

"여울이 왔으면 얘기를 하지, 나도 오랜만에 좀 보게……."

스케줄 흘린 게 누군데 천연덕스럽게 모른 척한다. 생긴 건 우락부락해도 속은 참 깊은 사람이다. 여울이를 제외한다면 아마 내가 유일하게 믿을 수 있는 사람일 정도로.

"배고프면 가다가 뭐 먹고 가든지."

"됐어, 사실 오기 전에 뭐 먹었어."

풍겨 오는 고춧가루 냄새로 이미 알고 있었다. 나는 테이블 위에 놓인 핸드폰을 응시했다. 여울이는 잘 가고 있으려나? 전화해 볼까?

"여울이 만나서 신나 있을 줄 알았더니 왜 이래? 싸웠어?"

"아니."

재현이형은 핸드폰을 꺼내더니 휙휙 스케줄을 점검했다. 그러더니 말을 툭툭 던졌다.

"야, 남녀 사이는 긴장감 없으면 땡이야. 네가 아무리 들이대도 여울이가 코 후벼 파면서 '뭐 하냐?' 이럼 가망 없는 거라고."

"아직 들이대지도 못했어."

"그럼 빨리 들이대고 빨랑 차여. 잽싸게 마음 정리하는 것도 잊지 말고. 너 하반기 스케줄 장난 아닌데 처져 있을 시간 없다."

개소리는 조용히 무시하는 게 상책이었다.

– 남녀 사이는 긴장감 없으면 땡이야.

우리 사이에 긴장감이란 게 있을까? 서로의 현관에 들락거린 횟수만 세어 봐도 수십 수백 번. 최소한의 선은 있지만 최대한의 선은 없다. 기준치가 없기 때문이다.

작년인가 재작년이었다. 저녁에 갑자기 들이닥친 여울이는 자기네 집이 단수라며 욕실 좀 빌리겠다고 성큼성큼 들어왔다. 소파에 앉아 책을 보던 나는 수건으로 머리를 털며 나오는 그녀의 모습에 팽창하는 동공 위로 눈꺼풀을 가만히 깜빡였다.

– 왜 그렇게 쳐다봐?

고개를 갸웃거리던 여울이가 익숙한 샴푸 냄새를 풍기며 물었다. 태연한 표정으로 앉아 있으려 했는데 안면근육에 쥐가 난 듯 얼어붙었다. 가까이 다가오는 그녀를 당황한 채 바라보는 시선과 달리 내 손은 여울이의 팔을 덥석 잡고 끌어당겼다. 소파에 털썩 끌려 앉은 여울이가 나를 보며 눈을 동그랗게 떴다.

나는 연기자다.

순간을 모면할 때마다 그 사실에 얼마나 감사하는지 모른다.

– 물……. 떨어지잖아, 바보야.

젖은 수건을 낚아채서 그녀의 머리를 털었다. 여울이는 기분 좋은 듯 내 어깨에 등을 기대며 눈을 감았다. 편해서 한 행동이겠지만 나는 심장 한쪽이 저릿했다.

긴장조차 하지 않는 그녀.

차라리 내가 열여섯 소년이었다면, 그랬다면 그 순간 어설픈 입맞춤이라도 시도했을까?

"형."

"왜? 고백하려고? 여울이한테 전화 연결해 줘?"

"진짜 죽고 싶냐?"

낄낄대던 재현이 형은 뽕망치 소리를 내는 핸드폰 액정을 열심히 터치했다. 맨날 하트 보내 달라고 조르는 그 게

임이다.

"여울이 소개팅 한대."

"아 진짜? 그래서 넌 그렇게 계속 가만히 있을 거고?"

나는 턱을 괸 채 말없이 테이블 위의 잔을 응시했다. 형은 곁눈질로 이쪽을 보더니 쯧 혀를 찼다.

"너 고백은 타이밍이라고 생각하지?"

"……."

"십 년 넘게 그 타이밍만 기다리고 있잖아."

타이밍이라……. 처음부터 그랬던 건 아니지만 어쩌다 보니 그렇게 됐다.

"근데 내 생각에 너는 그 타이밍이란 걸 이미 예전에 놓친 것 같다."

"무슨 소리야?"

"버스 놓쳤으니까 택시를 타든지 비행기를 타든지 빨리 방법을 바꾸라고, 병신아!"

형은 답답해 죽겠다는 듯 눈을 흘겼다. 나는 복잡한 시선으로 중얼거렸다.

"퍽이나 쉽다."

"왜? 혹시 네 직업 때문에 그러냐?"

이런 말을 하면 대부분의 사람들은 복에 겨웠다고 웃겠지만, 처음 CF를 찍을 때만 해도 나는 내가 이렇게까지 유명해질 줄은 몰랐다.

"여울이 걔가 그런 걸 신경 쓰는 애였으면 여기까지 도 시락 들고 들락날락했겠냐? 네 옆에서 알게 모르게 산전수 전 다 겪은 애야. 난 걱정 안 해도 된다고 본다. 정신력 하 나는 너보다 강할걸?"

그건 알고 있다. 그래서 더 걱정이었다. 본인은 괜찮다 고 의연한 척하는 게 특기인 녀석이니까. 그러다가 꼭 한 계에 도달해 펄펄 끓는 고열에 앓아눕는 녀석이었다.

"오히려 여울이가 맨날 네 걱정하더라. 자기 때문에 괜 히 이상한 소문이나 기사 나면 어떡하냐고. 예전에 네 팬 들한테 소문 한번 돌았대. 그때 여울이가 한동안 연락이랑 걸음이 뜸했잖아. 다 널 생각해서 그런 거더라고."

"알아."

그 녀석이 또 나 때문에 우는 일이 생긴다면, 그때는 진 짜 자괴감에 아무것도 할 수 없게 될 것 같았다. 그래서 더 움츠렸다. 내 자그마한 언행 하나가 또 무슨 나비 효과를 일으킬지 알 수 없어서.

"이모는 뭐라셔? 이모가 여울이 되게 좋아하잖아."

"형이랑 비슷해."

"나랑?"

"나 병신 취급하는 거."

형은 알 만하다는 표정을 짓더니 얄궂게 웃었다. 내 주위 사람들은 다 아는 이야기, 하지만 그녀만 모르는 이야기. 언제부터인가 뒤돌아보지 않는 여울이는 그녀의 뒤에서 내가 무슨 표정으로 그녀를 바라보고 있는지 알지 못한다. 어쩌면 알기 싫은 걸지도 모른다.

– 아들, 얼른 행동 개시해. 그러다 엄한 놈한테 뺏긴다.

그러다가 여울이가 다시는 보지 말자고 하면? 지금 이 관계도 유지할 수 없게 되면?

– 여울이 아직도 좋아하잖아. 그러니까 여울이가 이사 갈 때마다 근처로 쫄래쫄래 쫓아다니지.
– …….
– 불안하지?

불안하다. 불안해서 죽을 것만 같다. 그동안 그녀는 몇 명의 남자 친구를 만났고, 그때마다 내 속은 문드러져 갔다.
형은 게임하다 죽었는지 신경질을 내며 소파 위에 핸드폰을 휙 던졌다. 그래 놓고 핸드폰이 소파 위에서 튕기며 구르자 행여 바닥에 떨어지기라도 할까 봐 슬라이딩을 하며 팔을 뻗었다.

"뭐 하냐?"

한심한 눈으로 쳐다보자 형은 검지로 코밑을 문질렀다. 그리고 괜히 다시 핸드폰 액정을 휙휙 넘기며 잔소리를 시작했다.

"야, 남녀 사이에 친구가 어디 있냐? 요즘은 할머니 할아버지들도 그렇게 불륜이 많다고 하더라. 사내새끼들은 죽을 때까지 이성이 본능을 못 이겨. 여자들은 어떨지 몰라도 우리는 우리끼리 절대 못 믿잖아. 내가 나를 아는데 친구라고 다를 리가 없지. 그거 달린 놈들은 다 똑같아."

맞는 말이다. 남자는 관심 있는 이성한테 죽을 때까지 냉정해질 수 없다. 나는 여울이한테 완전한 친구일 수가 없다. 우리 사이의 벽은 언제든 무너질 수 있는 도미노다.

"연예인들끼리도 수없이 공개 연애했다가 깨지는 세상에 뭐가 걱정이야? 오히려 팬들도 응원할 걸?"

핸드폰 중독인 형은 다시 화면을 보더니 "어? 기사 났네?"라고 중얼거리며 내 앞에 들이밀었다.

〈김은영 작가의 신작 드라마 '열여섯의 너에게'〉
— 남자 주인공 하은수로 최종 결정.

"드라마하겠다고 한 거, 너도 슬슬 액션 취하려고 그런 거 아니야?"

"……."

"이거, 여울이랑 네 얘기잖아."

내 고백은 나뭇잎에 스치는 바람에 실어 보내듯 조용히 감출 수 없다. 하지만 어떠한 결론에 이르게 되더라도 절대 그녀가 상처받는 일은 있어선 안 된다.

내 마지막 도미노가 무너졌을 때 여울이가 나를 안고 환하게 웃고 있는 것.

내가 바라는 그림은 오직 그뿐이었다.

식탁 위에 올려놓은 민트색 케이크 상자를 물끄러미 바라보기를 삼십 분째, 결국 못 참고 핸드폰 액정을 터치했다. 아무리 생각해도 지금 김여울은 나란 존재를 완벽하게 잊고 있는 게 분명하다.

퇴근 후 박소영이랑 맥주를 마시고 있거나 집에서 만화책 혹은 넷플릭스를 감상하는 중이겠지.

단축 번호 1번을 길게 눌렀다.

컬러링 없는 신호음이 가고 몇 초 뒤 누군가 전화를 받았다.

"여보세요?"

모르는 남자의 목소리였다. 순간 잘못 걸었나 싶어서 귀에 댄 핸드폰을 떼서 액정을 확인했다. 화면 위에 '김쇼팽'이라는 이름이 확실히 떠 있는 게 보였다. 남자가 다시 혀꼬인 발음으로 실실거리며 "여보세요?" 하고 물었다.

"김여울 씨 핸드폰 아닌가요?"

– 네? 맞는데요? 이거 김 대리님 핸드폰이에요.

"여울이 좀 바꿔 주셨으면 하는데요."

– 대리님 지금 여기 없는데. 같이 낙서를 해야 하는데 없어요, 펜이 어디 갔지……. 제가 지금 펜으로 대리님 이름을 써서 불러 볼게요? 아셨죠? 잠시만요?

이 덜떨어진 놈은 뭐야, 여울이가 입만 열면 욕하는 영업팀 듀엣 중 하나 같은데……. 그 개진상이라는 전 주임인가?

그때 누가 핸드폰을 낚아채더니 차분한 목소리로 "여보세요." 하고 느릿하게 말했다.

성대가 조금 더 굵다. 방금 전 남자는 그냥 해맑은 등신이라고 친다면, 이쪽은 뒷골목 바퀴벌레처럼 음습한 기운을 풍긴다.

– 김 대리 지금 없는데.

말도 짧다.

"전화받는 분은 누구시죠?"

– 그쪽이야말로 누구신지? 김 대리한테 오빠는 없었던 것 같은데.

아……. 어디서 들개 한 마리가 우리 여울이 주변을 맴돌고 있나 보다. 왈왈거리는 솜씨가 예사롭지 않네.

– 김 대리가 오늘 좀 취하긴 했는데…….

"그럼 데리러 가죠."

– 회식 자리에 막 데리러 오고 그러는 거 아닙니다. 제가 어련히 잘 챙길까 봐요.

회식 자리에 데리러 가면 안 된다는 건 네 사정이고, 나는 데리러 가야겠는데.

"거기 주소가 어디죠?"

– 아니, 오실 필요 없다니까요. 지금 회식 중이라고요. 그리고 만에 하나 김 대리가 너무 취했다 해도 걱정하실 게 없는 게 제가 바로 이 근처 삽니다. 이웃집 건담? 그쪽이 누군지 알고 제가 장소를 알려 줍니까?

그 말을 마지막으로 전화가 뚝 끊겼다.

황당해서 화면을 약 3초간 쳐다보았다. 머릿속에는 방금 전 대화들이 필름처럼 빠르게 지나갔다. 처음에 인사불성이 되어서 혀 꼬인 발음을 하던 놈이 질질 새듯 말해 주던 정보를 되감았다.

2층 치킨집, 펜과 낙서, 배경 음악으로 들려오던 90년대 가요.

여울이가 회식한다고 하면 세 번에 한 번은 간다던 그 치킨집이다. 차 키를 들고 바로 현관문이 부서져라 닫았다.

─ 글쎄 술만 마시면 나한테 사귀자고 하는 미친놈이 있는데, 박 대리라고 진짜 짜증나 죽겠어. 다음 날 되면 지가 언제 그랬냐는 표정으로 시치미를 떼는데, 내가 너무 열 받아서 녹음까지 해 놨다니까. 내가 언젠가는 사달을 낼 거야. 사표 내면서 박 대리가 한 성추행들 다 까발리고 말 거라고.

술김에 내뱉은 말인지 아니면 일부러 들으란 듯한 말인지는 모르겠지만…….

─ 만에 하나 김 대리가 너무 취했다 해도 걱정하실 게 없는 게 제가 바로 이 근처 삽니다.

엘리베이터에 탄 내 입가에 쓴웃음이 걸렸다.

박 대리 이 자식…… 정신 나갔네?

나의 모든 생활 반경에는 여울이의 그림자가 미치지 않는 곳이 없다. 엄마와 재현이 형, 회사 사람들과 개인 코디, 그리고 메이크업 아티스트인 진희 씨까지. 하지만 내가 여울이의 공적인 생활 반경에 침입하는 것은 처음이었다.

"혹시 아까 김 대리한테 전화하신 분?"

"네, 처음 뵙겠습니다. 하은수라고 합니다."

제자리에 얼어붙은 여울이는 조그마한 턱을 꽉 깨문 채 안절부절못하고 있었다. 모르는 척 그녀의 옆자리를 꿰찼다. 비스듬히 던진 눈길의 맞은편, 아까 통화로 들은 목소리의 주인공인 남자가 보였다. 박 대리다. 그는 이쪽을 못마땅한 시선으로 바라보며 닭다리를 마저 질겅질겅 씹고 있었다.

"다 같이 짠 할까요?"

곽다정 옆에 곽다정의 복제판처럼 생긴 여자가 맥주잔을 들며 말했다. 나도 술잔을 들었다. 그러자 여울이가 자기 걸 순식간에 꼴딱 비우더니 내 잔까지 낚아채서 쭉 들이키기 시작했다.

"은수는 술 마시면 안 되니까 제가 대신 마실게요."

"왜요? 술 못하세요?"

"얘는 운전해야 해서요. 대리 부르는 건 좀 그렇고 하니까……."

여울이도 꽤 취한 듯했다. 겉보기에는 아무렇지 않아 보여도 목소리가 잠긴 걸 보니 평소 주량을 이미 지나쳤다.

"두 분 진짜 친하신가 봐요. 서로 말도 되게 편하게 하시고……."

여울이가 남긴 샐러드를 포크로 한 입 먹는 나를 쳐다보던 여자가 어색하게 웃으며 말했다. 여울이가 당황한 듯 손사래를 치며 설명했다.

"워낙 어려서부터 옆집이고 친해서……. 부모님들끼리도 잘 아시고 그래요."

"가족보다도 가까운 사이라잖아요."

웃음을 터뜨리며 맞장구를 치는 사람은 여울이와 같은 팀이라고 했던 이지은이라는 사람이었다. 그녀를 보며 편안하게 웃는 여울이를 보니 마음이 잘 맞는 사이인 듯했다.

"한잔 따라 드릴까요?"

내 말에 이지은 씨의 눈이 휘둥그레 커졌다. 그녀는 "진짜요?" 하고 양손으로 잔을 들더니 감동에 찬 얼굴로 말했다.

"제가 은수 오빠 진짜 팬이거든요. 김 대리님도 알아요, 은수 오빠 영화 나오면 영화관에서 세 번 보는 건 기본이고요. 드라마는 다섯 번 이상 봤고요, 팬미팅도 반차 쓰고 갔었고요. 그쵸, 대리님? 맞죠? 저 진짜 팬인 거 대리님도 아시죠?"

"응? 맞아. 지은 씨가 네 팬이야. 엄청 좋아하더라고."

테이블 밑에서 여울이가 팔꿈치로 옆구리를 툭 쳤다. 나는 얼른 입술을 늘려서 웃었다.

"감사합니다."

여울이가 잘했다는 눈빛을 보냈다. 입가가 간지러웠다. 이런 식의 칭찬이 어깨를 으쓱하게 하는 것도 처음 알았고.

내게는 낯선 여울이의 모습. 회사 사람들과 있을 때 그녀는 좀 더 반듯하고 빈틈없는 느낌이었다. 나랑 있을 때는 늘어지게 낮잠을 자다가 일어나서는 심술궂은 표정으로 쌜쭉거리고는 하는데.

박 대리가 끊임없이 추파를 던지고, 전 주임이 쉴 틈 없이 헛소리를 퍼부었지만 그녀는 아랑곳하지 않고 일관되게 무시하는 태도를 보였다.

"김 대리, 한 잔 더 할래?"

"아니요, 전 됐습니다."

"그러지 말고……."

"박 대리님, 술을 마실 때마다 꼭 앞사람하고 잔 부딪혀야 된다는 집단주의적 사고방식을 갖고 계신 건 아니죠? 술은 여자가 따라야 해, 첫 잔은 원샷이지 등의 시대착오적인 발상과 흡사한……."

"아, 됐어! 술 맛 떨어지게……."

맞은편에 앉아 홍조를 띤 채 불편한 미소를 짓는 곽다정이 보였다. 그런 곽다정에게 박 대리가 '그렇죠?'란 식으로 한숨 어린 눈빛을 보냈다. 그런 두 사람을 곁눈질로 확인한 여울이는 조소를 머금더니 시선을 거뒀다.

잘한다, 김여울.

회식 자리에서는 엘사로 변신한다고 하더니 사실이었다. 확실하게 선을 긋는 그녀의 옆모습이 너무 예뻤다. 평소 스트레스 받는다고 툴툴대기에 걱정했더니 생각보다 훨씬 야무지게 철벽을 치고 있었다. 그녀의 이런 모습이 남자의 승부욕을 더 자극한다는 걸 알고 있을까? 박 대리가 그녀에게 치근대는 건 아마 그런 정복 심리에 기반한 것일지도 모른다.

나는 턱을 괸 채 깔깔거리는 곽다정과 여자들 쪽을 바라보았다. 눈이 마주친 곽다정이 뺨을 수줍게 붉혔다.

세월이 흘러도 한결같은 사람들이 있다. '너는 참 여전하구나' 그 말이 칭찬인 줄 알고 으쓱해하는 사람들, 과거의 상장을 벽에 걸어 두고 사는 사람들, 지나간 잣대와 기준을 버리지 못한 사람들, 몸만 자라고 생각은 자라지 않은 사람들.

곽다정은 여전했다.

중학교 때로 모자라 고등학교까지 같은 곳으로 와서 3년 내내 주위를 맴돌며 귀찮게 했던 여자애. 그녀는 김민경보다 훨씬 더 영악한 아이였다. 애매하게 선 안팎을 오가며 내가 뿌리치기 전에 미리 한발 물러서는 노련함을 보일 정도로.

"은수 씨는 학교 다닐 때도 유명했다면서요? 잘생기고, 성격도 좋고, 공부도 잘하고 그래서 선생님들까지 다 팬이었다고."

곽다정과 같은 회사에 다닌다는 여자 동료가 기대 어린 눈빛으로 물었다. 옆에서 미소를 감춘 채 샐러드를 먹는 척하는 곽다정을 보니 출처는 묻지 않아도 될 듯했다.

"그랬나? 내가 그랬어?"

내 질문에 여울이는 그걸 왜 나한테 물어보냐는 표정을 지었다.

그냥……. 네가 나를 더 잘 안다는 듯 말해 줬으면 싶어서.

그녀의 오른쪽 눈썹이 불편하다는 듯 비뚜름하게 올라갔다. 다들 호기심 어린 눈빛으로 쳐다보자 여울이는 웅얼거리듯 시선을 외면하며 말했다.

"인기가 많았던 건 맞는데, 성격이 딱히 좋았던 건……."

"내가 너한테 얼마나 잘해 줬는데."

"뭘 잘해 줘? 내 다리가 굵어진 건 다 너 때문이야. 지는 맨날 자전거 뒤에 타서 잠만 자고."

"그건……."

말문이 막혔다.

기댔을 때 뺨에 닿는 네 등이 기분 좋았어. 그 온기와 냄새가 이상하게 나를 안심시켰어. 나를 외롭지 않게 만들었어. 두근거려서 한 번도 제대로 잘 수 없었어, 정말 두근거려서.

그렇게 말할 수는 없다.

"그때는 네 몸무게가 나보다 많이 나가서……."

"야!"

당황한 여울이가 손으로 내 입을 틀어막았다. 피식 웃음이 새어 나왔다. 손바닥을 뗀 여울이는 이쪽을 흘겨보며 속삭였다.

"죽을래, 진짜?"

여울이의 손바닥이 닿았던 입술이 간질거렸다. 직장 동료들에게는 철통같은 수비를 펼치던 그녀가 내 앞에서는 붉으락푸르락하며 감정을 나타내는 모습이 왠지 우리는 특별한 사이라고 암시하는 듯해서 좋았다.

이런 어린애 같은 소유욕, 그녀는 어떻게 생각할까? 징그럽다고 여길까? 정상이 아닌 변태 취급을 하려나? 결국 항상 같은 결론에 도달한다. 우물처럼 깊은 나의 갈망 따위, 여울이는 모르는 편이 낫다고.

여울이가 사람들을 향해 머쓱한 듯 웃어 보였다. 다들 동그란 눈으로 듣고 있다가 놀랍다는 표정으로 질문 세례를 퍼부었다.

"둘이 같이 자전거 타고 다녔어요?"

"완전 부럽다……. 그런데 오늘 여긴 어쩐 일로 오신 거예요?"

"원래 오늘 저녁에 여울이와 만나기로 했었거든요. 그런데 연락이 없길래 전화를 해 보니 많이 취했다고 해서 데리러 왔어요."

내 대답에 여자들은 고개를 끄덕이며 "그러시구나." 하고 수긍했다. 다정하다느니 부럽다느니 하는 속삭임도 새어 나왔다. 개중 한명이 눈을 가느다랗게 휘더니 떠보듯 물었다.

"혹시 두 분 사귀는 거 아니에요?"

나는 흘끗 곁눈질로 여울이를 쳐다보았다. 찬물을 들이키던 그녀가 놀란 듯 잔을 내려놓더니 손사래까지 치면서 펄쩍 뛰었다.

"그럴 리가요. 얘랑은 완전 친구예요!"

친구면 친구지 완전 친구는 뭔데? 지금 그냥 친구로도 부족해서 티타늄 코팅으로 박제해 놓냐, 김여울? 얘는 이렇게까지 나와의 관계를 절대 불변의 우정으로 못 박고 싶은 걸까?

"제가 자취하다 보니까 은수가 절 많이 챙겨요."

여울이의 다리가 테이블 밑에서 빨리 맞장구치라며 허벅지를 건드렸다. 나는 영혼 없이 웃으며 대답했다.

"걱정돼서 왔어요. 전화하니까 모르는 남자분이 받길래."

그 말에 구석에서 조용히 치킨만 뜯고 있던 박 대리가 이쪽을 쳐다보았다. 다들 흥미진진한 얼굴로 듣는 가운데 잠시 정적이 흘렀다.

그때 여울이가 어지러운 듯 화장실에 간다며 일어섰다.

"괜찮아? 같이 갈까?"

내 말에 그녀는 고개를 가만히 저었다. 자꾸 저한테 쏟아지는 관심이 불편해서 자리를 피하는 모양이었다. 금방 갔다 온다고 속삭인 그녀의 손에 핸드폰을 쥐어 줬다.

"무슨 일 있으면 바로 전화해."

"바로 저긴데, 뭘."

"여울아, 같이 가자."

곽다정이 함께 일어서며 나를 향해 빙긋 웃었다. 무관심이 제일이라고 생각했지만 나와 가까워지기 위해 여울이를 이용하는 거라면 얘기는 달라진다. 그녀가 혹시나 여울이를 할퀴기 전에 확실하게 정리를 해 둬야겠다는 생각이 들었다.

테이블을 빠져나간 여울이가 모퉁이에 위치한 화장실 안

쪽으로 사라지자마자 박 대리의 손에 있던 치킨이 앞접시 위로 툭 떨어지는 소리가 들렸다. 내 얼굴을 쳐다보는 그의 눈초리에 아까부터 묻어 있던 못마땅한 기색이 더 짙어졌다.

"김 대리도 성인인데 남자랑 있을 수도 있는 거 아닌가?"

보아하니 아주 뒤끝이 작렬하는 놈인 듯했다. 방금 전 끝난 대화를 굳이 이렇게 다시 이어 가는 거 보면……. 냉정해 보이지만 절대 냉정한 스타일은 아니다. 오히려 내면에 폭력적인 성향을 깊게 감추고 있는 스타일에 가까웠다. 여울이한테 이야기를 들었을 때는 단순히 술기운에 여자한테 치근덕대는 놈이라고만 생각했는데, 여기 와서 보니 존재 자체가 주변에 있어 하등 이로울 게 없는 녀석이었다.

박 대리는 손에 술잔을 쥔 채 시비조로 중얼거렸다.

"지가 김 대리 아빠도 아니고 뭘 그렇게 유난을 떠는 건지……."

"왜요? 저는 은수 씨 온 거 잘한 일 같은데."

맞은편에 앉아 있던 여자가 팔짱을 낀 채 미간을 찌푸리며 말했다. 박 대리가 당황한 듯 "네?" 하고 되묻자 그녀가 말을 이었다.

"당연히 걱정되죠. 술 취한 남자가 전화를 받았는데."

"맞아요, 당연히 와야죠. 김 대리님 혼자 사신다잖아요.

여기 왜 오셨나 했더니 걱정돼서 오신 거구나."

반대편에 앉아 있던 여자도 맞장구를 치며 끄덕였다. 나는 여울이의 빈자리를 응시했다.

"제 말이 맞죠, 은수 씨?"

"걱정도 걱정이지만."

나는 술잔의 가장자리를 검지로 매만지며 읊조렸다.

"불안해서요."

"불안이요?"

"여울이가 남자랑 있다니까 불안해서……."

그것도 저런 쓰레기랑.

전화 너머로 박 대리의 목소리가 들려오던 순간, 내 이성은 만 7세 어린이만도 못한 수준으로 추락했다. 그 상태로 운전대를 잡은 채 정확히 17분 만에 강남역에 도착했다. 내가 잡고 있던 한 줄기의 이성은 오로지 도로 교통법을 준수해야 한다는 것뿐이었다. 나머지는 박 대리를 어떻게 반 죽여 놓을지에 대해서만 가득 차 있었다.

그렇게 미친놈처럼 달려갔던 내가 정신을 차린 건 얼어붙은 채 서 있던 여울이의 모습을 보고 나서였다. 누군가 정수리에 찬물을 끼얹은 듯 정신이 확 들었다.

"그러니까, 김 대리님이 다른 남자랑 있는 게 불안하고 신경 쓰여서 오셨다는……."

"네."

"저 혹시……. 김 대리님 좋아하세요?"

나는 한쪽 입꼬리를 늘리며 웃었다. 그런 나를 멍하니 바라보던 여자들의 뺨이 "세상에……." 하고 붉어졌다.

장난인지 진심인지 뚜렷하게 구분가지 않는 미소. 배우들은 그런 모호한 웃음에 감정을 숨기는 게 특기다. 하지만 예민한 사람들은 그 이면에 담긴 진심을 날카롭게 눈치챈다.

저기 앉아서 나를 쳐다보고 있는 박 대리가 바로 그런 사람 중 하나였다. 그는 당황한 눈초리로 제 앞에 놓인 그릇을 노려보더니 인상을 찌푸렸다.

어쨌든 오늘 내 목표는 저 남자였다. 벽에 유성펜으로 낙서를 하고 있는 전 주임이란 녀석은 보자마자 크게 신경 쓸 필요가 없다는 결론을 내렸다.

너만 내 말귀를 알아먹으면 된다.

잠자코 앉아 있던 박 대리는 굳은 얼굴로 포크를 내려놓고 자리에서 일어섰다. 그러고는 잠깐 나가서 담배를 한 대 피고 온다며 담뱃갑을 움켜쥔 채 불쾌한 표정으로 퇴장했다.

그사이 여울이와 곽다정이 돌아왔다. 내 옆에 앉은 여울이는 물기가 묻은 손을 냅킨으로 닦으며 물었다.

"무슨 이야기 했어?"

"네 얘기."

"또 옛날 얘기 했어?"

"아니, 지금 내 옆에 앉아 있는 현재의 김여울에 관한 이야기."

턱을 괸 채 말하던 나는 여울이 너머에서 곁눈질을 하던 이지은 씨와 눈이 마주쳤다. 그녀는 빨개진 얼굴로 손부채질을 하며 심호흡을 했다.

"뭐야, 또 내 몸무게에 관한 논평이라도 한 거야? 지은 씨, 얘 내 욕했지?"

"아, 아니요. 막 좋은 말씀만 하시던데⋯⋯."

"무슨 좋은 얘기요?"

내 눈치를 살피던 이지은 씨는 냉큼 대답했다.

"김 대리님 엄청 예쁘시다고."

"네?"

여울이가 진짜냐는 듯 나를 쳐다보았다. 그게 그렇게도 못 믿을 얘기인가 싶어서 대수롭지 않게 대꾸했다.

"왜? 진짜 예쁘다고 했는데."

내 대답에 물끄러미 시선을 던지던 여울이의 뺨이 서서히 붉어졌다. 그녀는 홍조를 띤 채 쑥스러운 듯 돌아앉았다. 평소 같으면 심드렁하게 넘어갔을 녀석이 예상외의 반응을 보이자 '어라?' 싶었다. 가슴 한구석이 강아지풀에 닿은 듯 두근거렸다.

예쁘다는 말……. 자주 해 볼까?

그때 이지은 씨가 여울이 등 뒤로 몰래 소곤거리며 눈짓을 보냈다.

"김 대리님 사진 좀 방출해 드릴까요?"

"사진이요?"

"저희 사내 체육 대회라든지 워크샵 때 사진들이요. 김 대리님 인스타에도 없어요. 저희 회사 밴드에만 올라와 있거든요."

"주세요, 핸드폰 번호."

나는 홀린 듯 핸드폰을 내밀었다. 설마 이렇게 쉽게 핸드폰을 내밀 줄은 몰랐다는 듯 그녀가 당황한 표정을 지었다.

"아……. 이거, 괘, 괜찮으세요?"

"이지은 씨만 알고 있으면 문제없어요."

"저, 저……. 아, 아무한테도, 아무 데도 노출하지 않을게요."

오늘 이곳에 오기를 잘했다는 생각이 들었다. 여울이 주변에 내 편이 늘어 간다는 건 좋은 징조였다. 박소영이 알면 나를 매질해 죽일 테지만 그래도 좋았다.

이지은 씨는 괜찮은 느낌이었다. 그녀의 시선은 주로 나

보다 여울이를 향했다. 여울이가 웃을 때마다 그녀의 입가에도 따뜻한 곡선이 피어올랐다. 여울이를 아끼고 좋아해주는 사람은 나 역시 이유 없이 좋다. 물론 예외가 있긴 한데, 박소영 같은 경우는 라이벌 의식과 전우애를 동시에 나누고 있는 기묘한 관계였다. 서로를 껄끄럽고 불편하게 여기면서도 여울이를 판문점처럼 중간에 두고 억지웃음과 악수를 청하는 희한한 사이다.

여울이는 몇 분째 이지은 씨와 무슨 재밌는 이야기를 나누는지 연신 웃음을 터뜨리고 있었다. 그 모습에 내 입가에도 웃음이 스쳤지만 한편으로 질투심도 났다. 나와 있을 때 여울이가 저렇게 웃었던 적이 있었나? 내 눈에 온통 여울이만 보이듯, 여울이도 나에게서 시선을 떼지 못하는 순간이 있을까?

그녀가 이 자리에서 신경 쓰는 사람이 오직 나 한 사람뿐이었으면, 나처럼 그녀도 내 주변 모두에게 질투하고 미칠 듯한 소유욕에 휩싸일 수만 있다면, 나처럼 그녀도 머릿속에 온통…….

머리를 숙인 채 잠시 이마를 짚었다.

미친놈, 또 시작이다. 시도 때도 없이 발발하는 이 정신병에는 약도 없다. 나는 턱을 괸 채 의식적으로 시선을 딴데로 돌렸다. '차라리 보지를 말자'라는 심보였지만 채 10

초를 못 버티고 다시 눈길이 움직였다.

이지은 씨의 팔을 툭툭 치며 웃는 여울이의 블라우스 소매에 언제 흘렸는지 맥주가 노랗게 번진 게 보였다. 매니큐어를 바르지 않은 가지런한 손톱과, 입가를 슥 닦아 내는 손등. 결국 내 시선은 또 이끌리듯 작게 오물거리는 그녀의 입술로 향했다.

어느 시점부터였는지는 이제 기억나지도 않는다. 그저 '언제부터인가', '나도 모르게 어느새' 그런 말로 대체하게 될 무렵부터였다.

아주 잠깐만 정신을 놓아도 그녀의 입술에 눈길이 정지하는 내 자신을 발견한다. 이성의 끈이 옅어지다 못해 순간순간 뚝 끊어지는 고비에 다다른 시점, 나는 사막에 떨어진 여우처럼 그녀를 향한 갈증으로 마음을 애태우고 있었다.

갖고 싶다, 김여울.

여울이가 나를 소유했으면 좋겠다. 그녀의 눈동자에 내 모습만 가득했으면 좋겠다. 세상 모든 걸 지워 버리고 나만 원하게 하고 싶다. 나만의 여울이로 만들고 싶다.

하지만 그러기 위해서는 여울이를 잃을 수도 있다는 걸 감수해야 한다.

– 내가 미쳤니? 너한테 설레게.

설렘이란 건 기분 좋은 선물 같은 거라고 생각했다. 누군 가에게 설렐 수 있다는 것과 누군가를 설레게 한다는 것은 사랑의 필요충분조건이자 삶의 기본적인 낭만이라고. 나는 그런 일을 직업으로 삼고 있었다. 다른 사람들이 나를 볼 때마다 설레고, 기분 좋게 하고, 행복하게 만들어 주는 일.

데뷔한 지 10년 차인 내가 이성으로부터 가장 많이 듣는 말 중 하나가 설렌다는 말이다. 그러나 정작 내가 원하는 여자는 나를 자기네 집 욕실 거울보다도 편한 존재로 여기 고 있었다. 우습게도 그녀에게만큼은 그 어떤 필살기도 통 하지 않는 실정이다. 오히려 어설프게 공격하려다가 역공 당해서 내 심장만 남아나지 않게 된 경우가 허다하면 허다 했다.

제발 설레어 달라고 구걸할 수도 없고…….

나를 무성(無性)과 무능(無能)으로 분절시켜 버리는 존 재, 김여울은 내게 있어 그야말로 난공불락의 요새였다.

어두운 골목길에 고개만 숙인 가로등이 주황색 불빛을 비췄다. 어스름한 불빛에 비친 여울이의 뒷모습이 오늘따 라 더 부서질 듯 가녀려 보였다. 달빛에 조각조각 흩어져 내 눈앞에서 사라질 것만 같은 기분이 들었다.

회식 자리에서 보낸 시간은 고작 40분 남짓이었다. 나도 모르게 꽤 긴장을 하고 있었나 보다. 이제야 폐가 좀 편안하게 숨을 쉬는 느낌이었다. 이곳은 박 대리를 비롯한 여울이네 회사 사람들도 없고, 끈질기게 따라 나오던 곽다정도 없다. 드디어 우리 둘뿐이다.

앞서가던 여울이가 걸음을 멈췄다. 천천히 돌아선 그녀가 나를 묘한 눈길로 쳐다보았다.

갑자기 술기운이 올라오는 건가? 여울이의 눈동자가 봄바람에 쓰러지는 풀잎처럼 일렁이고 있었다. 괜찮냐고 물어보려는 순간 그녀가 입을 열었다.

"하은수."

술 취한 여울이는 조심해야 한다. 아니, 고쳐 말하면 술 취한 여울이한테서 나를 조심시켜야 한다. 본인은 아직 모르고 있지만 그녀는 술에 취하면 무서울 정도로 사랑스러워진다. 애교 부리는 게 거의 심장 폭격 수준이라서 이를 악물어도 매번 그녀를 끌어안고 키스하고 싶은 충동에 휩싸인다.

"나 안아 줘."

"뭐?"

"안아 달라고."

철렁 가라앉은 가슴이 혼란스럽게 뛰었다.

혹시 여울이는 이미 내 마음을 알고 있는 게 아닐까? 알면서 나를 위해, 우리를 위해 모르는 척해 주는 게 아닐까? 그러다가 가끔 이렇게 나를 시험하려 드는 게 아닐까?

"안아 달라니까?"

뾰루퉁한 얼굴로 투덜대는 그녀의 해맑은 표정이 잔인하게 느껴졌다. 한계에 다다른 내 마음이 봇물 터지듯 폭발했을 때 너는 과연 그 상황을 감당할 수 있을까? 아니면 자기는 아무 잘못도 한 게 없다며 뒤돌아서 도망쳐 버릴까?

그런 얼굴로 안아 달라고 하면, 그런 목소리로 달콤하게 내 이름을 부르면……. 나는 절대 거절할 수 없는데.

거절 못 한다, 이런 달콤한 유혹.

와락 끌어안은 그녀의 몸이 내 안에 조인 나사처럼 감기듯 안겼다. 온몸의 세포 하나하나가 열감에 휩싸인 채 황홀해하고, 그와 동시에 극도의 불안감을 느끼기 시작했다.

여울이는 내게 그런 존재였다.

행복과 고통이 뒤엉킨 아름다운 실뭉치.

이렇게 손에 쥐고만 있다가는 누가 와서 훔쳐 가지는 않을까, 그런 생각에 하루하루가 미칠 듯 불안한데…….

너를 잃을 각오를 한다는 것.

두려움에 외면하듯 눈을 감았지만 이미 오래전부터 예감한 일이었다. 너를 내 심장에 묶기 위해서는 내 손에 감은 너를 반드시 한 번은 풀었다가 되묶어야 한다는 것을.

"김여울, 어디 가서 이런 짓 하지 마."

"이런 짓이 뭔데?"

정말 몰라서 묻는 건지, 아니면 모르고 싶은 건지. 검고 짙은 여울이의 눈동자는 늘 수수께끼처럼 어렵다.

널 엉망으로 만든 채 온몸을 녹이며 체온을 섞는 짓. 내 머릿속은 사실 그보다 더한 짐승 같은 욕망으로 가득 차 있다고.

"하은수."

"왜?"

여울이는 의외로 눈치가 빨랐다. 본능적으로 치고 빠질 때를 안다. 이럴 때 보면 여우처럼 앙큼하다.

"이상해지지 마."

나는 여울이가 우는 게 싫다. 그럼에도 늘 울리고 만다. 나를 원망하고 미워하는 한이 있더라도 이 관계가 부서지기를 바라는 마음, 출발선으로 되돌아가기를 바라는 마음, 이대로 영원히 그녀의 곁을 지키고 싶은 마음…….

"안아 달라고 한 건 너잖아."

"술 취해서 그래."

그럼 나도 술 먹고 너한테 키스할까? 너는 되고 나는 왜 안 되는데? 더 참다가는 정말 이상해질 것 같은데, 이미 미쳐 버릴 것 같은데 여울이는 내게 자꾸 참으라고만 한다.

그러다 정말 내가 못 참으면? 그때는 정말 어떻게 되는 건데?

여울이를 향한 내 마음은 밀물과 썰물처럼 늘 충돌한다. 그건 아마 구슬치기를 하던 그녀를 처음 본 순간부터 예고된 모순이었는지도 모른다.

그동안 고치 속에 깊숙이 숨기고 있던 내 감정을 드러내면 여울이가 많이 놀랄 걸 안다. 남사친 하은수가 아닌 남자 하은수는 낯설고 감당하기 어려운 존재가 될 테니까.

택배 상자를 건네받은 여울이가 문 앞에서 나를 밀어내듯 손을 내저었다.

"택배 들어 줘서 고마워. 다음에도…….."

"다음에도 부탁한다고?"

"응."

그녀가 안 가냐는 듯 곁눈질로 엘리베이터 쪽을 쳐다보았다.

"갈게, 얼른 자."

"응, 너도 들어가서 일찍 자."

삐빅, 소리와 함께 회색 현관문이 철컥 닫혔다. 1204호, 신기한 우연이지만 여울이는 지금도 광명에 살던 그 호수에 살고 있었다.

나는 쓰게 웃으며 중얼거렸다.

"드디어 경계하네."

하지만 내 쪽은 더 이상 조금의 인내심도 남아 있지 않다. 마지막 한 톨까지 모두 바닥나 버린 상태. 이제 둘 중하나였다. 내가 1204호에 가든가 여울이가 1205호에 오든가. 어떻게든 결론을 내야겠다는 생각이 들었다.

– 13년째 널 짝사랑해 온 남자 사람 친구.

그 순간 흔들리며 파동을 그리던 여울이의 눈동자가 가슴을 서늘하게 움켜쥐었다. 의연한 척 눈을 감았다 뜬 그녀의 눈 속에는 어떠한 감정도 내비치지 않았지만 알 수 있었다.

여울이는 알고 있다, 그녀가 내게 어떤 존재인지.

모르는 척 문을 굳게 닫고 있지만 심연 깊은 곳에서는 눈치챈 게 분명했다. 아니면 무의식적으로 무시하려 애쓰고 있는 중이다.

문고리를 꽉 쥔 채 심장을 진정시키는 그녀의 불그스름한 뺨이 보이는 듯했다. 너도 나처럼 아직 그 자리에 서서 문 너머의 발소리에 귀를 기울이고 있을까?

엘리베이터를 향해 걸으며 핸드폰을 꺼냈다.

[여울아.]

[왜?]

쏜살같이 날아온 답장에 픽 웃었다. 쏘아붙이는 듯한 속도가 얼른 안 가고 뭐 하냐는 채근처럼 느껴졌다.

[다음번에는 문 열고 들어갈 거야.]

첫 번째 메시지와 달리 두 번째 메시지에는 좀처럼 답장이 오지 않았다. 엘리베이터가 1층에 도달하고 나서야 핸드폰이 '지잉' 하고 울렸다.

긴장한 눈으로 화면을 터치했다.

[들어오면 넌 사망이야.]

멈칫하던 입가가 낮게 웃음을 터뜨렸다.

수십 번도 넘게 들락거렸던 서로의 현관문이 아슬아슬한 경계선으로 보이기 시작할 때, 아이러니하게도 나는 가슴이 설레는 걸 느꼈다.

아, 좋다.

그녀의 귀여운 살인 예고가 더없이 기대되는 걸 보니 역시 나란 놈은 어쩔 수 없는 짐승인가 보다. 아니 여울이 말대로 짐승이란 단어로는 표현이 부족한 변태 새끼였다.

18. 내 삶의 모든 구간과 마침표

18. 내 삶의 모든 구간과 마침표

　오늘 촬영이 이루어지는 곳은 평창동의 〈숲속의 소나무〉라는 카페였다. 카페 1층 구석에 마련된 독립된 테이블 룸에 대기실이 마련되었다. 통유리로 된 창밖으로 보이는 소나무 가지와 암석들 사이로 흐르는 물소리가 경관만큼 아름다운 곳이었다.

　"너 근데 이렇게 대대적으로 이 드라마 네 첫사랑 얘기라고 까발리면 좀 곤란해질 수도 있는 거 아니냐?"

　"왜?"

　재현이 형은 유리로 된 문밖에 혹시 누가 엿듣고 있는 건 아닌지 슬쩍 확인한 다음 목소리를 낮춰서 물었다.

　"혹시라도 여울이랑 잘 안 되면 어쩌려고?"

그딴 재수 없는 얘기는 대체 왜 하냐는 눈초리에 형은 한숨을 쉬며 말했다.

"아니 막말로 나중에 다른 여자를 만나거나 그랬을 때 상대방이 기분 나빠할 수도 있잖아. 솔직히 이건 네 첫사랑 얘기를 세상에 평생 공개하자는 건데……. 드라마 내용만 봐도 워낙 남자애 짝사랑이 절절하잖냐."

"내가 다른 여자를 왜 만나?"

"평생 혼자 살겠다고?"

"아니."

"그러니까 만약에 혹시라도 어쩌다가 정말 불운하게 여울이랑 잘 안 풀리기라도 하면……."

"그거랑 다른 여자 만나는 거랑 무슨 상관인데?"

어처구니없다는 듯 쳐다보던 재현이 형의 눈동자가 설마 하며 커졌다.

"여울이 아니면 연애도 안 하려고?"

촬영 들어가기 전에 혼자 좀 조용히 있고 싶었는데, 이 형은 요즘 왜 이렇게 나랑 여울이 문제에 관심이 많은 건지.

"너 뭐 무성욕자 그런 거냐?"

"쓸데없는 소리 할 거면 나가라, 좀."

"아니 왜 여자를 안 만나겠다는 건데? 그 얼굴로, 그 몸으로, 왜? 그렇게 자원 낭비할 거면 그 얼굴 나나 줘."

'미쳤냐?' 그런 눈길로 쳐다보자 재현이 형이 시큰둥한 표정으로 구시렁거리며 가방에서 늘 먹던 해독 주스를 꺼냈다.

"대체 여울이 어디가 그렇게 좋은데?"

주스 병에 빨대를 꽂던 형은 궁금하다는 듯 얼른 말해 보라며 눈썹을 치켜세웠다.

"형은 형 자신의 몸 어디가 그렇게 좋은데?"

"그걸 내가 굳이 생각해 봐야 되는 문제냐? 내 몸인데?"

"그러니까."

나는 고개를 돌렸다. 스태프들의 웅성거리는 목소리가 점점 더 커진다. 대충 장비는 다 옮긴 거 같은데, 곧 촬영이 시작될 듯했다.

뒤늦게 내 말뜻을 눈치챈 형이 황당한 표정을 짓더니 다시 물었다.

"아니 누가 너한테 여울이가 얼마나 소중한지 궁금하대? 왜 좋냐니까? 대체 어디가 좋길래, 무슨 매력이 그렇게 쩔길래 하은수가 십 년 넘게 홀딱 반해 있냐고 묻는 거잖아."

"몰라도 돼."

의자에서 일어선 나는 인상을 쓰고 있는 재현이 형을 향해 입꼬리를 올리며 실긋 웃었다.

"여울이한테 관심 갖지 마."

"……."

"먼저 올라간다."

"야, 내가 언제 여울이한테 관심을 가졌다고…… . 와, 나 진짜 억울하고 기가 막히네. 여울이는 너 이렇게 또라이인 거 아냐?"

무시하고 나가는 내 등 뒤로 불만에 찬 형의 목소리가 이어졌다.

"왜? 지나갈 때 여울이 쳐다보는 애들 눈알도 파 버리지? 저게 이제 질투할 대상이 없어서 형한테까지 지랄이네."

나선형 계단을 따라 2층에 올라오자 스태프들이 꾸벅하며 인사를 했다. 다들 기대에 찬 눈빛이었다.

간밤에 잠을 못 자서 그런지 신경이 날카로웠다. 문득 아주 오래전, 여울이가 눈을 흘기며 던진 말이 뇌리를 스쳤다.

– 밤새 야한 거 봤지?

웃음이 입가를 어루만졌다. '15세 미만은 보지 마세요'라는 딱지가 존재하던 시절, 그녀가 필사적으로 숨기던 만화책들을 몰래 펼쳐 본 적이 있었다. 대체 뭐 그렇게 부끄러운 장면이 많아서 보지 말라고 윽박을 지른 건지 너무 궁금했다.

고작 키스였다.

진짜 성인 남녀가 하는 동영상도 아니고 흑백 만화로 그린 책 속의 그림 몇 컷. 이게 그렇게 야한가 싶어서 고개를 갸웃거리며 책장을 스르르 넘겼다. 나는 그 만화책보다 복숭아처럼 빨개진 얼굴로 품안에 책을 쏙 감추던 네 모습이 더 호기심을 자극하던데.

　지금도 간혹 보여 주는 그 얼굴은 정말 중독성 있게 설렌다. 여울이는 아직도 내가 그저 놀리는 줄로만 알고 매번 정색을 하며 화낸다. 그 모습조차 사랑스럽게 보이는 건 역시 내가 쟤한테 미쳐 있어서 그런가 싶기도 했다.

　피아노 앞까지 걸어오자 검은 의자가 싸늘한 시선으로 나를 쳐다보았다. 15년 전으로 되돌아온 기분이었다. 그 당시 나는 아시아 콩쿠르까지 상을 휩쓸고 다니던 기세등등한 소년이었다.

　한 번도 무대가 두려웠던 적은 없다. 다만 연미복을 입은 아버지의 그림자가 숨 막혔을 뿐. 피아노 뒤에서 나를 고요히 지켜보는 눈초리의 위압감은 알게 모르게 숨통을 죄며 나를 깊은 수렁으로 몰아넣었다.

　"은수 씨! 은수 씨, 괜찮아?"

　윙윙거리는 귓가에 감독님 목소리가 울려 퍼졌다. 정신이 확 들었다. 고개를 들자 조명을 든 스태프 형진이가 놀란 얼굴로 나를 쳐다보고 있었다. 목덜미에 구슬처럼 맺힌 식은땀이 셔츠 옷깃 사이로 스미며 흘러들었다.

극복했다고 생각했는데 착각이었다. 건반 위에 얼어붙은 듯 멈춘 손가락에 감각이 없다. 흰 건반과 검은 건반이 덩굴처럼 얽힌 채 눈앞에서 울렁거렸다. 호흡이 힘들었다. 나는 대체 무엇을 두려워하고 있는 걸까? 더 이상 내 인생에 그 남자의 그림자는 존재하지 않는데.

혹시 난 여전히 피아노를 혐오하고 있나? 이 구역질은 그 사람과 관련된 기억에 대한 거부 반응인가?

뭐가 이유건 간에 연주는 실패였다. 카메라 렌즈 너머로 느껴지는 사람들의 시선이 온몸을 거세게 할퀴고 지나간다.

얕고 빠르게 내뱉던 숨결 밑으로 뭔가가 꼼지락거리는 게 보였다. 나는 충혈된 눈을 깜빡이며 피아노 다리 옆을 빤히 응시했다.

"하은수."

피아노 의자 옆에 쪼그리고 앉은 여울이가 동그란 눈으로 나를 올려다보고 있었다. 그 순간 쪼그라들던 허파가 크게 부풀며 옥죄던 목구멍을 놓았다.

"너 먹은 거 체했지? 얼굴색 보니 완전 시체다."

그녀가 조그마한 입술로 투덜거리며 손을 뻗었다. 손목에 닿는 여울이의 온기에 온몸을 에워싸던 긴장감이 서서히 풀어지기 시작했다. 얼어붙은 명치 밑으로 따뜻한 산소가 퍼져 나간다.

여기는 어떻게 알고 왔지? 언제부터 지켜보고 있던 걸까? 피아노 의자에 앉는 순간부터? 패닉에 빠진 이후부터? 대체 언제부터…….

"바보."

그녀가 무슨 생각을 그렇게 하냐는 듯 핀잔했다.

"너 긴장하면 물만 마셔도 체하잖아."

내 심장이 유리로 만들어졌다면 여울이는 보석 감정사였다. 그녀는 돋보기도 없이 그저 시선 하나로 내 안의 미세한 실금까지 찾아낸다. 그렇게 내 모든 걸 꿰뚫어보는 그녀지만 가장 중요한 부분만큼은 미농지를 수십 장이라도 겹쳐 놓은 듯 보지 못했다. 너만 보면 가슴이 이렇게 빠르게 쿵쾅대는데, 이게 정말 보이지 않는 걸까?

"괜찮아?"

일어나서 날 끌어안은 여울이의 아랫배에 이마가 닿았다. 포근한 촉감이 긴장한 몸을 확 풀어 주며 이완시켰다. 숨통이 트이는 것만 같았다.

살 것 같다.

아주 따뜻하고 아름다운 나룻배가 나를 태운 채 좁은 강물을 벗어나 탁 트인 바다로 나온 느낌이었다. 그녀는 물살에 몸을 맡긴 내 어깨를 부드럽게 떠밀었다.

조곤조곤한 숨소리가 들려온다. 휴일 거실 소파에 누운 채 낮잠을 자는 시간처럼 평화롭다. 카메라도, 조명도, 스태프들의 눈초리도 느껴지지 않는다. 나를 차분히 어르는 그녀의 손길만이 지속되고 있었다.

여울아…….

꽉 끌어안은 그녀의 허리에서 힘을 서서히 풀었다. 나를 내려다보던 여울이의 입가에 자그마한 미소가 걸쳐 있었다. '이제 괜찮지?' 그런 눈길로 내 뒷머리를 툭 털 듯 어루만진 그녀가 몸을 떼었다.

"재현이 형이 말해 줬어?"

"응."

"소개팅 잘했고?"

"빨리도 묻는다."

부러진 시소처럼 주저앉은 이 관계를 고칠 수 없다면 차라리 내리는 게 맞다. 그 바람에 잠시 엉덩방아를 찧고 다치는 한이 있더라도 너를 이렇게 꼭 껴안을 수만 있다면.

"어땠는데?"

날 쳐다보는 여울이의 눈동자를 읽어 내기 힘들었다. 이럴 때면 꼭 불길한 예감이 든다, 이를테면…….

"일단은 한 번 더 볼까 해."

바로 이런 거.

"일단은?"

"그냥. 확인할 게 있어서."

"그게 뭔데?"

고집스럽게 깜빡인 여울이의 눈동자가 흘끗 허공을 보더니 다시 내 얼굴을 응시했다. 또 불길한 예감이 치솟았다. 인상 쓴 미간을 예민하게 움직였다. 그녀가 담담한 목소리로 말했다.

"체온."

"뭐?"

"그 남자의 체온이 궁금해서."

'우당탕!' 소리와 함께 피아노 의자가 뒤로 넘어갔다.

지금 뭐라고…….

온몸의 혈관이 얼어붙는 것만 같았다. 여울이의 눈동자가 놀란 듯 커진 채 나를 바라보고 있었다.

체온. 네가 언제부터 남자의 체온이 궁금했다고. 아니 이미 숱하게 경험하지 않았나? 툭하면 내 허벅지를 베개삼아 잠드는 그녀였다. 같은 집 거실에 함께 있어도 나는 쟤한테 등받이 혹은 베개 이상의 존재가 된 적이 없었다.

급격한 회의감이 몰려왔다. 지금 한가하게 첫사랑 드라마나 찍으면서 그녀와의 장밋빛 미래를 상상할 때가 아니었다.

두렵지만 당연한 법칙이 또 다시 뇌리를 스친다. 여울이를 갖기 위해서는 여울이를 잃을 수도 있다는 것. 감수한다. 목숨 걸고 감수하기로 했다. 그녀와 다른 남자의 체온을 생각하자마자 1초 만에 내린 결론이었다.

내가 피아노를 칠 때 여울이는 꿈꾸는 듯한 눈빛으로 나를 바라본다. 나는 하얀 건반이 그녀의 부서질 듯 가녀린 어깨이기라도 하듯 더욱 몰입해서 연주한다. 연주를 할 때마다 그녀에 대한 내 감정은 한 뼘씩 더 깊어져만 가는데 여울이는 늘 같은 자리에 앉아 그때의 소녀처럼 말갛게 웃는다. 나는 더 이상 그때의 소년일 수가 없는데. 너를 그저 껴안고 뺨을 어루만지는 것만으로는 이 갈증을 채울 수가 없는데.

"키스해도 돼?"

한 걸음 거리를 좁힌 내 발걸음에 여울이가 움찔하며 고개를 들었다. 가리개를 벗겨 낸 눈초리로 그녀를 샅샅이 헤집듯 쳐다보았다. 본능적으로 뭔가를 직감한 그녀가 뒷걸음을 쳤다.

평소의 나라면 이쯤에서 멈추고 우스갯소리로 장난치듯 넘어가야 했다. 하지만 오늘부로 그딴 건 다 집어치우기로 했다.

서재에서 책을 읽을 때면 여울이는 내 옆에 앉아 책등을 확인한 뒤 호기심 어린 눈으로 내 얼굴을 쳐다본다. 책상에 엎드린 그녀의 머리칼이 내 손등 위를 간지럽히자 나는 읽고 있던 책장에서 그녀에게로 시선을 옮겼다. 기어코 활자에서 내 시선을 훔쳐 낸 그녀가 이를 드러내며 만족스럽게 웃었다.

소파에 누워 음악을 들을 때면 소파 밑에 앉아 키득거리는 여울이의 웃음소리가 뺨을 적신다. 헤드폰을 벗은 나는 고개를 돌려 텔레비전을 보며 웃고 있는 그녀의 옆모습을 응시한다. 세상에서 가장 듣기 좋은 음악과 연주, 그건 그녀의 몸이 자아내는 모든 소리의 합주다.

그렇게 일상의 모든 순간이 너와 연애를 하는 것 같아 설렜다. 이제 와서 너 없이 지내라는 건 내게 있어 세상의 모든 색을 보여 준 뒤 두 눈을 멀게 하는 것만큼 잔인한 짓이나 다름없었다.

여울이의 팔을 잡고 입술을 향해 허리를 숙였다. 흠칫한 그녀가 뭐 하는 거냐며 어깨를 거세게 밀쳐 냈다. 소리만 없었지 하얀 입김에 악 소리가 터져 나왔다.

"너 대체 왜 그래!"

분노 어린 눈동자가 나를 죽일 듯 쏘아보았다. 그렇게 차가운 시선은 처음이었다. 가슴이 물에 젖은 듯 선뜩하게 혈관을 식혔다.

"우리 당분간 보지 말자."

"여울아!"

"만지지 마, 나 잡지 말라고!"

자지러지듯 소리치며 질색하는 그녀의 반응에 얼른 손을 놓았다. 여울이가 나를 경멸하듯 바라보고 있었다.

"너 뭐야, 너 나랑 뭘 하고 싶은 거야? 여친이 없으니까 뭐…… . 성욕, 그런 거야?"

"아니야! 그런 거 아니야, 절대 아니야!"

이마를 짚은 손이 떨려 왔다. 그동안 그녀는 내 행동을 그런 식으로 해석해 왔던 것일까? 네 뺨을 향해 손을 뻗을 때마다 수없이 고민하고 머뭇거렸던 내 마음을.

"너 요즘 이상해. 내가 알던 하은수가 아닌 거 같아. 이상한 말로 사람 들쑤셔 놨다가 혼자 기분 싸해져서 사람 숨 막히게 하고…… . 넌 내가 너랑 관련된 일이라고만 하면 만사 제치고 달려오니까 우습지? 내가 장 봐서 네 냉장고도 채워 놓고 도시락도 싸 주고 그러니까 네 팬들처럼 너한테 홀딱 빠졌다고 생각하는 거지? 어쨌든 김여울은 옛날에 하은수 좋아했었으니까…… . 사귀자고 고백도 했으니까, 첫사랑이니까!"

그녀에게 있어 그 과거는 수치심과 치욕으로 얼룩진 기억인가 보다. 부들부들 떨며 말하는 여울이의 눈동자가 분노로 시뻘겠다.

"근데 이제 아니야. 내가 말했잖아, 나한테 너 남자 아니라고. 내가 너한테 옛날에 고백했다고 이런 식으로 장난치고 사람 조롱하는 거……. 나한테는 모욕이야."

"……."

"나 이제 너 안 좋아해, 하은수. 안 좋아한다고."

뭔가 잘못됐다. 단단히 잘못됐다. 이게 아닌데, 이렇게 되면 안 되는데.

"나 간다."

휙 째려본 그녀가 망설임 없이 내 손을 뿌리치며 걸어갔다. 구두창에 묻은 흙을 털고 가듯 돌아선 그녀의 뒷모습이 너무 단호해서 나는 멍하니 바라보기만 했다. 작게 멀어지는 그녀의 뒷모습에 가슴 한구석이 잔뜩 힘을 준 연필심처럼 뚝 부러졌다.

바삐 장비를 옮기며 지나가던 스태프들 사이로 재현이 형이 걸어왔다.

"뭐야, 왜 여울이 혼자 가?"

"……."

"너네 싸웠냐?"

"아니."

"근데 분위기가 왜 이래?"

내가 고개를 들자 형이 놀란 듯 말문이 막힌 표정을 지었다.

"야 너 얼굴이⋯⋯. 대체 무슨 일이야?"

그는 벌겋게 충혈된 내 눈가를 보더니 주변을 휙 돌아보고선 얼른 팔을 들어 내 얼굴을 가렸다.

"형."

"왜?"

"난 여울이 포기 못 해."

"⋯⋯."

"나는 쟤 없으면 안 돼."

나를 좋아해 주지 않아도 괜찮다고 생각했다. 같이 있으면 그걸로 충분하다고. 그러다가 문득 깨달았다. 여울이가 날 좋아해 주지 않는다면 우리가 영원히 함께하는 건 불가능하겠구나. 나 아닌 다른 누군가가 너를 영영 데려가고 말겠구나.

"여울이가 아니면⋯⋯ 다 의미가 없어."

갈라진 음성 사이사이로 절망이 스며들었다. 이마를 짚고 주저앉는 내게 형은 아무런 말도 하지 못했다.

선로를 바라보며 기차가 오기만을 기다리는 소년처럼 나는 그녀가 꽂아 놓은 표지판만 바라보며 하염없이 자리를 지켰다. 아무 의심도 없이 언젠가는 내가 서 있는 역에 그 애가 착실히 도착하리라 믿었다.

‒ 하은수, 좋아해! 나랑 사귈래?

한번 놓친 기차는 되돌아오지 않는다는 걸 알면서도 바보 같이 녹슨 선로에 비친 하늘을 보며 매일 똑같은 풍경에 안심했다. 언젠가는 오겠지. 돌고 돌아 만나게 되겠지. 그녀는 아직 나를 용서하지 않았는데, 내게 고백한 자기 자신도 용서하지 못했는데.

얕은 숨에 목이 멨다. 누군가 목구멍에 손을 넣어 버석한 심장을 끄집어 낸 뒤 흙탕물에 집어 던진 기분이었다. 초점을 잃은 눈동자로 아슴아슴한 눈앞을 더듬어 헛물켠 감정을 좇았다. 그 순간, 그러쥔 주먹에 강물처럼 드나들던 바람이 우련한 음성으로 속삭였다.

여울이는 널 좋아하지 않아.

나를 죽일 듯 바라보던 그녀의 환멸 어린 눈초리가 가슴을 찌르듯 관통했다. 폐부 깊숙한 곳이 미어지듯 욱신거렸다. 그녀의 숨결이 스미듯 닿았던 입술이 너덜너덜해진 채로 경련을 일으키고 있었다. 얼굴을 감싸 쥔 손아귀 사이사이로 끊어질 듯 목소리가 새어 나왔다.

여울아, 여울아…….

터지는 울음을 참으며 입술을 꽉 물고 또 물었다. 찢겨진 입 안의 여린 살에서 피가 나는 줄도 모르고. 울음이 섞인

피 맛은 붉어진 눈시울처럼 미적지근한 맛이었다.

생각해 보면 열여섯 이후 내 모든 행동의 저변에는 그녀
가 있었다. 내게 있어 언제나 다음으로 향하는 문을 열어
주던 존재.

김여울은 내 삶의 모든 구간과 마침표였다.

최근 기획사에 이상한 소문이 돌기 시작했다. 완벽한 사
생활로 알려진 하은수가 오랜 첫사랑과의 재회에 성공해
달콤한 연애를 시작했노라고.

"이 낯빛 어디가 달콤하다는 건지."

회의실 테이블에 대본을 던진 재현이 형은 간밤에 모기
한테 물렸는지 뒷목을 벅벅 긁으며 의자에 앉았다. 바늘처
럼 뾰족한 시선이 나를 쳐다보았다. 형은 겉보기와 달리
아주 예민하고 섬세한 사람이었다. 그래서인지 내 감정과
몸 상태를 누구보다도 잘 꿰뚫어 보고는 했다.

"병원 가서 링거 좀 맞고 올래?"

"괜찮아."

맞은편에 앉아 있던 나는 쓰고 있던 모자를 벗고 팔짱을 꼈다. 내 얼굴을 찬찬히 뜯어보던 형은 말을 못 잇겠다는 표정으로 '에휴' 하고 한숨을 내쉬었다.

"술은 안 마셨지?"

"안 마셨어."

"밥은 먹었고?"

"커피랑 샐러드."

"전화는 했고?"

"전화는……."

무의식적으로 대답하던 나는 형을 쳐다보았다.

"여울이한테 전화 안 해 봤어?"

핸드폰을 몇 번이나 봤는지 모른다. 단축 번호 1번을 수없이 눌렀다가 닫고 다시 할 말을 곱씹은 뒤 '여울아, 나야.'라고 시작하는 메시지를 또 작성하고 다시 지우고.

그렇게 일주일째 밤을 지새우고 있었다.

"하긴, 괜히 전화했다가 '내 앞에서 영원히 꺼져 버려!' 이런 소리라도 들으면……."

그랬다가는 사망 소식으로 연예 1면을 장식하는 거 아니냐고, 형은 반농담 삼아 중얼거렸다.

"자장면 먹을래? 아, 너 자장면 별로 안 좋아하지."

내 무표정한 시선에 형은 불만스러운 어조로 툴툴댔다.

"여울이랑은 먹으면서. 하긴 걔랑은 뭘 같이 먹는다는 거 자체가 좋겠지……."

한 회사 대표라는 인간이 특기가 자문자답하기, 혼자 게임하며 놀기, 연애 시뮬레이션 게임도 하는 거 같은데, 요즘에는 핸드폰 인공 지능하고 대화 나누기도 추가다.

"그건 뭐야?"

나는 형이 옆 의자에 세워 놓은 종이봉투를 턱짓으로 가리키며 물었다. 영동 문고라고 써져 있는 걸 보니 서점에서 뭘 산 모양이었다. 책이라고는 절대 안 읽는 인간인데.

"아, 이거 우리 조카 주려고 산 건데."

부스럭거리며 꺼낸 책은 생텍쥐페리의 어린 왕자였다. 남색 바탕에 특유의 일러스트가 인상적인 표지. 우리 집에도 있다. 한 권이 아니란 게 문제였지만.

여울이는 한동안 어린 왕자를 수집하듯 사 모았다. 출판사별로 사고, 특별판 나오면 사고, 애장판 나오면 사고, 영문판으로도 사고. 덕분에 내 서재 책꽂이의 한 줄은 어린 왕자로만 빽빽하게 꽂혀 있다.

– 하은수, 너는 내 장미 같아.

툴툴거리고 까탈스러운 장미, 어쩌다가 길들여 버린 단

하나뿐인 꽃, 귀찮고 짜증 나지만 어쩔 수 없이 내가 돌봐
줘야 할 장미.

그렇게 말을 덧붙인 그녀는 입을 삐죽거리며 내 얼굴을
흘겨보았다. 그러고는 이내 책을 덮고 총총걸음으로 주방
을 향하며 소리쳤다.

– 짜파게티 먹을래?

픽 웃었다. 누가 툴툴거리고 까탈스럽다는 건지. 나는
네가 해 주는 짜파게티도 좋고, 이상한 나물 무침도 좋고,
홀라당 태워 먹은 부침개도 좋은데.

냄비에 물을 받아서 올리는 여울이의 등을 보며 그녀가
놓고 간 어린 왕자를 펼쳤다. 한 페이지를 가득 채운 그림
하나가 눈에 들어왔다. 자그마한 행성 위에 핀 장미 한 송
이가 유리관으로 덮인 채 어린 왕자를 향해 구부정한 허리
를 굽히고 있었다.

제발 떠나지 말라고 애원하듯이.

"그거 알아?"

잠자코 있던 내가 입을 열자, 재현이 형은 정수기에서 종
이컵으로 생수를 뜨며 눈썹을 치켜들었다. 골몰히 생각하
던 내 입가에 흐린 감정이 맺혔다.

"옷이 많이 젖으면 결국 벗어야 하잖아."

"그렇지."

"내가 밖에 너무 오래 서 있었나 봐, 비가 오는 줄도 모르고."

"밖에 비 와?"

형이 놀란 눈으로 블라인드가 반 정도 내려온 창밖을 바라보았다. 초가을 햇살이 따갑게 눈부시다. 비행기가 지나갔는지 길게 생긴 한 줄기 제트 구름 외에는 아무것도 없는 청명한 하늘이었다.

그는 대체 무슨 소리를 하는 거냐며 내 얼굴을 쳐다보았다.

"멍청하게 여울이가 날 벗고 있는 줄도 모르고……."

여울이와 보내는 시간이 너무 좋아서 하늘이 서서히 어두워지는 줄도 몰랐다. 먹구름이 잔뜩 낀 하늘에서 후드득 떨어지는 빗줄기가 굵어지는 줄도 몰랐다. 어깨가 흠뻑 젖는 줄도 모른 채, 여울이는 그런 내가 점차 무겁고 불편해지고 있었는데.

여울이가 나를 벗는다.

입 밖으로 소리 내어 말한 그 말이 가슴을 난도질하듯 헤집었다.

그제야 이해한 형이 뭔가 할 말을 찾듯 미간을 좁혔다. 연애는 한 번도 해 보지 않았지만 실연의 고통이라면 누구보다도 잘 안다고 떵떵거리는 사람이었다.

"사람 마음이 그렇게 쉬운 거라면 남들은 왜 이별하고 아파하겠냐? 세상에는 아무리 노력해도 안 되는 게 있는 거야. 네 잘못도 아니고 여울이 잘못도 아니고, 그냥…….. 그냥 그렇게 된 거야."

눈꺼풀이 무거웠다. 잠시 테이블 위의 대본책을 응시하던 나는 의자를 뒤로 밀며 일어섰다.

"가게?"

"잠깐 형 집에 올라가서 눈 좀 붙일게."

회사 대표인 형은 회사 건물 꼭대기 층을 임대해 혼자 살고 있다. 비틀거리며 일어선 내 뒤로 형이 걱정스러운 듯 쫓아 나왔다. 엘리베이터에 탄 나는 15층을 누른 뒤 벽에 기댔다. 등에서 한 줄기 식은땀이 흘러내렸다.

ㅡ 그냥……. 그냥 그렇게 된 거야.

번호 키를 누르고 현관문을 열자 어둠이 입을 쩍 벌린 채 내 몸을 집어삼켰다. 신발을 벗으며 머리 위를 올려다보았다. 센서 등이 나간 모양이었다. 빛 하나 없는 암흑이 내 몸과 하나처럼 섞여 들었다.

바닥에 굴러다니는 운동 기구들을 지나쳐 침실로 향했

다. 회색 이불이 깔린 침대를 보자마자 핸드폰을 탁자 위에 놓고 땀에 젖은 티셔츠를 벗었다. 다리가 꺾이듯 침대 위로 몸이 풀썩 쓰러지자 천장이 빙그르 돌았다. 입술 사이로 끊어질 듯한 신음 소리가 새어 나왔다.

온몸이 으슬으슬 추웠다. 시름시름 앓다 죽을 사람처럼 베개를 끌어안은 채 덜덜 떨었다. 음습하고 불쾌한 감각이 전신을 휘감았다. 방어하듯 이불로 온몸을 돌돌 말았지만 사무치는 고독은 발등부터 기어 와 목덜미를 차갑게 핥았다.

벌을 받고 있나 보다.

차라리 달려와 호되게 혼을 내고 온갖 욕을 해 줬으면 싶었다. 예전처럼 정강이를 발길질하고 돌멩이가 든 신발주머니로 배를 때리고. 나를 향해 입술을 삐죽거리는 주근깨 소녀가 너무너무 그리웠다.

나는 오른팔로 다리를 안은 채 아기처럼 옆으로 누워 몸을 말았다. 아무것도 할 수가 없다. 아무것도 하기 싫었다. 내 삶의 빈 저울, 그 위에 작은 소녀가 올라탄 이후로 세상의 축은 바뀌어 버렸다.

내 하나뿐인 행성의 주인, 나를 길들인 유일한 사람.

여울아……. 제발.

제발 나를 버리지 마.

새벽녘, 귓전을 때리는 진득한 소음에 억지로 몸을 뒤척였다. 침대 옆 탁자 위에 놓인 핸드폰 진동 소리였다. 드드득거리며 원탁 위에서 몸을 떠는 폰을 더듬더듬 찾아 뒤집었다. 화면에 '이형민'이라는 이름이 떠 있었다.

[야! 왜 전화를 안 받아?]

"왜?"

[오늘 경수 귀국해서 보기로 했잖아.]

"아……."

[너 목소리 왜 그러냐? 어디 아파?]

"너네끼리 봐."

전화를 끊고 다시 침대에 누웠다. 새벽인 줄 알았더니 저녁 7시였다. 몽롱한 눈으로 창밖을 응시했다.

집에 언제 왔더라?

이렇게 아파 본 게 얼마만인지 생소했다. 입술 사이로 지친 숨소리가 허스키하게 새어 나왔다. 뒷목을 주무르며 욱신거리는 눈두덩을 검지로 꾹 눌렀다. 손가락 사이사이가 허전하다. 게슴츠레 뜬 눈으로 손가락 사이사이로 거미줄처럼 난 빈 공간을 응시했다. 깍지를 꼈을 때는 몰랐는데 틈새의 공간이 참 외롭다.

거실로 나오자 식탁 위에 약 봉투와 메모 하나가 남겨진 게 보였다. 재현이 형이 놓고 간 거였다.

〈일어났으면 냉장고에 넣어 놓은 죽이랑 약 먹어라. 그

약 먹으면 졸리니까 운전은 절대 하지 말고.〉

메모를 반으로 접은 뒤 냉장고 문을 열었다. 두 줄로 빼곡하게 채워진 생수병 하나를 꺼내 벌컥벌컥 마시니 찬물이 위장과 머리를 맑게 깨웠다. 죽어 있던 세포가 꿈틀거리며 깨어나는 기분이었다.

곰곰이 기억을 되짚었다. 형네 집에서 잠들었던 그날, 결국 새벽에 응급실로 가 링거를 맞았다. 진단은 과로와 수면 부족에 이은 감기 몸살. 지난 10년간 누적된 피로가 몰아서 오듯 지독한 고열이었다. 그 와중에 여울이한테 연락하겠다고 으름장을 놓던 형의 손을 덥석 잡아 세운 게 떠올랐다.

그냥…… 하게 둘 걸 그랬나?

난데없는 초인종 소리가 정적을 일깨웠다.

손에 물 컵을 쥔 채 인터폰 화면 앞으로 가서 카메라를 터치했다. 누구냐고 묻기도 전에 형민이가 얼굴을 들이밀며 소리쳤다.

"야, 하은수! 우리 왔어, 문 열어라!"

집에 없는 척할까? 잠시 고개를 내민 갈등에 고민했다. 그러나 이내 온 동네가 떠나가라 "하은수! 안 들리냐? 문 열라고!" 하고 소리치는 녀석들 목청에 질겁해서 로비 문을 열었다. 주먹으로 패든 밖으로 던져 버리든 일단 안으로 들여놓는 게 좋겠다고 중얼거리며.

"와, 이게 다 뭐냐? 너 무슨 만화책방 차리는 게 꿈이냐?"

"피규어 진열장도 있어. 이 자식 완전 덕후네."

두 사람은 들어오자마자 애들처럼 거실을 방방 뛰어다니더니 이 방문, 저 방문 하나씩 열어 보며 보물선을 탐색하듯 유난을 떨기 시작했다.

"고잉메리호 프라모델? 써니호까지! 나 이거 진짜 갖고 싶었는데."

"거기 만지지 마라. 책은 보고 나서 제자리에 꽂아 두고."

나는 주방에서 커피를 내리며 서재를 향해 나직한 목소리로 일렀다. 최대한 화를 가라앉힌 채 세 살 어린아이를 달래듯 말했지만 불안한 마음에 자꾸 곁눈질을 했다.

"그거 내려놓으라고 했다."

"야, 나 이거 주면 안 되냐?"

"안 되니까 당장 내려놔."

다른 건 몰라도 만화책과 피규어 위치만큼은 GPS로 좌표를 찍듯 정확하게 기억하는 여자니까 손대지 말라고, 그렇게 말하려던 입가에 마른 침묵이 어렸다.

우리 집에 5년 넘게 모은 보물을 저렇게 다 맡겨 놓고 정말 영영 안 볼 생각은 아니지, 김여울? 아니다, 그 녀석 성격에 그럴 수도 있다. 사람을 보내서 이삿짐 옮기듯 가져가 버릴지도 모르는 일이다.

"와, 냉장고 꽉 차 있는 거 봐. 이것 봐라? 포스트잇도 붙어 있어."

"진짜? 봐봐, 뭐라고?"

"안 먹고 상해서 버리게 되는 날에는 너도 같이 분쇄기행이라고. 음, 이건 협박문 같은데……. 어쨌든 여자 글씨야."

형민이는 싱크대에 기댄 채 서 있는 내 얼굴을 물끄러미 응시했다. 어제 오늘 눈을 좀 붙이기는 했지만 몰골이 평소와는 다르다는 걸 눈치챈 기색이었다.

"여친이 헤어지자고 했냐?"

"아니."

나는 향긋한 커피를 한 모금 마시며 천천히 입을 열었다.

"여자 친구 없는 거 알잖아."

"그럼 저 만화책들이랑 냉장고에 붙어 있는 이건 다 뭔데? 너 만화책 안 보잖아. 설마 네 어머님께서 보시는 건 아닐 테고."

의심스러운 눈초리를 짓던 형민이는 내 말을 전혀 안 믿는 기색이었다. 다시 한번 가느다란 눈으로 집 안을 훑은 그는 턱을 매만지더니 조심스럽게 물었다.

"너 혹시…… 그분이랑 싸웠냐?"

"그분이 누군데?"

냉장고에서 물병 하나를 꺼내 마시던 경수가 물었다. 런던에서 4년째 일하고 있는 경수는 형민이보다 소식이 느렸다.

"얘 소꿉친구인가 누구 있잖아."

"누구? 소꿉친구가 여자야?"

"기억 안 나? 고등학교 때 하트 상자 준 애."

"하트 상자?"

기억력뿐만 아니라 눈치까지 좋은 형민이는 그 하트 상자가 내게 특별하다는 걸 단번에 알아챘다. 안의 내용물뿐만 아니라 상자까지 소중하게 보관하고서는 수시로 들여다보는 내 행동이 정상은 아니라고 여긴 듯 누가 준 거냐며 끈질기게 캐물었다.

"하은수가 그거 받은 다음 날부터 매주 꼬박꼬박 집에 들어갔잖아."

"아……. 그 건담?"

형민이는 식탁에 앉아 턱을 괴고 나를 취조하듯 빤히 쳐다보았다.

"이 새끼 결벽증인건지 대인 기피증인 건지 자기 집에 사람 오는 거 진짜 싫어하거든? 그런데 욕실에 샴푸랑 트리트먼트까지 비치되어 있는 거 봐. 나는 여기 올 때마다 2층에 게스트룸 예약해 주잖아. 지네 집에서 재우기 싫다고."

경수가 너무하다는 표정으로 나를 쳐다보았다. 형민이는 익숙한 듯 코웃음을 치며 말을 이었다.

"여자들 머리 한번 감으면 배수구에 머리카락 잔뜩 엉키는데, 저 깔끔병 새끼가 그걸 허락할 정도의 사람이라면 내가 볼 때 그 친구밖에 없다."

내 침묵에 그는 확신한 듯 이를 드러내고 웃었다.

"맞지?"

하여간 쓸데없이 소락소락한 놈이었다. 나는 조용히 하얀색에 초콜릿색 격자무늬 패턴이 그려진 머그컵을 내려놓았다. 식탁 가운데 놓인 컵 안에서 커피향이 세 사람의 어깨를 어루만지듯 피어올랐다.

"차였어."

내 한마디에 키득거리던 분위기가 쩍 하고 얼어붙었다. 멍하니 앉아 있던 형민이가 새끼손가락으로 귓구멍을 파더니 "뭐라고?" 하고 되물었다. 놀라면 펭귄처럼 얼어붙는 경수는 눈만 끔뻑이고 있었다.

"차였다고, 여울이한테."

무표정한 얼굴로, 꽤나 담담한 목소리로 털어놨지만 가슴이 짓이기듯 욱신거렸다. 친구라고는 여울이 빼고 이 녀석들이 전부다. 나는 지금 절박했다. 단 1퍼센트의 가능성을 위해서라면 무엇이라도 할 수 있는 상황이었다. 내 눈빛을 본 녀석들은 심상치 않은 분위기를 짐작한 듯 미간을 좁혔다.

형민이가 의자를 드르륵 끌어당겼다. 자세히 말해 보라는 눈치였다. 경수도 냉큼 의자를 빼서 옆에 앉았다.

냉장고에 기댄 채 서 있던 나는 잠시 망설이던 끝에 입을 열었다. 나와 여울이에 대해서는 한 줄 요약과 부가 설명 정도로만 파악하고 있던 형민이는 많이 놀란 기색이었다. 예상은 했지만 이 정도인 줄은 몰랐다는 듯 단추 구멍만 한 눈이 소스라치게 커졌다.

"그 친구."

십여 분간 가만히 듣고 있던 녀석이 입을 열었다.

"너 싫어하는 거 아니야."

누가 터뜨릴 듯 쥐고 있던 심장이 조마조마한 박동 소리를 내며 뛰기 시작했다. 나는 잠자코 형민이를 응시했다.

"시간을 좀 주자, 그 친구한테."

"……."

"지금 네 꼴을 보아하니 그 전에 네가 말라죽을 거 같긴 한데, 13년이잖아. 너희 둘 살아온 인생의 거의 절반을 함께 했는데 그 친구는 지금 얼마나 당황스럽겠냐? 물론 네 속은 까맣게 타들어 가겠지만 그 친구 속도 멀쩡하진 않을 거야."

형민이는 누나만 셋이었다. 게다가 지금 여자 친구와

는 6년째 연애중이다. 아마 우리 셋 중에는—재현이 형까지 포함하면 넷이다—이런 분야에 있어 가장 적합한 경험과 지식을 가진 녀석이라 사료되기는 하지만……. 평소에 너무 덜떨어진 놈처럼 보여서 그런지 썩 신뢰가 안 간다는 게 문제였다.

"기다려 주자. 그 친구가 생각 좀 정리하고, 갑자기 남자로 돌변해서 들이대는 하은수를 제대로 마주 볼 마음이 생길 때까지. 물론 그 이후에도 차일 가능성은 여전히 반반이다만은 아직 단정 짓지는 말자고. 내가 볼 때는 너 완전히 차인 건 아닌 거 같으니까."

형민이는 내 팔을 툭 치며 웃었다.

"그러니까 밥 좀 먹어, 자식아. 여울이가 너 받아 주려다가도 귀신같은 얼굴 보고 놀라서 도망가겠다. 주인님한테 예쁨 받으려면 우리 줄리엣, 그 미모를 계속 유지해야지?"

진짜 죽일까? 하다못해 저 '줄리엣'거리는 혓바닥만이라도 어떻게 해야 될 것 같은데. 내 살기 어린 눈초리에도 녀석은 실실거리며 계속 입방정을 떨었다.

"나중에 여울이랑 잘되면 한번 물어봐, 네 어디가 가장 좋냐고. 그럼 보나 마나 머리부터 발끝까지 예쁜 그 몸뚱이라고……."

나는 일어서서 맞은편으로 성큼 다가갔다. 그리고 형민

이 새끼가 앉아 있는 의자 다리를 발로 툭 차서 뒤로 쓰러뜨렸다. 바닥에 나동그라진 녀석은 "아악, 아악!" 비명을 내질렀다. 경수는 조용히 머그잔을 들고 커피를 호르르 마셨다. 그러게 왜 매를 버냐고 쯧쯧 혀를 차면서.

바닥에 벌러덩 드러누운 형민이는 내게 양팔을 잡힌 채로 씩 웃었다. 지금부터 가장 중요한 이야기를 해 줄 테니 잘 새겨들으라면서.

"너 이제부터는 잘 때도 핸드폰 벨소리 음량 최고치로 해 놔라. 아니, 아예 손에 꼭 쥔 채 자는 게 좋겠다. 그 친구가 언제 어느 때 연락할지 모르니까. 여자가 울면서 전화했는데 안 오는 남자? 야, 그 새끼는 은하 제국 제1황태자여도 끝이야. 고잉메리호 10척 가지고 있어도 끝이라고. 알겠냐?"

홀로 식탁에 앉아 있던 경수는 귀를 쫑긋 세운 채 노트에 필기라도 할 듯 엿들었다.

사람은 누구에게나 재능이 하나쯤은 있다는 이론을 몸소 증명하려는 듯 형민이 녀석은 가끔 신기할 정도로 주변 사람들의 속내를 꿰뚫어 보고는 했다. 다시 말하면 사람의 마음속 허물어진 곳을 정확히 짚어 내는 능력이 있었다. 그 점이 여울이랑 흡사했다. 그녀의 경우에는 내게 한정된 관심법이긴 했지만, 아무튼 그래서 내가 저 녀석을 좋아하는 모양이었다.

여울이와 그 솔직한 눈동자 색이 닮아서.

며칠 앓아누운 탓에 밤샘 촬영이라는 후폭풍이 밀려왔다. 3일간 빡빡한 스케줄을 소화했더니 다시 피로가 쌓였다. 체력이 좋은 편이라 평소 같으면 쪽잠을 자도 잘 버틸 판인데 한 줌도 남지 않은 정신력이 문제였다.

"아니, 초췌해야 하는 부분이긴 한데 왜 이렇게 수척해졌어, 은수 씨."

"살이 좀 빠져서요."

"메이크업을 할 필요가 없겠네."

진희 씨가 속상하다는 표정을 지었다. 피부 상태를 확인한 그녀는 급한 대로 응급처치라도 해야겠다며 수분 팩을 가지러 갔다.

다행히 최근 촬영분 속의 남자 주인공 역시 심적 고통으로 인해 폐인처럼 보여야 하는 내용이 이어지고 있었다.

"관리 좀 해. 남자 배우들 삼십 대 넘어서 훅 가는 거 많이 봤잖아."

"……"

"요즘 뭐 힘든 일 있어?"

손에 쥔 핸드폰을 응시했다. 그녀에게 시간을 준다는 핑계로 나는 계속 도망치고 있다.

― 사람이 싫다고 하면 좀 그만하라고.

그동안 내가 다른 이들에게 했던 말이었다. 여울이가 그 말을 내게 하지 않는다는 보장이 없었다. 그럼 나는 어떻게 해야 할까? 싫다는 사람한테 매달리는 것만큼 추한 짓은 없다고 여겨 왔는데.

그런데 내가 당사자가 되어 보니 그게 생각처럼 쉽지가 않다. 우물이 마르는 데에도 시간이 걸린다. 하물며 사람의 감정이란 가장 깊고 아득한 샘인데, 화수분처럼 솟아나는 마음을 하루아침에 틀어막기란 불가능한 일이었다.

그렇게 재미있던 연기가 가슴을 울리지 않는다. 여기서 내가 뭘 하고 있나 싶었다. 상대에게 시간을 줄수록 마음도 줄어 버리는 건 아닐까? 차라리 여울이네 집 앞에 찾아가서 일단 잘못했다고 비는 게 낫지 않을까?

진희 씨가 갑자기 붙여 놓은 팩을 떼더니 핸드폰을 건네주며 말했다.

"은수 씨, 전화 계속 울리던데."

"전화요?"

되묻던 나는 멈칫했다. 핸드폰 화면을 본 심장이 덜컹 내려앉았다.

여울이다.

바로 다시 전화를 걸었다. 신호음이 길게 뻗었지만 받지 않았다. 등골이 서늘했다. 형민이 녀석의 목소리가 뇌리를 스쳤다.

– 여자가 울면서 전화했는데 안 오는 남자? 야, 그 새끼는 은하 제국 제1황태자여도 끝이야. 고잉메리호 10척 가지고 있어도 끝이라고.

네 번째 전화다. 역시 안 받는다. 이쯤 되면 귀찮아서라도 받아서 전화하지 말라고 화를 낼 녀석이었다. 묘하게 불길한 예감이 들었다. 이제 그만 용서해 주겠다며 전화를 한 거였다면 왜 전화를 안 받냐고 카톡으로 짜증이라도 냈을 녀석인데.

여섯 시를 조금 넘긴 시각.

평소 여울이 스케줄대로라면 회사에 있거나 막 퇴근을 했을 시간이었다. 급한 대로 박소영한테 전화를 걸었다.

– 어, 하은수?

"너 회사야?"

– 어, 야 지금 정신없어, 전화 끊어.

"여울이도 지금 회사야?"

– 그럴걸, 왜?

"전화를 계속 안 받는데."

– 지금 여기 정신이 하나도 없다니까? 회사 전체가 갑자기 정전돼 가지고…….

웅얼거리던 그녀는 "어? 잠깐만, 여울이한테 톡 왔었네."라고 하더니 놀란 듯 소리쳤다.

– 여울이 지금 엘리베이터에 갇혀 있다는데?

"뭐?"

올 여름, 기록적인 무더위로 인해 여기저기 정전 사태가 빈번하게 발생했다. 여울이네 회사도 그중 하나였다. 박소영은 별일 아니라는 듯 걱정하지 말라며 전화를 끊었다. 자초지종을 듣긴 했지만 뭐라고 했는지 잘 기억도 나지 않았다.

"너 왜 그래? 안색이 왜 이렇게 창백해?"

메이크업실에 들어온 재현이 형이 막 나가려는 나를 보며 놀라서 물었다.

"나 지금 가 봐야 할 것 같아."

"뭐? 어딜 가는데? 무슨 일이야?"

"여울이가 엘리베이터에 갇혀 있대. 근데 전화도 안 받고 카톡에 답도 없어. 핸드폰이 꺼진 것도 아닌데…….

당황한 나머지 말도 두서없게 흘러나왔다. 단순히 화가 났다고 전화를 안 받을 녀석이 아니었다. 안 받는 게 아니다. 못 받는 거다. 무슨 일이 생긴 게 아닐까?

"어디 엘리베이터에 갇혔는데? 직접 가려고?"

"내 차 지금 발렛되어 있지?"

"어, 그렇긴 한데……. 설마 운전해서 갈려고? 야, 안 돼! 너 지금 손 떨어."

"괜찮아."

이마를 짚은 뒤 크게 심호흡을 했다. 그리고 차분한 목소리로 말했다.

"감독님께 나 촬영 몇 시간만 좀 뒤로 빼 달라고 부탁드려 줘. 두세 시간만."

"그래, 그건 내가 잘 말씀드릴 테니까 걱정하지 말고."

숨을 자르르 뱉으며 눈꺼풀을 내리감는 내게 형은 괜찮을 거라며 말했다.

"별일 없을 거야. 그러니까 진정하고 운전 조심해, 알았지?"

부재중 전화 1통.

여울이가 무슨 생각으로 그 단 한 번 내게 전화를 했을지 생각하니 초조함에 마음이 급했다. 받았어야 했는데. 신호음만 가는 전화를 붙잡고 무서워서 울지는 않았을지, 어디 다쳐서 쓰러진 건 아닐지, 별의별 생각이 다 들었다.

'혹시 엘리베이터에 무슨 문제라도…….'

최악의 상상까지 하던 나는 전방을 향해 욕설을 뱉었다.

신호가 바뀌었음에도 한참 동안 움직이지 않던 앞차는 내 경적 소리에 놀라 얼른 엉덩이를 들었다. 바로 차선을 바꿔 달렸지만 신호에 또 걸려서 멈췄다. 입술 사이로 흘러나온 거친 숨소리가 핸들 위를 떠다녔다.

괜찮아, 박소영도 있잖아. 엘리베이터에 갇혔다고 카톡까지 한 거 보면 별일 없을 거야. 진정하자, 진정하자.

지난 열흘보다 더 지옥 같은 시간은 없을 줄 알았다. 그 고통을 갱신하려면 그건 정말 숨이 끊어지는 순간에야 느낄 수 있는 단말마 같은 고통일 것이라고, 혹은 심장이 쥐어 짜이는 듯한 아픔이 끊임없이 이어지는, 그런 살아서는 못 느낄 불가능한 감각일 것이라고.

여울이네 회사 건물 뒤편에 도착하자마자 구석에 차를 대고 박소영에게 다시 전화를 걸었다. 여울이가 화물용 엘리베이터에 갇혀 있다는 걸 듣자마자 전화를 끊고 비상계단으로 달렸다.

아픔보다 더 가혹한 것은 공포다. 벼랑 끝에 몰린 사람을 미치게 하는 것 역시 끝이 보이지 않는 아득한 두려움이었다. 금방이라도 발밑이 와르르 무너질 것 같이 쫓기는 기분, 이 모든 게 곧 끝장이라는 예감, 저 밑에는 아무도 없다는 허무한 고독감. 거기서 나를 이끌어 준 게 너였는데.

끽끽거리며 계단을 뛰어오르는 운동화 밑창 소리가 어둠

속에 울려 퍼졌다. 손잡이를 잡고 올라가는 와중 전화를 계속 걸었다.

9층이다.

굳게 닫힌 엘리베이터 문을 주먹으로 쾅쾅 두들겼다.

"여울아! 김여울!"

"김여울, 대답 좀 해 봐!"

그때 계속 전화를 걸던 핸드폰 화면이 환하게 빛났다. 그러더니 화면 너머에서 "여보세요……." 하고 희미한 목소리가 들려왔다.

아, 아 진짜…….

울컥하는 목울대에 목소리가 걸걸하게 잠겼다. 질끈 감은 눈꺼풀을 손등으로 가렸다. 하아, 하아 몰아쉬는 숨을 가라앉히며 고조된 감정을 식혔다. 겁먹고 울렁이던 가슴이 쉽사리 진정되지는 않았다.

엘리베이터가 다시 움직이고 쇳소리 섞인 마찰음과 함께 문이 열렸다. 여울이가 바닥에서 몸을 일으킨 채 나를 올려다보고 있었다. 서느런 가슴이 불안과 안도감으로 소용돌이쳤다. 내 얼굴을 물끄러미 응시하는 여울이의 검은 눈망울은 그날과 조금도 달라지지 않은 채였다.

아무 말 없이 바라보기만 하는 그녀의 눈초리가 매서웠다. 조금 전과는 전혀 다른 공포가 나를 형틀에 앉힌 채 발밑을 죄여 온다.

　- 나는 너 못 보면 죽어.
　- 그럼 죽어야지.

　단칼에 베어 내듯 서늘한 목소리였다. 뭐라고 말해야 할지 눈앞이 캄캄했다. 내가 가장 두려워하던 상황이 펼쳐지고 있었다.
　소유에는 상실이 수반된다. 누군가 소유를 한다면 다른 누군가는 그것을 상실하기 때문이다. 나는 상실하기 전에 소유하고 싶었다. 너의 마음과, 너의 시간을 독차지하고 싶었다.
　"잘못했어, 여울아."
　네가 원한다면 나는 이제 여기서 꼼짝도 하지 않을 것이다. 그게 네 얼굴을 영원히 못 보는 것보다는 나으니까. 두 번 다시 종알대는 너와 대화를 할 수 없는 것보다는, 그런 고통보다는 훨씬 덜할 테니까.
　그러니까 제발 안 본다는 말만은 하지 말아 주라. 내게 있어 그 말은 죽으라는 소리였다. 앞으로 감정 하나 느끼지 말고 그냥 숨만 쉬고 살라는 거였다. 나는 웃을 자격도 없고, 행복할 자격도 없고, 미래 따위 꿈꿀 자격도 없는 놈이라고, 그러니 내게서 너를 거둬 간다고.

"다시는 안 그럴게, 다시는…….."

어깨가 한없이 좁아진다. 깊고 어두운 갱도 속을 홀로 비틀비틀 걷는 기분이었다. 입구에 오도카니 서 있는 그녀로부터 점점 멀어지는 이 길의 끝은 절망과 고독뿐이다.

푹 숙인 고개 밑으로 바닥을 짚고 있는 여울이의 손이 보였다.

"……못 일어나겠어."

여울이가 아프다는 듯 툴툴대며 종아리를 쓸었다. 그녀는 멍청하게 서 있는 나를 향해 다시 한번 미간을 세게 좁혔다. '빨리 와서 일으켜 세워 주지 않고 뭐 해?'하는 표정이었다.

얼른 그 앞에 무릎을 꿇고 업히라는 시늉을 했다. 그녀가 말없이 등에 업혔다. 등 뒤에서 가만히 뺨을 대는 게 느껴지자 가슴이 먹먹했다.

"핸드백도 들어 줘."

평소에는 들어 준다고 해도 질색을 하면서 오늘은 심술을 부리듯 가방을 떠밀었다. 말문이 막혀서 잠시 핸드백을 쳐다보았다.

이건 그녀가 나를 용서하는 방식이다. 나를 길들이는 방식이다. 나를 억누르는 방식이다. 저항할 수 없다. 알면서도 저항할 수 없다.

오피스텔 앞에 도착하자 깜빡 잠들었던 여울이가 연이어 하품을 하며 기지개를 켰다. 선뜻 차에서 내리지 못하고 오피스텔 입구만 바라보는 여울이의 내려온 눈꺼풀이 지쳐 보였다.

"우리 집에 가 있을래?"

내 말에 그녀가 불안한 눈동자로 나를 응시했다.

"나 어차피 오늘은 밤샘 촬영이야. 거실에 불 켜 놓고 내 방에서 자."

"그럼 아예 안 들어와?"

"아침에는 들어갈 거야, 너 출근한 이후에."

그 말에 그녀의 입가가 느슨하게 풀어졌다.

"나 그럼 목욕해도 돼?"

여울이네 오피스텔에는 욕조가 없다. 그래서인지 그녀의 취미는 사람이 없는 우리 집에서, 다시 말하면 내가 없는 내 집에서 목욕을 하고 개운한 기분으로 만화책이나 영화, 각종 드라마를 감상하는 거였다. 물론 그런 날에는 냉장고 가 각종 반찬과 먹을 것들로 가득 채워져 있다. 여울이는 우리 집 냉장고가 텅 비어 있는 걸 싫어한다. 그 사실을 안 이후 나는 더더욱 냉장고를 채워 두지 않는다.

"해도 돼. 너 좋아하는 그 브랜드 입욕제 있으니까 꺼내 써."

"피아노 쳐도 돼?"

"건반 부수지만 않을 거면 얼마든지."

"팝콘 해 먹어도 돼?"

팝콘이라. 쟤가 그거 한번 하면 주방이 거의 폭격 맞은 수준으로 난장판이 되는데.

"영화 보면서 팝콘 먹고 싶은데."

"……."

"안 돼?"

안 된다고 하기만 해 봐, 라는 표정이 보였다. 허락을 구하듯 묻고 있지만 감히 거절이라는 걸 할 생각은 말라는 어조였다. 본능적으로 느꼈다. 여기서 개기면 최소 십 년은 각오해야 한다는 것을.

"안 되긴……."

"돼?"

"돼. 너 하고 싶은 거 다 해도 돼. 목욕도 하고, 피아노도 치고, 영화도 결제해서 보고, 팝콘도 먹고."

여울이가 눈을 흘기며 차문을 열었다. 평소보다 몇십 배는 다정한 말투와 예쁜 눈웃음을 보이는 내가 수상하다는 기색이었다. 뒤를 흘끔거리며 멀어지는 그녀의 뒷모습에서 눈을 못 떼고 바라보던 나는 지친 기색으로 운전대 위에 쓰러지듯 엎드렸다.

하아.

피가 마른다.

"병원?"

- 응. 대학 병원은 대기가 너무 길어서.

"어디로 가는데?"

- 선릉에. 촬영장이야?

"응. 다녀와서 전화해, 저녁 먹자."

- 나 저녁에 약속 있는데.

"누구랑?"

- 그냥 친구랑.

묘한 어감이다. 박소영이면 박소영, 고등학교 친구면 고등학교 친구 누구, 회사 사람이면 회사 누구라고 말하는 녀석이 그냥 친구라니? 내 침묵에 그녀가 머뭇거리다가 입을 열었다.

- 중학교 동창회 있어, 오늘.

통화를 종료한 뒤 가만히 핸드폰 화면을 응시했다. 그렇게 가기 싫어했던 동창회를 나간다고? 그걸 굳이 왜 나가냐는 물음에 그녀는 얼버무리며 답변을 피했다.

잠시 이마를 짚고 서 있던 나는 고민 끝에 다시 통화 버튼을 눌렀다.

― 여보세요?

"박소영, 오늘 동창회 어디서 해?"

― 그건 왜?

"어디냐고."

― 그니까 왜? 설마 가게?

당장이라도 달려갈 듯 준비하는 내 발목을 힘주어 붙잡는 목소리. 침묵하는 박소영의 엄한 눈초리가 눈앞에 선명히 보이는 듯했다.

― 하은수.

"왜?"

― 너 여울이 좋아해?

"……."

― 여울이 좋아하냐고.

내 말에 그녀가 어떤 반응을 일으킬지 생각했다. 분노? 살기? 뭐가 되었든 살벌한 눈빛으로 절대 안 된다며 펄펄 날뛸 확률이 제일 높긴 하다. 쟤가 총 들고 나오면 답 없는데.

― 언제부터 좋아했어?

"오래전부터."

내 말에 그녀는 놀랐는지 숨소리를 냈다. 이왕 이렇게 된 거 뻔뻔해지기로 했다. 어차피 여울이가 그녀에게 가서 우리 일을 털어놓는 것도 시간문제였다.

― 너 왜 그때 그 일 사실대로 말 안 했어? 여울이는 아직도 모르고 있던데.

"그때 그 일이라니?"

― 우리 중3 때, 너 맹장 수술하고 병원에 입원해서 내가 찾아갔던 날 있잖아. 여울이는 지금도 네가 그 언니를 많이 좋아했다고 생각해. 네 첫사랑이었다고, 그래서 자기 고백도 받아 주지 않은 거라고.

내 마음을 알면서 애써 무시하고 두 눈을 감은 채 손으로 양 귀를 틀어막는 여울이의 발끝은 늘 나침반처럼 그날을 가리키고 있다. 여울이는 두려운 거다. 그때로 돌아가는 게, 그래서 모든 게 되풀이되는 게.

사실 수없이 사실대로 말하고 싶었다. 그 당시 나도 너를 좋아하고 있었다고, 어리고 서툰 내가 너무 늦게 마음을 깨달아서 미안하다고. 그렇게 시간에 마음을 맡기고 도망친 걸 후회한다고.

말없이 듣던 나는 입을 열었다.

"여울이는 날 만나면 네 얘기를 제일 많이 해."

예전부터 그랬다. 오늘은 소영이랑 만화책방에 가서 뭘 읽었고, 할매네 떡볶이를 먹으러 갔는데 줄이 이따만큼 길었고…….

그건 지금도 변함없었다. 소영이랑 점심때 강된장집에 갔고, 퇴근 후에 맥주 한잔을 하면서 스트레스를 풀었고, 요전번에는 고양이가 있는 카페에 갔고…….

"박소영 네 얘기가 절반이야, 널 정말 많이 좋아해."

가끔은 질투가 날 정도로.

"네가 알고 그랬던 것도 아니고, 당시에는 너도 그게 여울이를 위한 일이라 생각하고 그랬다는 거 알아."

박소영은 아무 말도 하지 않았다. 놀랐겠지, 설마 내가 여울이를 그때부터 좋아했을 거라고는 생각지도 못했을 테니까.

- 그래, 그랬었지…….

그녀의 가라앉은 목소리가 후회하는 것처럼 들렸다. 딱히 할 말을 찾지 못한 채 잠시 침묵하는 건 사죄의 뜻일까? 박소영을 원망한 적은 없었다. 그날 일은 어찌 되었든 간에 내 선택이었고, 내 잘못이었다.

- 철산 상업 지구 써드 키친이야.

"고맙다."

끊으려는 찰나 그녀가 한숨을 쉬며 말했다.

― 나한테도 그래.

"뭘?"

― 여울이 말이야. 늘 네 얘기만 해.

오늘은 은수네 집에 가서 영화를 봤고, 오늘은 은수가 메이스 카페에서 치즈 케이크를 사다 줬고, 네가 한국에 없어도 항상 네 얘기만 해. 우리 건담 보고 싶다면서, 뭐 하는지 궁금하다면서, 같이 있어야 안심이 된다면서.

그녀는 힘없이 웃으며 말을 덧붙였다.

― 가끔은 질투가 날 만큼…… 은수 네 얘기만 해.

"좋아하면 어쩔 건데?

걸음이 멈칫했다. 날 조용하게 맞이한 꽁지머리 사장도 놀란 듯 바텐더인 알바생과 수군거렸다.

화사한 옷차림을 한 여자가 여울이에게 쏘아붙이듯 말하고 있었다. 나는 낯선 듯 익숙한 여자의 외양을 자세히 뜯어보다가 멈칫했다.

설마 이윤아?

나를 발견한 이윤아의 입에 찢어질 듯한 미소가 걸렸다. 그녀는 차분한 내 표정에서 뭔가를 기대하는 듯 희열 어린 눈빛을 보냈다.

"들었지? 김여울이 너 좋아한대."

돌아선 여울이의 눈동자가 당황한 듯 커졌다. 미처 숨기지 못한 그녀의 마음 한구석이 드디어 문틈 사이로 보인 듯한 기분이 들었다.

좋아해, 하은수.

그 한마디를 다시 들을 수만 있다면 나는 무엇이든 할 준비가 되어 있다. 딱 한 번만 더 들을 수만 있다면.

가슴이 두방망이질하듯 빠르게 뛰었다. 여울이는 아니라고 부인하듯 입술을 깨문 채 단호한 표정을 짓고 있었다. 그러나 의연한 척 서 있는 그녀의 눈동자 속에 줄곧 감춰져 있던 진실이 엿보였다. 바스러질 듯 흔들리는 그녀의 눈망울 뒤편에는 금방이라도 울음을 터뜨릴 듯 몸을 잔뜩 웅크린 소녀의 모습이 숨어 있었다.

나는 그녀의 몸을 와락 끌어안은 채 고개를 숙였다. 간절한 입술에 부드러운 목덜미가 닿았다. 두근두근 뛰는 여울이의 심장 소리가 동맥을 타고 느껴졌다.

시간이 멈춘 듯한 느낌이란 바로 이런 것이다. 모든 세포가 숨을 죽인 순간, 나는 오로지 그녀만을 느끼기 위해 온몸의 신경을 곤두세운다. 주변에서 무슨 일이 일어나든 간에, 얼마나 많은 눈총이 쏟아지든 간에, 지금 이 순간만큼은 그녀 외에 아무것도 보이지 않았다.

이런 상황 속에서 이성적으로 판단을 내릴 수 있다면 그건 사랑에 빠진 남자가 아닐 것이다. 내 사고 회로는 그녀의 체취에 취한 채 제 기능을 상실한 지 오래였다. 누군가 머릿속에서 외쳤다. 지금이라고, 바로 지금이라고.

"좋아해."

숨을 크게 들이마시는 소리가 들렸다. 여울이는 많이 놀랐는지 아무 말도 하지 못한 채 조용히 품 안에 안겨 있었다.

너는?

그렇게 묻고 싶은 입술을 꽉 깨문 채 가만히 눈을 감았다. 재촉하지 말라던 형민이의 목소리가 떠올랐다.

조용히 나가자고 속삭였다. 그녀는 말없이 고개를 끄덕였다. 자연스럽게 서로의 팔을 잡고 걸었다. 어서 빨리 둘이서만 있고 싶었다. 그녀도 그걸 원하는 듯했다.

차에 타자 기묘한 분위기가 흘렀다. 차량용 디퓨저에서 달콤한 향이 흘러나왔다. 여울이는 저런 달달한 냄새를 좋아한다.

"은수야."

나를 바라보던 여울이가 갑자기 내 뺨을 잡았다.

"눈 감아 봐."

그녀의 손아귀에 갇힌 채 무언가를 기다리는 나는 무기력한 남자가 된 것 같으면서도, 절대적인 포로가 된 듯한 역설적인 감정에 휘말렸다. 공포와 설렘이 동시에 심장을 내리쳤다.

눈을 감자, 코앞에서 느껴지는 숨결이 아랫입술을 천천히 베어 물었다.

미칠 것 같았다.

그녀의 혀가 다물린 입술 사이를 간질이며 비집었다. 허벅지 사이가 뻐근해져 갔다. 시트를 꽉 움켜잡았다. 그렇지 않으면 터질 듯 솟아오르는 감각에 정신을 놓아 버릴 듯했다.

여울아, 여울아, 그만해. 못 참겠어, 여울아…….

그녀가 입술을 맞댄 채로 숨을 할딱였다. 가쁜 숨 사이로 잠시 주저하는 입술이 나를 어루만지듯 할짝였다. 나도 모르게 고개를 뒤로 젖히며 신음을 내뱉었다. 내 가슴을 짚은 그녀의 손가락이 말초 신경을 할퀴듯 긁었다. 쾌감에 젖은 모골이 오스스 곤두섰다.

잠시 물러서는 그녀의 입술에 몸을 튕기듯 일으켰다. 순식간에 낚아채듯 그녀의 혀를 빨아 먹으며 밀어붙였다. 여울이가 '읍!' 하고 숨 막히는 소리를 내뱉었다. 내게 그런 걸 봐줄 여유는 없었다. 시트 옆을 쥐어뜯을 듯 잡고 있는 손을 억제하기도 바쁜 자제심이었다.

정신없이 키스를 하다 보니 어느새 그녀의 목덜미를 물고 있었다. 어깨에 붉게 남은 자국이 내 혀가 즐긴 향연의 증거였다.

멈춰, 여기서 멈춰, 멈춰야 돼, 멈추라고.

어느새 시트에 눕혀진 그녀가 나를 몽롱한 표정으로 바라보고 있었다. 입술 색이 연해진 채 부르터 있었다. 붉게 부풀어 오른 아랫입술이 나를 유혹하듯 입김을 흘려보냈다.

"만지지 마."

그녀의 손이 머뭇거리더니 허공에서 멈췄다.

"왜?"

"그냥……. 지금은 만지지 마."

꿈속에서만 볼 수 있었던 광경이 눈앞에 펼쳐져서일까? 허벅지 사이에서 커진 근육이 팽창한 채 지칠 줄 몰랐다. 끓어오른 감각을 냉각시켜 보려 했지만 그녀의 드러난 어깨선과 부서질 듯한 쇄골을 보기만 해도 눈앞이 아찔하게 흐려졌다.

그래도 아껴 주고 싶다.

너무 원해서 온몸을 빨고 으스러질 듯 안으며 사랑해 주고 싶지만, 한편으로는 세상에서 제일 섬세한 공예품을 만지듯 손끝에 닿는 것조차 두려워하며 애틋하게 여기고 싶었다.

"좋아해, 정말 많이."

지금 이 순간 내 팔 안에 있는 너의 존재 자체가 꿈결처럼 다가오듯, 벅차오르는 감정이 눈시울을 울컥 적셨다.

사실은 사랑한다고 말하고 싶었다. 하지만 그랬다가는 여울이가 너무 놀라서 도망갈까 봐, 풍선처럼 부풀어 오르는 마음을 절제하고 또 절제해서 말했다.

정말 많이 사랑하고 있는데.

그러나 내 예상과 달리 그녀는 눈에 웃음기를 머금은 채 양팔을 뻗었다. 그러고는 모든 걸 알고 있다는 듯 나를 끌어안고서 속삭였다.

"응, 알아."

아.

어느 봄날처럼 말그스레한 목소리였다.

19. 그날 이후, 우리

19. 그날 이후, 우리

　수요일 아침, 한남동 카페 거리는 쥐 죽은 듯 고요했다. 아직 문 열지 않은 카페에 연락을 해서 기다리고 있던 나는 통유리 벽 너머를 응시했다. 하얀색 SUV 한 대가 카페 앞에 주차를 하는 게 보였다. 운전석 문을 열고 나온 30대 후반의 남자는 핸드폰을 꺼내 문자를 확인하더니 차 문을 닫았다. 오전 9시 48분. 약속 시간보다 약 10분 이른 시간이었다.

　"그러니까 기사를 써 달라고?"

　원형 테이블 맞은편에 털썩 앉은 최 기자가 하품을 하며 물었다. 서로 얼굴을 보고 말하는 건 2년 만이었다. 인사도 생략하고 본론부터 꺼내는 급한 성격도 변함없다.

"잘, 써 달라고."

"어떻게 잘 써 주면 되는데?"

"아름답게, 최대한 포장해서."

"뭐에 관한 건데?"

나는 조용히 그를 응시했다. 내 시선을 바라보던 최 기자의 입가에서 웃음기가 서서히 사라졌다.

"뭐야……. 너 사고 쳤냐?"

"사고라기보다는 사건인데."

"사건? 뭔 사건? 그간 스캔들 하나 없던 네가 낼 사건이 뭐가 있어?"

나를 물끄러미 바라보던 그가 멍한 표정으로 말했다.

"설마 그거야?"

나는 인상을 쓰며 되물었다.

"기사 쓸 거야, 말 거야?"

"어? 어, 야 써야지. 써야지! 잠깐만!"

그는 허둥지둥 가방에서 노트북을 꺼내며 냅킨으로 부산스럽게 테이블을 닦았다.

"여자 친구는 일반인이야. 그러니까 기사는 최대한 그녀 입장에서 써야 해. 제일 중요한 건 내가 여자 친구를 십 년 넘게 혼자 좋아했다는 건데……."

"십 년 넘게?"

"중학교 때부터 같은 동네 살면서 알고 지낸 사이야. 나 홀로 짝사랑하다가 고백하고 또 고백해서 매달리다 겨우 사귀게 된 걸 강조하면 좋겠어."

"야, 그게 말이……."

최 기자는 손사래를 치다가 내 무표정한 얼굴을 보더니 웃음을 뚝 그쳤다. 농담할 분위기가 아니란 걸 눈치챈 듯했다. 그는 고개를 끄덕이며 중얼거렸다.

"뭐, 그럴 수도 있지. 충분히 가능한 일이야. 그래서 예전에 하은수 게이설이 돌았구나? 십 년 넘게 혼자 사리 빚으면서 도 닦은 줄도 모르고 사람들이 참 잔인했네. 야, 내가 기사 잘 써서 너 아주 순애보로 만들어 줄게. 나만 믿어."

게이설이 돌았다고? 처음 듣는 얘기에 잠시 헛웃음을 흘렸다.

2년 전, 최 기자는 〈지휘자 하동준의 아들과 좌절한 피아노 천재〉라는 타이틀을 덧붙여 한 편의 아침 드라마를 기사로 써냈다. 기사는 오히려 영화 흥행에 도움이 되었고 결과적으로 그와는 형·동생 하는 사이가 되었지만 그렇다고 내가 저 남자를 좋게 보는 건 아니다.

우리와 기자들의 관계란 악어와 악어새처럼 아름다운 공생 관계일 수가 없다. 웃는 얼굴로 펜을 든 채 태연하게 사람을 죽였다가 살리는 게 저들이 하는 일이었다. 그래 놓고서는 나 몰라라 뒷짐 진 채 박수를 친다. 내 기사가 너에게 약이 되면 좋고, 독이 되면 할 수 없고, 그런 식이다.

때때로 서로의 이익을 위해 피 묻은 손으로 악수를 청할 수는 있다. 여차하면 허리춤에 감춰 둔 칼로 베어 버릴 각오를 품은 채로.

"너 곧 방영될 그 드라마, 무슨 네 실제 첫사랑 얘기라는 소문이 파다하던데."

"맞아, 내 얘기야."

최 기자는 여전히 믿지 못하겠다는 기색이었다. 결혼이 확정된 것도 아니면서 고작 열애설로 끝날 이슈에 이렇게까지 스스로 리스크를 자청하는 이유가 뭐냐는 듯한 표정이었다.

"나는 지금 이 상황이 그녀에게 조금이라도 피해 갈까 봐 걱정돼. 행여나 여자 친구가 상처받고 나랑 그만 만나고 싶다고 할까 봐."

최 기자는 타이핑을 치면서 내 얼굴을 흘끗 관찰했다.

"여자 친구가 은수 씨를 별로 안 좋아하나 봐?"

"설마."

나는 가느다란 눈웃음으로 답했다.

"걔도 나 되게 좋아해."

최 기자는 어이없다는 표정을 짓더니 문단 하나를 통째

로 지우기라도 하듯 자판 위의 삭제 키를 타타닥 빠르게 눌렀다. 펜촉을 입에 문 그가 드디어 진지한 태도로 인터 뷰를 하기 시작했다.

"그래서 그 여자분을 어쩌다가 좋아하게 되었는데? 뭐 특별한 계기라도 있었어?"

"특별한 계기?"

"뭔가 드라마틱한 사건이라든가 그런 게 있었냐고."

내가 여울이를 좋아하게 된 계기. 그런 걸 생각해 본 적은 한 번도 없었다. 내가 걔를 언제부터 좋아했더라. 아주 오래전부터인 건 확실한데, 정확히 어느 순간부터 마음에 담았는지…….

"모르겠는데."

"야, 뭔 얘깃거리를 줘야 기사를 쓰지."

"정말 그냥 어느 순간부터 옆에 있는 게 당연해서…….없으면 안 되는 존재라고 하면 이해되려나?"

"옆에 없으면 안 되는 존재, 그거 괜찮네."

고개를 끄덕인 그는 소제목 한 줄 얻었다는 듯 다시 자판을 두들겼다.

"부모님 이혼으로 힘든 상황에 피아노까지 포기했을 무렵 나를 다시 건반 앞으로 데려온 것도 그 녀석이야. 지금 생각해 보면 그 트라우마가 성인 되어서 우울증으로까지 번질 수도 있었는데, 어둡고 비뚤어질 뻔했던 놈이 멀쩡하게 잘 큰 것도 모두 여자 친구 덕분이었어."

"그런 얘기까지 써도 돼?"

평소 아버지 얘기라면 치를 떠는 내 모습을 잘 아는 최 기자였다. 그 얘기를 세상에 알린 게 본인이라는 자각은 있는지 가끔 저렇게 양심에 찔린다는 시늉을 했다.

"써도 돼."

여울이를 위해서라면 더한 이야기도 할 수 있다. 더한 것도 팔아먹을 수 있다. 이쯤이야 뭐 아무렇지도 않다.

"이 정도면 러브 스토리가 아니라 그냥 인생 극장인데?"

"그럼 그렇게 써. 내 인생을 바꿔 놨다고."

"아니, 그래도 뭐……."

"그냥 하은수는 이 여자 없으면 안 된다는 식으로 쓰라고."

최 기자는 머리를 긁적이며 다시 노트북에 코를 박았다. 제 나름대로 어떻게 쓸지 고민하는 기색이었다.

"한 사람을 십 년 넘도록 그렇게까지 좋아할 수 있는 건가? 난 좀 이해하기 힘든데."

"이해하려 하지 마, 그냥 기사만 써 주면 돼."

내 말에 최 기자가 눈초리를 구겼다. 그렇게 말하니 오히려 더 알고 싶다는 기색으로.

누군가의 삶을 굳이 논리적으로 해석하려 들 필요는 없

지 않나? 본인이 납득하지 못하면 허무맹랑한 것으로 치부하려 드는 사람들이 너무 많다.

이런 사랑도 있고 저런 사랑도 있는 법이다. 사랑하는 사람을 위해 목숨을 바치는 연인이 꼭 영화 속에만 등장하는 게 아닌 것처럼.

방패가 되어 나를 끌어안던 그녀의 배꼽에서 느껴지던 따뜻한 온기와 안도감, 감정적 벅차오름. 그걸 느낀 순간, 내 삶을 차지한 그녀의 존재가 새삼 거대한 물살로 다가왔다.

그건 나만 느낄 수 있는 감정이었고 그렇기에 소중한 거였다. 누가 알아줄 필요도 없고, 알려고 해서도 안 되는 것.

언젠가 여울이가 만화책을 읽다가 문득 고개를 들며 말했다. 때로는 공감하려 들지 않는 게 공감해 주는 것보다 고마운 법이라고. 바꿔 말하면 무관심이 제일이란 소리다. 세상이 우리에게 무관심을 줬으면 좋겠다. 물론 불가능한 일이겠지만.

최 기자는 갑자기 뭔가 생각났다는 듯 고개를 들며 말했다.

"아참, 저번에 네가 알아보라고 한 거 있잖아. 그 누구냐……. 서울 액션 스쿨 이형욱 팀장?"

"알아봤어?"

"그 사람, 생각보다 더 시궁창이던데."

최 기자가 핸드폰으로 보여 준 사진에는 후드에 모자까

지 쓴 이형욱의 모습이 찍혀 있었다. 주위를 살피는 듯한 사진 속 그의 행동은 한눈에 봐도 수상쩍었다.

"너랑 재현이가 부탁하는 거라서 내가 진짜 발바닥에 땀띠 나게 뛰었다. 이 자식, 뽕쟁이야. 이미 갈 데까지 갔더라고. 이런 애가 껴 있으면 네 작품에 똥물 튀기는 거 아니냐?"

"홍 대표도 알아?"

"문제는 홍 대표가 지금 중국에 있다는 거야. 그 양반 성격에 알면 가만 안 둘걸?"

"오게 하면 되지."

"글쎄, 오라고 올 사람이······."

나를 쳐다보던 최 기자의 입꼬리가 얄궂은 미소를 그렸다.

"물론 누가 오라고 하느냐에 따라서 다르겠지만. 근데 너 원래 이런 일 관여 안 하잖아. 남 일에 신경 안 쓴다가 하은수 모토 아니었냐? 철저한 개인주의자께서 웬일로 자청해 구정물에 발을 담그실까?"

"남 일이 아니라서."

"왜? 개인적으로 아는 사이야?"

"그런 게 있어. 기사 쓸 거야, 안 쓸 거야?"

"써야지, 써야지."

그럼에도 여울이와 내 세상이 평화롭기 위해서는 관중들의 박수가 필요하다. 내 세상에는 창문이 너무 많아서, 들여다보는 시선이 너무 많아서, 커튼을 치기 전에 거짓으로나마 미소를 보여 주는 것처럼 막간의 연기는 필수 요소였다.

세상은 그게 예의라고 생각하니 말이다.

"저녁에 촬영 없어?"

차 문을 열고 들어온 여울이에게서 청량한 바람이 묻어났다. 자잘한 나뭇잎 패턴이 새겨진 버건디색 블라우스에 물 흐르듯 떨어지는 검은색 시폰 바지. 어깨에 닿는 머리칼 끝이 연한 웨이브로 말려 있었다. 오늘 그녀의 모습은 막 단풍이 들려 하는 가로수의 잎사귀처럼 눈길을 사로잡는다.

"오늘은 없어."

안전벨트를 잡고 있는 여울이의 손에서 긴장이 느껴졌다. 평소와는 사뭇 다른 차 안의 공기에서 어색함이 흘렀다. 둘 중 누구의 것인지 알 수 없는 심장 박동이 들려오듯 가슴이 요동쳤다.

"뭐 먹으러 갈래?"

"그냥 사 가지고 집에서 먹자."

그녀의 말에 핸들을 꺾었다. 어디로 갈까? 내 질문에 그녀가 갑자기 마음이 바뀐 듯 소리쳤다.

"아, 아니다! 그냥 밖에서 먹을까?"

나는 브레이크를 밟으며 조수석을 응시했다. 밤이 좋겠다며 중얼거리는 여울이의 동공이 회피하듯 창밖을 응시했다. 귀까지 빨개진 뺨이 보였다. 그녀의 손은 여전히 안전벨트를 꼭 쥐고 있었다.

　회사 건물들 사이로 난 한산한 골목길. 막 퇴근을 하는 사람들이 바삐 걸어간다. 우리 사이에 흐르는 정적처럼 황급하고 빈번했다. 약간의 조급함도 묻어났다.

　"여울아."

　"응?"

　고개를 홱 돌리지는 못하고 곁눈질을 하는 여울이의 자세가 방어적이었다. 몸이 평소보다 저쪽으로 더 기울어져 있었다. 손을 뻗어도 쉽게 닿지 않을 만큼 멀다. 그녀의 왼뺨을 바라보는 내 눈초리가 가늘게 늘어졌다.

　"내가 무슨 짓 할까 봐 그래?"

　내 말에 이쪽을 흘끔 보는 그녀의 시선이 흔들렸다. 아주 오래전의 여울이를 보는 듯했다. 내 말과 행동 하나하나에 소스라치게 놀랐다가, 펄쩍 뛰었다가, 아니라고 잡아떼면서 짐짓 턱에 힘을 준 채 노려보는 고집스러운 소녀.

　나는 조수석 머리 쪽을 손으로 짚고 비스듬히 몸을 숙였다. 입술이 숨결을 삼키기 직전, 눈을 질끈 감고 있는 그녀에게 속삭이듯 물었다.

"아직도 낯설어?"

내 목소리에 여울이가 실눈 뜨듯 한쪽 눈만 떴다. 뺨이 불그스름해진 여울이가 나를 응시했다. 이번에는 시선을 회피하지 않는다. 다만 부끄러울 뿐이다. 갑작스럽게 변한 우리 관계가 그녀는 다소 민망한 듯했다.

대답을 듣고자 물은 건 아니었다. 뭔가 말하려고 옴짝거리는 그녀의 입술이 눈길을 사로잡았다. 그대로 고개를 숙이며 보드라운 뺨을 잡았다. 문지르듯 맞댄 입술 촉감에서 긴장이 묻어났다.

"키스하니까 이상해?"

"응."

나는 핸들에 팔을 괸 채 뺨을 짚었다.

"먼저 덮친 건 너잖아."

짓궂은 미소로 놀리자 여울이가 인상을 쓰기 시작했다. 소리 없이 흘겨보는 눈매가 관능적이다. 비스듬한 자세로 다시 한번 입술을 겹쳤다. 아랫입술을 빨아들이는 소리에 가늘어진 눈초리가 눈을 질끈 감으며 신음을 삼킨다. 감긴 눈꺼풀 아래로 숨소리가 고조되면서 서로의 입술을 축축하게 적셨다. 여울이가 움찔거리며 어깨를 뒤로 뺐다. 그녀의 블라우스 단추를 풀던 내 왼손이 허공에서 멈췄다.

"잠깐만."

여울이가 빨개진 얼굴로 고개를 숙였다. 그러더니 내 목덜미 근처에서 작은 입김과 함께 속삭였다.

"심장이 터질 거 같아."

일순 얼어붙은 몸 가장 깊숙한 근육이 팽창하는 걸 느꼈다. 여울이가 이렇게 자기 마음을 자그마하게 고백할 때, 내 가슴은 무섭게 질주하다가 황홀감에 잠기며 서늘해진다.

사귀기만 하면 될 줄 알았는데……. 두근거림에 헐떡이는 몸은 그보다 더한 걸 원하고 있었다.

"왜 그래?"

나를 바라보는 여울이의 눈동자가 불안한 듯 흐리게 물들었다. 그런 것들을 하고 싶다. 짐승처럼 이성을 잃은 내가 밤마다 꿈속에서 알몸의 너에게 해 온 짓들을.

"여울아."

"응?"

"오늘 데이트는 취소하고, 우리 집에 갈까?"

"데이트하고 가면 되잖아."

"지금 가고 싶어."

여울이의 눈이 커졌다. 나는 그녀의 입술에 다시 숨결을 가져다 대며 서근서근하게 속삭였다.

"못 참겠어, 이제."

그날 이후, 우리 사이가 눈에 띄게 달라졌냐고 묻는다면 아니라고 답할 수밖에 없다. 내 휴대 전화에 여울이는 여전히 김쇼팽이고, 그녀의 단축 번호 1번은 여전히 아무도 저장되어 있지 않으며, 나는 여전히 이웃집 건담일 뿐이다.

다만 서로의 숨결이 닿는 거리가 급격히 좁혀졌다. 멀리서 턱을 괸 채 바라볼 수밖에 없던 그녀의 입술을 가까이서 물고 삼키며, 눈이 마주칠 때마다 서로의 콧등을 비비며 웃는 것.

그게 지금의 우리 둘 사이였다.

"냉장고에 먹을 거 없을 텐데."

현관에서 구두를 벗고 들어온 여울이는 욕실에서 손을 씻은 뒤 곧장 주방으로 향했다. 침실에서 옷을 갈아입고 나온 나는 소파에 앉아 그녀를 바라보았다.

"배 안 고파?"

"안 고파."

"저녁 안 먹게?"

"밥 먹으려고 온 거 아닌데."

내 말에 여울이가 멈칫한 눈으로 돌아섰다. 나를 탐색하듯 빤히 응시하는 눈초리에 갖은 생각이 뒤얽혀 있는 게 보였다.

"이리 올래?"

자연스럽게 벌린 내 양팔을 몇 초 쳐다보던 그녀는 경계

어린 발걸음으로 머뭇거리다가 다가왔다. 양팔 사이로 들어온 허리를 가득 끌어안자 그녀가 자연스럽게 내 허벅다리 위에 앉았다.

"뭐 할 건데?"

"김여울이 좋아하는 건 뭐든."

"내가 좋아하는 게 뭔데?"

"음……. 야한 거?"

길게 들이마셨다가 내뱉는 숨소리가 커졌다. 여울이가 신경질적인 눈초리로 나를 내려다보고 있었다.

"내가 누구처럼 하루 종일 그것만 생각하는 줄 알아?"

"아니었어?"

"진짜 죽을래?"

짓궂은 웃음이 새어 나왔다. 비스듬히 기울인 눈빛에서 내가 무슨 짓을 할지 알아챈 그녀의 표정도 조금 긴장한 듯 어색해졌다.

조그마한 턱을 잡고 아랫입술을 베어 물었다. 보드라운 뺨의 홍조에서 열감이 느껴진다. 어느새 그녀의 두 손도 내 뺨과 콧날을 매만지고 있었다.

두 번 중 한 번은 키스에 적극적인 그녀가 입을 맞추며 가느다란 목구멍 사이로 야한 목소리를 내뱉었다. 자그마한 손으로 내 몸과 입술을 애무하듯 어루만졌다. 부드러운 손가락에 휘감긴 나는 쾌감에 젖은 채 신음을 흘렸다.

"여울아."

"왜?"

기분이 좋아서 입가에 느른한 미소가 걸렸다.

"이웃집 남자애랑 사귀면 뭘 해 보고 싶었어?"

"뭐래……."

그녀가 당황한 듯 시선을 회피했다. 나는 도망치는 귓바퀴를 낚아채듯 더운 바람을 불어넣으며 속삭였다.

"턱이 빠질 듯한 키스?"

"야!"

"아니야?"

"아니거든."

"거짓말."

네가 자주 보던 '15세 미만은 보지 마세요' 만화책이랑 소설책에서 내가 분명 봤는데?

"나랑 그런 거 해 보고 싶었잖아."

키스만으로 주인공의 다리 힘이 빠지고 눈에 힘이 풀리는 장면들.

입술이 부르튼 여울이가 나를 가늘게 흘겨보았다. 불그스름한 뺨이 이번에는 아니라고 말하지 못한 채.

"오늘은 내가 해 보고 싶었던 거 해도 돼?"

"그게 뭔데?"

그녀의 허리를 손으로 잡고 양다리 사이로 바짝 당겨 안았다. 이마와 뺨에 닿는 그녀의 가슴과 부드러운 팔이 경직하듯 굳었다. 두 번째 단추까지 잠겨 있는 블라우스 단추를 풀고 쇄골과 가슴골 사이에 촉 입을 맞췄다. 미끄러지는 살결에 혀를 내밀고 가슴골 아래에서 위로 살덩이를 올리듯 핥았다. 혓바닥에서 느껴지는 무게감에 쪽 빨린다.

"이런 거."

멍하니 나를 쳐다보던 여울이가 빨개진 얼굴로 날 밀어내듯 벌떡 일어섰다. 순순히 팔을 풀었다. 홱 돌아선 그녀가 어디론가 걸어가자 나는 턱을 괴고 웃었다.

"샤워하러 가?"

"아니거든."

"그럼 어디 가?"

"몰라."

"어디 가? 가지 마."

"집에 간다."

"왜? 뭐 놓고 왔어?"

현관에 선 여울이가 나를 보더니 부끄러움과 민망함이 뒤섞인 얼굴로 헛기침을 하더니 쏘아붙였다.

"여자는 준비할 게 많아, 바보."

멍하니 닫힌 문을 보던 나는 천천히 눈을 깜빡였다. 뒤늦게 정신을 차리며 아, 하고 일어섰다.

당황한 시선으로 두리번거리며 핸드폰을 찾았다. 편의점? 약국? 머릿속으로 가까운 곳의 위치를 빠르게 떠올렸다. 마스크와 모자를 낚아챈 뒤 서둘러 현관을 향해 뛰었다.

여자들은 원래 이렇게 오래 걸리나? 온몸이 달아오른 채기다리기만 40분째. 평소에 밥 먹으러 가자고 하면 5분 만에 튀어나오는 애가 대체 뭘 하느라 이렇게 오래 걸리는 건지. 기대감과 동시에 애가 타 죽을 지경이었다.

괜히 일어나 주방 근처를 서성였다. 냉장고에 붙어 있는 포스트잇을 읽고 침실 화장실은 깨끗한지 확인하고, 이불 위에 멍하니 앉아 있던 찰나.

초인종 소리다!

벌떡 일어나서 거실 인터폰 화면 앞으로 향했다. 화면을 보자마자 눈이 커졌다. 현관문 비밀번호도 알면서 초인종을 누른 채 얌전히 기다리는 여울이의 모습에 풋 하고 웃음이 새어 나왔다.

귀여워 죽겠네.

뭔지는 모르겠지만 그녀가 원하는 대로 맞춰 주기로 했다. 현관으로 걸어가 직접 손으로 문을 열어 주었다. 문틈 사이로 밀려들어 오는 복도 공기에서 편안한 숲 향기가 났다. 평소 여울이가 가장 아끼는 비누 향이었다. 가슴에 뭔가를 잔뜩 끌어안은 그녀가 나를 발그레한 얼굴로 바라보고 있었다.

가슴이 요동치듯 벅차올랐다. 마치 첫 방문을 하듯 머쓱해하는 그녀의 행동이 미칠 듯한 설렘을 안겨 줬다. 나에게 여울이는 오랜 친구라기보다는 오랜 사랑이었다. 매년 습관처럼 찾아오던 설렘과 그리움의 주인공. 기침처럼 나를 지치게 하던 고통과 슬픔까지도, 무수히도 많은 시간 그녀를 앓게 하던 온갖 감정이 뇌리를 스쳤다.

머뭇거리는 여울이의 팔을 끌어당겨 입술을 겹쳤다. 문이 철컥 닫히면서 하반신을 바짝 붙이자마자 서로의 목을 껴안은 채 정신없이 옷을 벗었다.

커다란 침대에 누운 여울이가 어두운 회색 이불을 목까지 끌어올렸다. 낯설어하는 그녀의 눈망울에 긴장한 기색이 역력했다.

"은수야."

"응?"

"불 안 꺼?"

"불은 왜?"

"창피하잖아."

자그마하게 중얼거리는 여울이의 목소리에 목젖까지 걸려 있던 긴장감이 숨을 훅 짓눌렀다. 상의를 탈의하고 침대에서 내려왔다. 내 등을 쫓아오는 그녀의 호기심 어린 시선이 느껴진다. 어깨뼈부터 척추를 따라 움푹 패듯 들어간 바지 안쪽 허리 근육까지.

　어둑한 스탠드 조명만 둔 채 불을 껐다.

　"안 돼, 다 꺼."

　여전히 이불로 코까지 가린 그녀가 콧잔등을 찌푸리며 말했다. 땅거미 질 무렵의 하늘처럼 방 안을 비추는 스탠드 조명은 서로의 윤곽과 표정만 알아볼 수준이었다.

　"얼굴 보고 싶은데."

　"두 번째부터 보는 게 어때?"

　그녀의 말에 순간 어이가 없던 내 표정에는 묘한 미소가 스쳤다.

　"두 번째?"

　"아니, 내 말은 그러니까 다음번에……."

　침대 위로 올라온 나는 가지런한 그녀의 눈썹 사이에 입을 맞췄다. 입술이 쪽 닿는 소리에 이마를 살짝 구긴 그녀가 눈꺼풀을 들어 내 얼굴을 가만히 올려다보았다.

　"두 번째도 어차피 오늘 밤일 텐데?"

　"오늘 밤?"

동그랗게 커진 눈망울이 정말 순수하게 놀라서 묻는 건지, 아니면 일종의 기대감에 그러는 건지 궁금했다.

"나 진짜 떨린단 말이야……. 응? 불 좀 꺼 줘."

어쩔 줄 몰라 하는 그녀의 목소리에 바지 버클을 풀던 손이 멈칫했다. 몸을 일으킨 나는 그녀의 얼굴을 물끄러미 내려다보았다. 여전히 이불을 꼭 쥔 손 사이로 숨소리에 맞춰 오르락내리락하는 쇄골이 보였다.

"많이 부끄러워?"

"응."

그날 이후, 여울이는 마치 한 꺼풀을 벗어 버린 듯 솔직하고 담백하다. 나는 그런 그녀의 모습이 좋으면서 한편으로는 부담되기도 했다. 대중을 상대로 가식적인 모습을 너무 오랫동안 연기해 온 탓일까? 속을 투명하게 내비친다는 게 참 어렵다.

하지만 여울이는 그런 나를 아주 손쉽게 분해했다. 그리고 내 안에서 오랫동안 나를 짓누르고 있던 무거운 것들을 하나둘씩 꺼내 가기 시작했다.

"사실은 나도 긴장돼."

그녀의 눈이 동그랗게 커졌다.

"아마 너보다 훨씬 더."

심장이 북 치듯 달리기 시작했다. 그녀를 향해 흔들리고 있는 동공에 긴장과 두려움이 담겼다. 괜히 말했나? 내 눈동자를 빤히 쳐다보던 여울이가 손을 뻗었다. 그리고 내 뺨을 어루만지다가 목을 끌어당겼다.

"은수야."

"응."

"나 가슴이 막……."

"왜?"

"막 설레."

그녀가 내 손을 잡아서 말캉한 왼 가슴에 댔다. 여울이의 뺨이 혈색으로 예쁘게 물든다.

"가끔 네가 날 그렇게 물끄러미 말없이 쳐다볼 때면 새삼 네가 얼마나 근사한지 깨닫는다? 난 네가 키스해 줄 때보다 턱을 괴고 내 얼굴을 빤히 쳐다볼 때 더 떨리는 거 같아. 도대체 그 변태 같은 머릿속에 무슨 생각을 담고 있는지 알 수가 없어서……."

멍하니 듣고 있던 내 입가에 헛웃음이 흘러나왔다. 변태 같은 머릿속? 여울이는 여전히 수줍은 표정으로 나를 보며 장난스럽게 웃었다.

나는 그녀의 어깨 양옆을 손으로 짚고 상체를 일으켜 쫑긋 세우고 있는 귓가에 나직이 속삭였다.

"그럼 이제 그 변태 같은 짓 해도 돼?"

그녀가 고개를 끄덕임과 동시에 이불을 조심스럽게 끌어 내렸다. 바스락거리는 이불 소리에 여울이의 윗입술이 아랫입술을 천천히 사리물었다.

처음 보는 알몸이었다. 스탠드 불빛을 머금은 그녀의 살결 위로 긴장한 듯 솜털이 오스스 일어났다. 넋을 잃고 바라보는 내 시선에 여울이가 부끄러운 듯 살며시 고개를 돌렸다.

긴장한 입술로 그녀의 가슴을 살짝 깨물었다. 앙다문 입술 사이로 내뱉는 얕은 신음에 가슴이 이상하게 울렁거렸다. 너무 설레다 보면 체할 것 같은 느낌이 드는데 지금이 딱 그런 기분이었다. 집게손가락으로 배꼽부터 그녀의 가슴골 사이를 쭉 밀며 매만졌다.

흠칫거리는 그녀의 몸짓에서 눈을 뗄 수가 없었다. 동그란 가슴 선을 손으로 꾹꾹 눌러 보다가 손가락 사이로 비집고 나오는 하얀 살결을 향해 고개 숙여 베어 물었다. 그녀의 입술에서 아, 소리가 흘러나온다.

혀를 내밀어 도드라진 가슴 중앙을 핥았다. 한 손으로 침대를 짚고 고개를 숙인 내 등허리가 불빛에 비쳐 창문에 아른거렸다. 옆으로 고개를 돌린 채 가쁜 숨소리를 내뱉던 여울이는 창문에 비친 광경을 홀린 채 바라보고 있었다. 반듯한 어깨와 등 근육을 어루만지던 그녀가 입을 가리고 만족스럽게 웃었다.

"예쁘다. 내 남자 친구 몸."

가슴을 물어뜯듯 쭉 당기던 나는 고개를 들었다. 그녀의 손이 내 이마와 눈썹 뼈를 쓸더니 쭉 뻗은 콧날을 따라 우묵한 인중과 입술을 만졌다. 그녀가 나를 마음껏 만질 수 있게 눈을 감았다. 고가의 조각상을 관찰하듯 섬세한 손짓이었다. 이윽고 윗입술과 아랫입술 사이를 벌린 손가락이 치열을 밀고 들어왔다. 혀에 닿는 그녀의 긴 손가락을 반사적으로 오득 깨물었다.

잇새에 물린 그녀의 손가락이 힘을 주더니 더 깊게 목구멍 안쪽으로 들어왔다. 입 안에 넣었다 빼는 손가락이 혀에 문지르듯 닿자 두통처럼 찌릿한 감각이 척추를 관통했다.

몸을 일으켜 그녀의 오른손을 낚아채듯 잡았다. 내 입 안을 헤집는 두 손가락을 쪽 빨다가 손바닥에 뜨거운 입김을 입혔다. 그리고 가느다란 손목을 혓바닥으로 길게 핥았다. 반대편 손으로는 부푼 그녀의 가슴을 주무르듯 쥐어짰다. 나를 올려다보는 여울이의 눈동자가 취한 듯 풀려 있었다.

"짐승 같아."

"뭐가?"

"내가 알던 하은수가 아닌 낯선 수컷 짐승이 나를 먹는 거 같아."

나는 낮게 웃으며 고요히 속삭였다.

"너무 오래 굶주려서 그래."

나를 멍하니 보던 여울이가 팔 벌려 너른 어깨를 끌어안았다. 목을 당기는 그녀의 품에 뺨을 묻고 숨을 길게 뱉었다. 달큼한 살 내음이 났다. 입술로 맛보는 향기에 머릿속이 아찔했다.

야리야리한 허벅지를 잡고 천천히 벌렸다. 호흡을 억눌러도 이미 입가에 덕지덕지 묻은 서로의 것에 환장할 지경이었다. 뜨거워진 하체에 무게를 싣는 와중 입술 사이로 허스키한 신음이 새어 나왔다.

"하……."

난생처음 느끼는 황홀감에 절로 눈이 감겼다. 곤두선 기립근 끝이 바르르 경련을 일으켰다. 턱을 타고 흐르는 땀방울이 봉긋한 가슴에 떨어져 맺히자 그녀가 손가락으로 제 가슴골 사이를 문지르며 더듬었다.

"그만 유혹해."

미칠 것 같아 사정하는 내 목소리에 여울이는 천진난만하게 웃으며 제 허리를 어루만졌다.

물살을 걷어 내듯 왼손으로 이불을 밀어냈다. 둘둘 말린 이불이 바닥에 떨어진 것도 모른 채 그녀는 끊어질 듯한 신음을 흘리며 가끔 팔로 눈을 가렸다.

잠시 움직임을 멈추고 태어나서 처음 보는 그녀의 표정을 바라보았다. 인상을 쓰며 고통스러워하는 것 같으면서도 기분 좋은 듯 멍하니 풀어진 눈으로 나를 바라보고 있었다.

"괜찮아?"

속삭이듯 물은 목소리에 배시시 웃은 입술로 고개를 끄덕였다.

아……. 웃는 거 봐.

뇌수가 녹는다는 게 이런 느낌인가 보다. 낮췄던 허리를 뒤로 뺐다가 거세게 밀어붙였다. 아무리 빠르게 해도 행위의 욕망이 채워지지 않았다. 한 번씩 눈앞이 아찔해질 때마다 나도 모르게 목에서 쥐어짜 내듯 신음을 내뱉었다. 여울이는 젖은 눈으로 그런 내 모습이 신기하다는 듯 응시했다.

이런 짐승 같은 짓조차 나에게는 간절한 구애였다. 나는 여전히 여울이에게 구애를 하고 있다. 내가 네게 이렇게 미쳐 있듯, 너도 나를 죽을 만큼 원해 달라고.

그녀의 왼뺨 옆에 고개를 처박은 채 다리 사이에 몸을 구겨 넣었다. 찰팍거리는 살 소리가 더 빠르게 울려 퍼졌다. 붉게 물든 그녀의 목덜미를 거칠게 물어뜯었다. 입 밖으로 격양된 숨소리가 터져 나옴과 동시에 고개가 뒤로 젖혀졌다.

"읏……."

어떻게 이런 쾌감이 존재할 수 있을까? 꼬리뼈에서 발생한 전극에 뇌세포 하나하나가 전율을 일으키며 온몸이 충격에 빠지는 기분이었다.

전신이 그녀의 호흡에 맞춰 조여들면서 황홀감에 녹아내렸다. 도파민에 취한 채 이성을 잃은 허리는 깊게 찔러 넣는 움직임을 멈추지 않았다. 귓가에 흐느끼듯 "아아!" 소리를 내는 그녀의 목소리가 파도에 실려 가듯 멀게 느껴졌다. 정신이 아득해졌다. 모든 감각이 폭발하는 카타르시스와 함께 하얗게 증발한다.

들썩이는 어깨 위로 거친 숨소리만 흘러나왔다. 인상을 쓴 채 그녀의 가슴골에 얼굴을 묻은 내 입술 사이로 쾌감에 젖은 신음이 새어 나왔다.

아, 좋다…….

절정을 느낀 극도의 쾌감에 눈이 풀렸다. 잠시 숨을 고른 뒤 흐릿한 시야를 떴다. 미끄덩거리는 그녀의 가슴골에 땀이 가득했다. 혀를 내밀어 장난치듯 가슴에 맺힌 땀방울을 핥았다. 그러자 축 늘어져 있던 그녀가 금세 몸을 들썩이며 흐느끼듯 신음을 내뱉기 시작했다. 그 소리에 온몸이 다시 저릿하며 반응했다.

"김여울, 너……."

몸을 일으켜서 그녀를 팔 사이에 가둔 채 흐리멍덩한 눈웃음을 지었다.

"진짜 예쁘다."

"나?"

"정신을 못 차리겠어."

미친놈처럼 웃는 나를 바라보던 그녀가 손을 들어 내 뺨을 어루만졌다. 그 손을 잡고 손가락 하나하나에 입을 맞췄다.

"은수야."

"응?"

"사랑해."

아주 작은 속삭임이었다. 깜빡이던 눈꺼풀이 얼어붙은 채 멈췄다. 갈라진 목소리가 목구멍에 걸려 나오지 않았다.

지금 뭐라고, 여울이가 뭐라고…….

내 얼굴을 쳐다보던 여울이가 당황한 듯 팔꿈치로 몸을 일으켰다.

"너 울어?"

나는 멍하니 그녀의 놀란 얼굴을 응시했다. 머뭇거리며 뺨을 매만지자 턱으로 흐르는 물기가 땀과 섞인 채 손바닥에 묻어 나온 게 보였다.

기분은 좋은데 가슴이 사무치게 미어진다. 불안정하게

떠 있던 내 세계가 오랜 시간을 거쳐 비로소 안착한 느낌이었다. 둘이라서 오롯하다는 말의 뜻을 이제야 알 것 같았다. 나는 더 이상 불안하지가 않다.

몸의 한 부분을 여전히 그녀의 안에 묻은 채 얇은 쇄골에 입을 맞췄다. 한시도 떨어져 있기 싫었다. 이 일체감을 오래 느끼고 싶었다. 차라리 그녀의 일부가 되어서라도 영원히 이렇게 한 몸으로 이어졌으면 좋겠다는 생각이 들었다.

"사랑해, 여울아."

그녀의 가느다란 손가락이 내 뒷목을 간지럽히듯 어루만졌다. 나는 그녀의 눈동자를 보며 다시 말했다.

"사랑해 왔어, 줄곧."

분홍빛 입술이 엷게 웃었다. 행복으로 충혈된 내 눈을 바라보며 그녀가 작은 목소리로 대답했다.

"알아."

"얼마나 아는데?"

"그냥 다 알아, 바보."

"모를걸?"

내가 너의 미소 뒤에 떠다니는 수많은 감정을 세세히 알 수 없듯이, 너도 내 고백에 숨겨진 우물 속 아득한 감정의 늪을 다 들여다볼 수는 없으리란 걸 안다. 그래도 괜찮아, 이제 나는 오롯이 네 것일 테니까.

"김여울."

"응?"

"너 그냥 여기서 살래?"

허튼소리하지 말라며 일어나는 그녀의 어깨를 잡고 뒤로 눕혔다. 등허리를 혀로 날름거리며 핥았다. 툭 불거진 날개뼈를 혓바닥으로 핥다가 깨물자 여울이가 간지러운 듯 이불을 마구 구기며 웃었다. 나는 평온함과 아늑함에 취해 깊게 잠긴 목소리로 속삭였다.

"진짜 좋다……. 너랑 이렇게 있는 거."

반질반질한 그녀의 어깨에 힘껏 빨려서 남은 붉은 멍들이 보였다. 여울이는 피부가 약해서 조금만 세게 빨아도 금세 멍이 드는 듯했다. 새롭게 알게 된 사실이 신기하고 설렜다.

서로가 서로에게 남긴 흔적을 하나하나 손으로 문지르다가 내 어깨에 남은 그녀의 잇자국을 발견했다.

"우리 꽤 거칠게 했나 보다."

"나 지금 다리 후들거려서 못 일어나겠어."

그녀의 불만 어린 투정에 나는 기분 좋은 목소리로 말했다.

"완전 중독된 거 같아."

"뭐가?"

"너랑 하는 섹스에."

이불에 코를 묻고 있던 그녀가 어깨 너머로 핀잔 어린 시선을 던졌다. 뭐 그런 말을 하냐는 듯이. 나는 탁해진 눈으로 다시 느른하게 웃었다.

천천히 몸을 숙이며 엎드린 그녀의 허리를 잡고 들었다. 동그란 엉덩이를 당겨서 허벅지에 바짝 붙이자 여울이가 고개를 뒤로 확 돌리며 불길한 표정을 지었다.

잘록한 등허리를 만지며 엉덩이 사이로 고개를 숙였다. 힘 빠진 그녀의 두 다리를 벌려 갈라진 틈새로 손가락을 집어넣고선 혀를 넣었다. 당황한 그녀가 경악을 하더니 필사적으로 기어서 미꾸라지처럼 빠져나갔다. 침대에서 후다닥 내려가는 그녀를 보며 물었다.

"또 어디 가?"

"몰라! 하은수 너는 진짜 민망하지도……. 아 몰라!"

웃음이 터져 나왔다. 잡을 수도 있었지만 하는 짓이 귀여워서 그냥 도망가게 내버려 두었다.

가슴을 가린 채 욕실로 뛰어간 그녀는 바로 문을 닫고 샤워기를 틀었다. 비스듬히 누워 좀 전에 그녀에게 던진 질문을 곱씹던 나는 벌떡 몸을 일으켰다.

성큼 걸어가 욕실 문을 열었다. 인상을 쓴 채 서 있는 내 모습을 본 여울이가 자지러지듯 비명을 내질렀다. 나가든지 불을 끄든지 하라고. 자칫 손에 쥔 샤워기를 이쪽에 던져 버릴 기세였다.

일단 팔짱을 낀 채 돌아서서 드레스 룸과 이어진 욕실 문을 응시했다.

"김여울."

"뭐야, 너 아직도 안 나갔어?"

"동거가 꼭 나쁜 건 아니야."

"시끄러워! 너 진짜 안 나갈 거야?"

"너한테 날 검증할 시간을 주겠다는데 그게 왜 싫어?"

"검증 안 해도 돼."

사귀고, 섹스하고, 서로 사랑하는 마음까지 확인했는데 왜 안 되냐고 물으려다가 입을 다물었다. 그때 그녀가 샤워 부스의 문을 열고 나왔다. 물기가 뚝뚝 떨어지는 소리에 나도 모르게 곁눈질을 했다.

"하은수, 눈 감아."

한숨을 쉬며 눈을 감았다. 이미 구석구석 다 봤는데 새삼스레 뭘. 코끝에 코스모스처럼 닿았다가 멀어지는 향기가 느껴졌다. 샤워 부스에서 나온 여울이가 벽에 걸린 가운을 입고 후다닥 나가는 발소리가 들렸다.

감은 눈을 뜨자마자 바닥에 떨어져 있는 샴푸와 비누가 보였다. 줍기 위해 허리를 숙인 순간, 바닥에 떨어진 물기에 미끄덩한 몸이 중심을 잃고 쓰러졌다. 다행히도 샤워 부스를 짚은 손 덕분에 가까스로 넘어지는 꼴을 면할 수 있었다.

얼마나 급했으면 평소 아끼는 비누도 다 던져 놓고 물기도 못 닦은 채 허둥지둥 갔을까? 그렇게 부끄러운가? 아까 봤던 그녀의 알몸을 떠올리자 새삼 내 얼굴도 다시 붉어졌다.

예쁘다는 말로는 부족했다. 심장이 터질 뻔했어, 진짜.

결혼하자고 하면 귀신이라도 본 것처럼 아연실색하며 도망갈 게 뻔해서 단계를 낮춰 봤는데 씨알도 안 먹힌다. 십 년을 넘게 알아 왔지만 여전히 어렵다. 어떤 때는 돌직구가 먹히고, 어떤 때는 변화구를 써야 하고.

대충 바지에 티셔츠를 걸치고 거실로 나왔다. 그새 옷장에서 티셔츠 하나를 꺼내 입은 여울이가 젖은 머리를 한 채 피아노 의자에 앉아 있는 게 보였다. 그녀는 어느 건반부터 눌러 볼지 고민하는 아이처럼 골몰한 표정으로 건반을 내려다보고 있었다. 이쪽을 본 여울이가 작은 동물처럼 뭔가를 바라는 눈빛을 짓더니 작게 웃었다.

"선생님, 피아노 한 곡만 쳐 주세요."

식탁에서 컵에 물을 따르던 나는 쿨럭하며 기침을 했다. 어이가 없어서 멍하니 쳐다보다가 물통을 내려놓았다.

무시하려고 했는데 어느새 그녀 옆에 엉덩이를 붙인 채 앉아 있었다. 이마를 쓸어 올리며 애써 건조한 눈빛을 유지했다. 진짜 목줄이라도 한 듯 녀석의 말과 행동 하나하나에 조련당하며 질질 끌려다니는 기분인데, 그게 썩 기분이 나쁘지 않다는 점이 문제였다.

안 그래도 쉬운 남자였는데, 이제는 정말……. 모르겠다.

의자에 나란히 앉은 뒤 고개를 숙여 그녀에게 짧은 키스를 했다. 건반 위에 손을 올리자 그녀가 내 팔에 뺨을 비비며 웃었다. "냄새 좋다. 아, 좋다." 하고 속삭이는 여울이의 목소리가 무슨 종소리처럼 귓바퀴에서 울려 퍼졌다. 미쳤나 보다. 스스로 미쳤다고 생각하면서도 입가에서는 웃음이 그칠 줄을 몰랐다. 나는 눈웃음을 머금은 채 그녀의 입술에 또 입맞춤을 했다.

"혀, 넣고 싶은데."

여울이는 생각보다 키스를 잘한다. 저 작은 입술로 내 아랫입술을 잘근거리며 사탕을 먹듯 핥는데, 나는 그럴 때면 뻣뻣해진 목울대로 버티다가 결국 고개를 젖히며 항복한다.

"여울아……."

애원하듯 속삭였지만 그녀는 꿋꿋하게 건반을 흘끔거렸다. 오히려 내 어깨를 잡은 손으로 재촉하듯 팔을 쿡 찌른다.

"얼른 쳐 줘."

"그러니까 키스 한 번만 하고."

"연주부터 해 주면."

내가 심드렁한 표정을 짓자 여울이는 뺨에 뽀뽀를 하더니 "응?" 하고 졸랐다. 평소에는 좀처럼 볼 수 없는 애교에 결국 한숨을 쉬며 백기를 들었다.

"그럼 한 곡 쳐 줄 때마다 하루씩 지낼래?"

"몇 곡이나 치려고?"

"일단 한 백 곡 정도……."

뒤로 넘어갈 듯 자지러지는 웃음소리가 터져 나왔다.

"너 그러다 손목 부러지겠다."

"그러니까."

잠시 눈을 감은 뒤 연주를 시작했다. 내 옆에서 다리를 흔들던 그녀가 움직임을 멈춘 채 연주에 몰두한 내 손을 물끄러미 바라보았다. 호기심 어린 눈빛과 말갛게 젖어 가는 뺨. 나는 여울이의 시선을 모른 척하면서 입가에 곡선을 그렸다.

내 이마를 스친 달빛이 건반에 입을 맞추고 허벅지 위에 포개진 그녀의 손등 위를 비췄다. 밤바다의 파도 소리처럼 잔잔하게 흘러가던 연주가 절벽에 부딪치는 바람처럼 부서지는 듯한 여운을 남기며 끝마쳤을 때, 거실에 숨죽인 침묵이 내려앉았다.

"이건…… 처음 듣는 것 같은데."

"음, 자작곡이라서?"

"정말?"

그녀는 눈을 동그랗게 뜨더니 벌떡 일어나서 핸드폰을 찾았다. 녹화를 못 했다고 방방 뛰면서 아쉬워하는 그녀의 모습에 픽 웃음이 나왔다.

소파에 앉자, 핸드폰을 찾다가 포기한 그녀가 내 허벅지 위에 앉더니 다리를 벌리고 허리를 감았다. 팔로 내 목을 끌어안은 그녀의 입술이 쇄골에 닿는 게 느껴졌다. 나도 그녀의 온몸을 껴안고 젖은 머리카락을 손으로 살살 빗었다.

"은수야."

"응?"

"혹시 연기 말고 다른 걸 하고 싶었던 적은 없어?"

"글쎄……."

"네가 연기하는 거 좋아한다는 거 알아. 하지만 스트레스도 많이 받아 왔잖아. 괴로웠던 적도 많았지?"

나를 바라보는 여울이의 눈빛이 무거워졌다. 이 녀석은 늘 이렇다. 나보다 나에 대해서 더 치열하게 고민하고 걱정한다. 어떨 때는 정말 그녀가 내 자신을 더 잘 안다고 느껴질 때도 있다. 아니, 상당히 자주 그렇게 느낀다.

"피아노……. 다시 치고 싶지는 않아?"

쉽게 대답하지 못하는 나를 보며 여울이가 입가에 작은 미소를 그렸다.

"나는 말이야, 나중에 내 아지트를 다시 만들고 싶어."

다리를 모은 여울이가 돌아앉아서 내게 등을 기댔다. 그녀의 시선이 벽에 걸린 새까만 TV 화면으로 향했다.

"숲속의 소나무 카페에 갔던 날 생각했어. 아, 나도 이런 공간이 있으면 참 좋겠다. 사장님은 1층에 갤러리를 만들어 놓으셨더라고. 나는 거기에 내가 좋아하는 책과 수집품들을 책꽂이에 가득 꽂아 놓을 거야. 그리고 2층에는 피아노를 놓는 거야. 작은 콘서트홀처럼."

"피아노?"

고개를 끄덕인 그녀의 눈동자가 달빛이 앉은 창가의 하얀 피아노로 향했다.

"응, 피아노. 1층에서 커피 한 잔을 마시며 책을 보는 내 귓가에 네 피아노 연주가 들려오는 거야. 낮에는 강아지 왈츠를 쳐 주고, 밤에는 녹턴을 쳐 주고."

"아, 나를 고용하려고?"

좀 비쌀 텐데. 웃으며 말하는 내 목소리에 그녀가 어깨 너머 이쪽으로 눈길을 돌렸다. 입가에 장난스러운 미소가 걸렸다.

"매주 수요일마다 와 줘."

"매주 수요일마다 사랑한다고 해 주면."

"넌 이 와중에도 거래를 하냐?"

불만족스러운 눈초리로 인상을 쓴 그녀의 뺨을 잡고 쪽 입술을 겹쳤다. 짧은 키스에 이어 혀로 아랫입술을 간질이 듯 핥자 서로의 눈썹이 웃음을 참듯 구겨진다.

"나, 물 마시러 갈 거야."

맨몸에 내 늘어난 티셔츠를 입은 그녀가 소매를 킁킁거 리며 일어섰다. 내 체취가 묻은 몸으로 내 옷을 입고 내 집 에서 맨발로 돌아다니는 그녀의 모습이 흐리흐리한 동공을 통해 가슴 밑바닥까지 채워지지 않던 무언가를 샘물처럼 적신다.

"김여울."

"아, 왜?"

"오늘이 무슨 요일인지 알아?"

"몰라."

"수요일이야."

"……."

"마침 수요일이네."

주방으로 향하던 그녀가 뒤를 돌더니 귀찮다는 듯 인상 을 쓰며 외쳤다.

"사랑해, 사랑한다고!"

큭큭 웃던 나는 소파에 미끄러지듯 누우며 쿠션을 끌어 안았다. 우리 둘만의 아지트, 그녀의 꿈에 내가 속해 있다는 것. 아, 이런 게 행복이겠지.

"사랑해, 나도."

내 나직한 목소리에 냉장고 문을 열던 그녀가 고개를 빼꼼 내밀었다. 피식거리는 나를 확인한 그녀는 반달로 휜 눈웃음을 지은 채 입가에 엷은 곡선을 그렸다.

20. 해바라기 웃다

20. 해바라기 웃다

청량한 계절을 속삭여 주는 아침이었다. 조금 쌀쌀한 바람이 건조한 아랫입술을 스치고, 새파란 하늘을 가로질러 내리쬐는 태양이 조각난 구름을 입김처럼 불어서 그 눈부심에 절로 이마를 찡그리게 하는 그런 날.

암막 커튼을 친 침실은 그런 바깥의 풍경을 차단한 채 둘만의 고요한 낙원을 선사했다. 내 오른팔을 베개 삼아 잠든 그녀의 한쪽 손은 본인이 가장 사랑한다는 남자 친구의 허리를 꼭 안고 있었다.

환절기라 그런지 여울이의 숨소리가 평소보다 조금 더 크게 쌕쌕거렸다. 혹시 감기라도 걸렸나? 나는 몸을 일으킨 채 옆으로 누워 왼손으로 그녀의 이마를 짚었다. 다행

히도 평소처럼 따뜻한 온기가 차가운 손바닥에 아늑히 스
며들었다.

이불을 걷자 이쪽으로 뻗은 그녀의 팔 밑에 눌린 둥그스
름한 가슴이 모습을 나타냈다. 풍만한 곡선 사이를 바라보
다가 문득 고개를 들어 협탁 위 알람 시계를 확인했다.

08:50am, Saturday.

아쉬운 눈초리를 접고 침대에서 내려왔다. 부스럭거리는
소리를 들었는지 여울이가 몸을 뒤척이며 잠결에 웅얼거리
기 시작했다. 침대 밑에 떨어진 바지를 입으면서 얼른 베
개를 집어 그녀의 머리 밑을 받쳤다. 조금 열린 커튼 사이
로 스며드는 햇살이 이불을 걷어찬 그녀의 한쪽 다리와 하
얀 엉덩이를 비추고 있었다.

어젯밤 와인 몇 잔에 취한 여울이가 내 몸을 침대에 밀어
서 눕히고 올라타던 장면이 뇌리를 스쳤다. 넋을 잃고 쳐
다보다 보니 어느새 그녀와 몸을 엉킨 채 서로의 목을 혓
바닥으로 핥고 있었다. 부끄러운 감정을 집어던지자, 매일
밤이 격정의 연속이었다.

욕실에서 씻고 나와 연하늘색 셔츠와 검은색 슬랙스로
갈아입었다. 침대 헤드에 걸려 있는 브래지어를 집고선 허

리를 숙여 잠든 그녀의 볼에 쪽 입을 맞췄다.

"갔다 올게."

세탁실로 가 바구니에 여울이의 속옷을 넣고 냉장고 문을 열어 내부를 확인했다. 두 줄로 차곡차곡 진열된 반찬통들이 냉장고 두 칸을 꽉 채우고 있었다. 간단하게 메모한 장을 적어 식탁 위에 남겼다.

샌드위치 해 놨어, 과일 씻어 놓은 거랑 같이 먹어.

현관문이 닫히자, 기묘한 기분에 휩싸였다. 닫힌 문 너머 내 연인이 내 침대에 잠든 채 누워 있다는 것. 따뜻한 두근거림과 동시에 굉장히 섹시한 느낌이 들었다. 매일 아침이 그저 일어나면 잠시 멍할 정도로 꿈같은 순간의 연속이었다.

나는 이마를 짚은 채 픽 웃었다.

재현이 형도 나도 가급적이면 스케줄 없는 날 아침에는

늑장을 부리는 편이었다. 게으름 피우기 좋아하는 두 남자가 주말 아침부터 회사에 나온 이유는 하나였다.

"한 번만 봐 주라."

나는 표정 없이 그를 바라보았다. 내 미동 하나 없는 반응에 이형욱이 눈치를 보다가 살며시 무릎을 꿇었다. 그는 답안지라도 외워 온 듯 기계처럼 대사를 읊었다.

"나 홍 대표님 밑에서 10년 일했어. 팀장까지 올라오는 데 7년 걸렸고. 이거 알려지면 끝이야."

"그건 내가 상관할 바가 아닌 거 같은데."

관심 없다는 어조로 답하자 그가 당황한 듯 잠시 침묵하더니 아, 좋은 생각이라도 떠오른 듯 말했다.

"혹시 그 녀석 때문에 그래? 짝꿍 때문에? 내가, 내가 짝꿍한테 가서 빌까?"

"아니."

우리 여울이 놀라서 뒤로 넘어갈라. 그녀는 이미 이형욱과의 일은 잊은 지 오래였다. 그때의 조우가 오히려 약이 된 셈이다.

"근데."

전부터 되게 거슬렸다, 저 녀석 입에서······.

"그 짝꿍이란 소리 좀 안 할 수 없을까?"

"어? 어 그래, 미안. 안 할게."

용서를 구하는 일에 딱히 재능이 필요한 건 아니지만, 그런 기본적인 소양도 갖추지 못한 인간이 존재하기도 한다. 이 녀석이 그랬다. 물론 이쪽에서 용서를 할 마음이 없기 때문인지도 모르겠지만.

"작품에서는 빠져. 다른 건 내가 상관할 바 아니니까."

"아······. 고, 고마워! 어, 빠질게, 다시는 네 주변에 얼씬 거리지 않을게."

허둥지둥 일어나던 이형욱은 등 뒤에서 유리문이 열리자 흠칫하며 고개를 돌렸다. 문 앞에 서 있는 사람의 얼굴을 보자마자 그는 소스라치게 놀라며 벌떡 일어섰다.

"대, 대표님!"

나와 이형욱도 180이 넘는 장신이지만 홍 대표의 키는 2미터에 가까웠다. 평생 운동만 해 온 40대 후반의 거구의 남자가 이마에 힘줄이 오른 채 서 있었다.

"이 팀장, 지금 이게 다 무슨 소리야?"

"대표님, 중국에 계셨던 게······."

어물거리며 묻는 이형욱에게 홍 대표는 날카로운 눈초리를 보냈다. 이형욱은 낯빛이 하얗게 젖은 채 입을 다물었다. 갈 곳을 잃은 그의 동공이 겁에 질린 듯 흔들렸다.

나는 자리에서 일어나 인사를 하며 물었다.

"오셨습니까, 홍 대표님?"

내 얼굴을 바라보던 홍 대표는 난처한 표정을 짓더니 굵은 목소리로 말했다.

"김재현 대표로부터 무슨 일인지는 대충 들었습니다. 부끄러워서 고개를 들 수가 없습니다. 정말 미안합니다."

그는 깍듯하게 허리를 90도로 숙였다.

"입이 열 개라도 드릴 말씀이 없습니다. 그래도 전직 무도인인 사람으로서 애들 정신 교육만큼은 확실하게 시켜 왔다고 자부해 왔는데……."

"대표님, 일단 자리에 앉으시죠."

내가 팔을 잡자 홍 대표는 그제야 고개를 들었다. 그때 밖에 있던 재현이 형이 눈치를 보며 들어오다가 홍 대표와 눈이 딱 마주쳤다. 그러자 홍 대표는 또 머리를 푹 숙이며 사죄했다.

"김재현 대표님에게도 사과의 말씀 드립니다."

"아, 아닙니다."

놀란 형은 어색하게 웃으며 손사래를 쳤다. "둘이 따로 이야기 나눴던 거 아니었어?"라고 옆구리를 치며 묻자 형은 손으로 입을 가린 채 내게만 들리도록 속닥였다.

"얘기를 하긴 했는데, 뭐 일 때문에 중국에서 전화가 왔다고 하셔서 파일로 정리된 거만 드리고 나왔어. 전화 끊고 난 뒤에 혼자 조용히 보시더라고. 사진 몇 장이랑 최근

1년 간 이형욱 팀장이 사고 쳐 놓은 것들을 정리해 놓은 거긴 한데……."

몇 주 전, 홍 대표 이야기를 하면서 의미심장하게 웃던 최 기자의 모습이 떠올랐다. 보통 양반은 아니라고 했었나? 이제야 그게 무슨 뜻이었는지 대충 감이 왔다.

우리와 마주 보고 앉은 홍 대표는 참담한 표정으로 말했다.

"윤 피디한테는 제가 직접 이야기해도 되겠습니까? 작품에는 절대 피해 가지 않도록 하겠습니다."

테이블 위에 올려진 그의 손이 주먹을 쥔 채 부르르 떨었다. 이형욱은 멀찍이 떨어진 구석에서 사색이 된 채 한쪽 다리를 덜덜 떨었다. 그를 흘끗 쳐다본 홍 대표가 나와 재현이 형에게 정중한 말투로 부탁했다.

"잠시 이 팀장과 이야기 좀 나누어도 되겠습니까?"

"물론입니다. 저희는 나가 있을 테니 두 분이서 편하게 말씀 나누시죠."

업계에선 최고로 알려진 무술 감독 홍진만은 고등학교 때 시작한 태권도를 비롯해 각종 무술을 익혀 20대 초반에 스턴트맨으로 데뷔했다고 한다. 그 뒤로 액션 연기와 무술 감독의 길에만 정진해 온 그는 업계에서도 성미가 아주 강파르기로 유명한 사람이었다.

회의실 밖으로 나오자마자 '철썩!' 하고 날카로운 마찰음이 허공을 갈랐다.

"내가 너를 얼마나 믿었는데 이런 식으로 나를 실망시키고 뒤통수를 쳐!"

밖으로 나온 우리는 긴장한 채 서로를 바라보았다. "윽!" 소리를 내뱉은 이형욱이 울음을 참으며 흐느끼는 게 들려왔다.

"나는 너 사람 만들었다고 생각했다. 진심으로 그렇게 믿었어, 알아?"

"형, 형……. 제가 잘못했어요."

"네가 무슨 아직도 고등학교에나 다니는 꼬맹이인 줄 알아? 팀장이라는 직함을 달아 줬으면 그게 걸맞게 처신을 잘했어야지! 너 때문에 회사랑 그 밑에 식구들이 받는 피해는 어쩔 거야, 어? 됐고, 나는 이 일 수습 못 한다. 수습될 일도 아니고. 너 이 새끼, 네가 싸지른 건 네가 알아서 싸 들고 가. 오늘부로 나는 두 번 다시 네 얼굴 보는 일 따위 없을 테니까!"

의자를 끽 하고 민 홍 대표가 문 쪽으로 걸어가자 이형욱이 그의 바짓가랑이를 붙잡고 빌기 시작했다.

"형, 잘못했어요! 형, 대표님! 으흑……. 저 버리지 마세요! 제발요, 형……."

울음을 터뜨리는 그에게 홍 대표는 냉랭한 시선 외에 아무런 말도 하지 않았다. 문틈으로 엿보던 재현이 형은 고개를 절레절레 저으며 쯧 하고 혀를 찼다.

"남의 회사 와서 저게 무슨 짓인지……."

"보여 주는 거지."

본인 손으로 이형욱을 직접 처벌하는 걸 보여 줌으로써 우리가 더 이상 뭐라 할 수 없도록.

엉엉 울면서 매달리는 이형욱의 모습은 아까 내 앞에서 용서를 구하던 것과 확연히 다른 온도 차를 보였다. 그러나 그가 아무리 오열하며 애걸복걸 뉘우쳐 봤자 홍 대표는 이미 마음의 결정을 내린 상태였다.

"나는 홍 대표님이 저렇게까지 칼같이 구실 줄은 몰랐네. 그냥 덮고 넘어가 달라고 하실 줄 알았는데."

"저런 거 용납 못하시는 성격 같아. 게다가 배신감도 크시겠지."

"어쨌든 은수 넌 더 이상 이 일에 신경 쓰지 마. 나랑 윤 피디가 홍 대표님이랑 알아서 할 테니까."

엘리베이터 앞에 선 나는 곁눈질로 회의실 쪽을 응시했다. 몇 초 뒤, 엘리베이터가 도착하고 다시 문이 닫힐 때까지 이형욱의 흐느낌은 그칠 줄을 몰랐다.

─ 잘못했어요.

두 손 모아 홍 대표에게 싹싹 비는 녀석의 모습 뒤로, 몸을 웅크린 채 울음을 삼키던 여울이의 눈물이 보였다. 그런 여울이를 지켜보며 주먹만 쥐던 내 뒷모습도 보였다.

핸드폰을 꺼내 1번을 눌렀다. 몇 번의 신호음이 가고 그녀가 전화를 받았다.

– 여보세요?

"어디야?"

– 집인데.

"우리 집?"

– 응.

"지금 갈까?"

– 회사 나왔어?

"응, 끝났어."

– …….

"지금 가?"

잠시 머뭇거리던 그녀가 목소리를 큼큼 낮췄다. 왜 그러나 싶어서 조용히 귀를 기울였다.

– 보고 싶어, 얼른 와.

소곤거린 목소리는 부끄러운 듯 냉큼 전화를 끊었다. 뒤따라오던 재현이 형이 갑자기 멈춰 선 나를 의아한 눈으로 쳐다보았다.

[지금 가, 조금만 기다려.]

평소 톡할 때 이모티콘을 잘 쓰는 여울이와 달리 나는 대개 할 말만 간단히 보내는 스타일이었다. 잠시 고민하다가 문장 끝에 하트를 붙였다. 보내 놓고 민망해져서 다시 화면을 터치했다. 답장을 기다리는 눈꺼풀이 긴장한 채 깜빡였다.

[응, 빨리 와.]

몇 초 뒤 날아온 메시지. '빨리 와' 하고 채근하는 말끝에 하트 모양 이모티콘이 화면을 가득 채운 채 붙어 있었다. 환해진 입가가 느물거리며 웃었다.

차 키를 쥔 채 빠르게 걸었다. 아직 퇴근 시간 전이니까 한남 대교를 타면 20분 안에는 갈 수 있을 듯했다.

"야, 어디 가? 밥 안 먹어?"

"미안. 형 혼자 먹어."

차에 타는 나를 보던 형이 기가 막힌 듯 짜증을 내며 소리쳤다.

"나 혼자 먹으라고? 왜? 여울이 어디 아프대?"

"아니."

나는 시동을 켜고 출발하며 창문 밖으로 부드럽게 웃었다.

"내가 보고 싶대."

내 말에 형은 할 말을 잃은 듯 멍하니 내 차 뒤꽁무니를 처다보았다. 형이 정신을 차리고 욕설을 퍼붓기 전에 얼른 주차장을 빠져나갔다.

창문을 열고 강남대로를 달렸다.

심장이 뺨을 스치고 가는 바람의 질주보다도 빠르게 뛰고 있었다. 조금 전까지만 해도 찝찝했던 기분이 시원한 공기에 묻혀 간다. 보고 싶다고 속삭이던 그녀의 목소리를 듣는 순간, 세상이 다시 재구축되기라도 하듯 발밑부터 지평선 저 끝까지 눈부시게 환해졌다.

입꼬리에 맺힌 웃음이 풍선처럼 둥실 날아오르고 있었다.

「〈열여섯의 너에게〉 김은영 작가, 차은수의 실제 모델은 하은수?

코스모스의 계절, 천고마비의 계절이 왔다. 이 계절에 가장 잘 어울리는 작가도 왔다. 이번 신작 드라마 〈열여섯의 너에게〉를 쓴 김은영 작가다.

김은영 작가는 집필 처음부터 남자 주연 배우로 하은수 씨를 고려했었다며 그가 흔쾌히 주연을 맡겠다고 해서 매우 기쁘다고 밝혔다. 극중 성공한 피아니스트 역을 맡은 하은수 씨는 모든 피아노 연주 장면을 대역 없이 직접 연기했다. 실제로 어렸을 때 뛰어난 피아노 실력을 자랑했던 그는 〈열여섯의 너에게〉의 남자 주인공인 차은수와 이름

뿐 아니라 많은 면에서 흡사한 점이 보인다.

(중략…….)

마지막으로 김은영 작가는 〈열여섯의 너에게〉에 관해 밝히지 않은 뒷이야기가 남아 있다고 전했다. 그것이 뭐냐고 묻는 기자에게 그녀는 다음 주부터 시작되는 첫 방송부터 챙겨 보시라며 웃었다. 그리고 아마 종방연 날, 그 놀라운 이야기가 뭔지 알 수 있을 거라는 말도 덧붙였다. 그녀의 말대로 일단 방송부터 챙겨 보겠다고 약속했다. 드라마 속에 숨겨져 있다는 또 다른 드라마가 무엇일지 못내 기대되는 바다.

2018-09-28-연예주간 최문식 기자」

여울이네 회사에는 한 달에 한 번 〈크리에이티브 데이〉라는 게 있다. 매월 넷째 주 금요일에 시행되는 이날은 팀장과 상무들이 역삼동의 본사로 출근을 하지 않는다. 〈크리에이티브 데이〉는 정해진 퇴근 시간도 없을 뿐더러 사원들 각자 혹은 팀끼리 업무 외 자유 행동이 가능한 날이었다. 다시 말해 그냥 출근 도장만 찍고 바로 집에 가도 상관없다는 이야기였다.

카페로 온 박소영은 나를 보더니 입을 삐죽거렸다. 그녀는 '대체 너는 여기 왜 있냐?'는 눈초리로 내 얼굴을 훑더니 테이블 아래 깍지를 끼고 있는 우리 손을 발견했다.

"좋냐?"

"좋은데."

천연덕스럽게 대답하자 그녀는 인상을 쓰며 커피 잔을 들었다. 여울이는 개와 고양이처럼 신경전을 벌이는 우리 둘의 모습이 재밌는지 키득거리며 웃었다. 박소영은 그런 여울이를 향해 눈을 흘기며 일침을 놓았다.

"여울아, 남자는 다 이기적인 족속이야. 저 녀석은 너와의 십 년 우정보다도 욕정을 택한 놈이라는 걸 절대 잊으면 안 돼, 알았지?"

저게…….

"저거 저 표정 봐라. 아주 네 앞에서만 세상 다정한 남자인 척한다니까? 나한테는 얼마나 쌀쌀맞고 못되게 구는데."

"내가 너한테까지 다정하게 해야 할 이유라도 있냐?"

나를 죽일 듯 노려보던 박소영은 '쳇' 하고 욕설을 뱉더니 고개를 홱 돌렸다.

"질투 나면 너도 남친 만들어."

"됐어, 난 혼자 살 거야. 원래는 여울이랑 살려고 했는데."

"그거 안됐네, 여울이는 나랑 살 예정이라서."

그녀가 황당한 듯 눈썹을 치켜세웠다. 그리고 정말이냐는 듯 여울이의 어깨를 치며 다급하게 물었다.

"뭐야, 너 벌써 쟤랑 결혼 뭐, 그런 얘기까지 했어?"

"아니, 한 적 없는데? 결혼은 무슨 결혼이야?"

여울이가 시답지 않다는 듯 농담으로 넘겼다. 나는 별말 없이 따뜻한 아메리카노를 마셨다.

난 결혼할 건데.

내 입가에 피어난 가느다란 곡선을 본 박소영의 눈가에 짜증이 묻었다. 역시 명실상부한 김여울의 군사 경계선이다. 지금까지는 세상 어디에도 없는 든든한 문지기였지만 막상 내가 그 문을 열고 들어가려니 상당히 피곤한 존재였다.

테이블 중앙에 메뉴를 펼친 여울이는 치즈 케이크를 손가락으로 짚으며 이걸로 정했다는 듯 고개를 끄덕였다. 나와 박소영 사이의 신경전 따위는 그냥 심드렁하게 무시하는 기색이었다.

"참, 여울아. 너희 팀의 박 대리 오늘 출근했어?"

"아니? 뭐 일 있다고 전 주임이 박 대리 거까지 같이 출근 찍어 놓는 거 같던데, 왜?"

"그 사람 큰일 난 거 같더라."

"무슨 일인데?"

"윤리 경영팀에서 소환했대."

"윤리에서 박 대리를 소환했다고?"

"누가 성희롱 당했다고 찔렀다던데?"

"누가?"

"체이스 카드 사원 중 한 명이."

"뭐?"

같은 회사 사람도 아니고 다른 회사에서 신고했다는 사실에 여울이는 크게 놀란 듯했다. 나는 턱을 괸 채 흥미진진한 눈으로 들었다.

"체이스 카드 사원 누구?"

박소영은 목소리를 낮추더니 창밖을 흘끔거리며 속삭였다.

"아직 100퍼센트 확실한 건 아닌데, 곽다정이라는 거 같아."

"곽다정이?"

"피해자가 본인을 박 대리네 팀 회식 자리에 합석했던 여사원들 중 하나라고 밝혔대. 동창 중 한 명이 여기 회사 다녀서 합석하게 됐다고. 그렇게 알고 나서 박 대리가 계속 술 마시자고 들이대더니 술자리에서 개소리를 하기 시작했다나 봐. 노상 하던 버릇 나온 거지 뭐. 체이스 카드는 여사원들 수가 과반이라서 목소리가 크잖아. 거기는 남사원들 함부로 여사원 몸 터치하거나 입 놀렸다가는 바로 징계라더라. 말이 징계지 거의 잘린다고 하던데."

"들었어, 회식 문화가 완전 클린하다면서."

"그런 애한테 우리 회사에서 하던 버릇대로 들이댔으니 어쨌겠어? 완전 난리가 났지."

하아, 여울이는 한숨을 내쉬더니 빨대로 머그컵을 저었다. 왜 부끄러움은 늘 우리 몫인지. 박소영도 고개를 절레절레 내저었다.

"체이스 애들 눈에는 진짜 우리가 돌쇠, 돌마리 같겠다."

"야! 누구는 가만있고 싶어서 가만있냐? 이 기회에 우리 회사도 저쪽 본받아서 쇄신 좀 했으면 좋겠어. 박 대리의 처형이 그 시작점이 되지 않을까?"

"그럴까?"

"곽다정이 완전 열 받아서 제대로 엎었더라고. 가게 CCTV랑 녹취 파일까지 다 보냈대. 경찰에도 물론 신고했고."

여울이는 감탄한 듯 입을 다물지 못했다. 심지어 존경하는 듯한 눈빛도 엿보였다.

"묘한 동지애가 생기네."

"그치? 가만히 생각해 보면 곽다정 걔가 내 편일 때는 뭔가 되게 든든할 것 같은 캐릭터 아니냐? 박 대리 같은 애 하나 보내는 건 일도 아닐걸? 솔직히 걔도 지 평판 관리 때문에 저렇게 주변에 사근사근하게 구는 거지, 한번 빠치면 저렇게 도끼 들고 다 썰어 버릴 애 아니냐고. 그냥 귀찮아서 겉으로 웃어 주고 맞장구 쳐 주니까 박 대리 같은 놈들이 착각해서 선을 넘는 거지."

여울이는 테이블을 톡톡 치며 생각에 잠겼다. 잠시 후 그녀가 입을 열었다.

"나도 윤리 경영에 말해야겠다."

"뭘?"

"그간 박 대리가 나한테 했던 짓들……. 나도 녹취해 놓은 거 있거든. 지은 씨한테도 있고. 사실 몇 번이나 엎으려다가 용기가 없어서 못 했는데, 왠지 걔한테 미안해지네."

"너랑은 다르지. 같은 직장 내 같은 팀 사람인데 잘못되면 너는 직장 생활이 힘들어지잖아. 네 잘못 아니야."

여울이가 흘끗 내 눈치를 살폈다. 나는 박소영의 말에 동의한다는 눈빛을 보냈다. 테이블 밑으로 그녀의 손을 잡자 여울이도 내 손을 꼭 잡았다. 살짝 부르튼 그녀의 입술 사이로 가느다란 한숨이 새어 나왔다.

"역시 행동력 하나는 대단한 거 같아."

"누구, 반장?"

"응. 갑자기 회식 날 생각나."

– 호감이라는 게 꼭 한 번에 한 명에게만 향하니? 저울처럼 이쪽으로 기울었다가 저쪽으로 기울었다가……. 기울어진 마음이 수평이 되면 이별인 거고, 새로운 사랑이 오면 또 기우뚱 움직이는 거고.

"그때만큼은 개한테 설렜다고 해야 하나? 그렇게 말할 수 있는 자신감과 사고방식이 멋있어 보여서……. 나는 이렇게 내 마음을 감춘 채 뒷걸음치기 급급한데 쟤는 정말 자기감정에 솔직하구나."

곽다정이 그런 말을 했었나? 그날은 나도 여울이한테 고백할 생각에 잔뜩 긴장을 하고 있던 상태였다. 그래서인지 잘 기억나지 않았다.

"너도 솔직했어."

내가 입을 열자 여울이의 시선이 내 쪽으로 향했다.

"내가 아는 어떤 사람보다도 솔직하고 꾸밈없는 애야, 너."

"에이, 나는……."

"곽다정이 나한테 그럴 수 있었던 건 잃을 게 없었기 때문이야. 반면 우리는 서로 잃을 게 너무 많았잖아."

"잃을 거……."

건담이라고 하면 죽는다, 김여울.

내 눈초리를 보던 여울이가 흠칫하더니 입술을 다물었다. 우물거리는 입 모양을 보니 장난스럽게 새어 나오는 웃음을 꾹 참고 있는 게 보였다.

눈빛만 봐도 서로 무슨 생각을 하는지 꿰뚫어 보는 사이. 우리가 잃으려야 잃을 수 없는 건 바로 함께한 시간 속에 추억이 색칠해 놓은 수많은 장면이었다. 서로의 스케치

북에 낙서하듯 잔뜩 그려 놓은 그림들이, 떨어져 있어도 때때로 눈앞에 아른거려서 저도 모르게 발길을 돌리게끔 한다.

"너희 둘은 아주 습관적으로 서로에게 질척거리는 사이지. 물론 주로 하은수 쟤가 구질구질하게 매달려 온 거지만."

내가 어이가 없어서 쳐다보자 박소영은 한쪽 입꼬리를 비틀며 웃었다.

"유치원에 보면 있잖아. 대판 싸워서 씩씩거려도 손은 꼭 잡고 걷는 애들. 너희가 딱 그렇다니까?"

여울이와 나는 인상을 쓰며 서로를 바라보았다. 불쾌한데 반박할 수 없는 패배감이 테이블 위를 떠다녔다.

"결국 죽고 못 산다는 소리야."

농담을 치던 그녀는 씁쓸한 미소를 머금더니 힘 빠진 목소리로 중얼거렸다.

"살다 보면 참 신기한 게……. 좋은 일이든 나쁜 일이든 꼭 한꺼번에 터지는 거 같아."

잠시 내린 정적 속에서 박소영은 휴대폰 화면에 저장해 둔 반려견 뚱이의 사진을 잠시 쳐다보았다.

"그렇잖아, 몇 년 아무 일 없이 잔잔하던 일상이 어느 날 갑자기 꼬이기 시작하면서 연달아 복잡한 일이 생기고……. 한 십 년 치 근심과 스트레스가 쓰나미처럼 한꺼번에 밀려와서 사람 속병 나게 하고."

여울이는 동의한다는 듯 조용히 커피를 마셨다. 그녀는 박소영의 어깨를 어루만지며 위로하듯 말했다.

"힘들면 언제든지 말해, 언제든지."

카페 밖으로 나오자 박소영은 뜨거운 오후 햇살에 손으로 얼굴을 가리며 눈살을 찌푸렸다.

"그놈의 매미들, 아주 징글맞게 울어 대더니 다 죽고 없어졌네."

"여름 지나간 게 언젠데."

내 등 뒤로 햇빛을 피한 여울이는 전봇대를 노려보며 툴툴대는 그녀를 향해 웃음을 터뜨렸다.

학교라는 울타리 안에서는 자그마한 티눈이 인생의 오점으로 남기도 하고, 리코더만 한 지휘봉이 엄청난 권력을 가져다주기도 한다.

하지만 사회생활은 그렇게 녹록지 않다. 일그러진 영웅은 어디에나 있고 어디에도 없다. 잘못된 버릇을 고치지 못한 채 사회로 나온 올챙이들은 뒤늦게 허우적대다가 결국 하류로 표류하기 마련이었다.

"소영아, 회사로 들어갈 거야?"

"아니 그냥 집에 가려고. 우리 팀 사람들은 영화 보러 갔대."

여울이와 나를 보기 위해 혼자만 빠진 모양이었다. 역시 의리 빼면 시체인 그녀다웠다.

"데려다줄까?"

내 질문에 박소영은 팔짱을 끼며 코웃음을 쳤다.

"마음에 없는 소리는 하지도 마라."

"진짜야, 가는 길에 데려다줄게."

그녀가 웬일이냐는 표정으로 나를 흘겨보았다.

"됐어, 뒷좌석에서 너희 둘 콩냥대는 걸 보며 고통을 감내하느니 그냥 쾌적하고 한산한 지하철을 타고 편안하게 퇴근하련다."

"그래라, 그럼."

미련 없이 돌아서는 나를 보며 박소영은 "아, 저 싸가지……." 하고 눈을 흘겼다. 여울이는 그녀를 향해 내일 보자며 손을 흔들었다. 여울이와 손을 잡고 걷는 내 뒷모습을 쳐다보던 박소영이 갑자기 "하은수!" 하고 외쳤다. 나는 깜짝 놀라서 머리에 쓴 야구 모자를 얼른 눈썹까지 내리며 돌아섰다.

텅 빈 골목에 홀로 서 있는 그녀가 보였다. 주위를 살피며 조심스럽게 "왜?" 하고 묻는 내게 박소영은 시원한 웃음을 터뜨리더니 소리쳤다.

"축하해, 사귀게 된 거!"

내가 재랑 늘 개와 고양이처럼 으르렁거리는 이유는 서

로가 동족이란 걸 알고 있기 때문이었다. 자존심과 소유욕은 지독하게 강한데, 쉽게 솔직해지지 못해서 심술부터 부리고 보는 비딱한 성질머리. 그래도 여울이에 관해서만큼은 누구보다도 서로를 믿는 편이었다.

"그래, 고맙다."

내가 웃으며 말하자 그녀는 어깨를 으쓱하며 미소 지었다. 길버트가 다이애나에게 인정받은 기분이 이렇지 않을까. 뭔가 공식적으로 연인이 된 느낌, 그런 기묘한 감정이 들었다.

차에 올라타자마자 여울이는 진동이 울리는 핸드폰을 꺼내 확인했다. 뭐냐는 눈초리로 쳐다보자 그녀는 방금 온 메시지를 쭉 내밀어 보여 줬다.

"소영이가 보낸 거. 우리보고 잘 어울린대."

아까 전 먼저 간 우리 뒷모습을 사진으로 찍어 보낸 모양이었다. 나는 문득 떠오른 생각에 핸드폰을 꺼냈다.

"사진 찍자."

"지금?"

"응, 지금."

생각해 보니 사귀고 난 후 같이 찍은 사진이 없었다. 서로 잠자는 틈을 타서 열심히 도둑 촬영만 했을 뿐. 카메라를 보며 웃으라는 내 말에 여울이는 어색한 표정을 지었

다. 몇 분 동안 사진을 몇 장이나 찍었지만 그때마다 그녀
는 핸드폰을 뺏어 가서 경악한 표정으로 잽싸게 삭제 버튼
을 눌렀다.

"야, 왜 자꾸 지워?"

"몰라, 다음에 다시 찍어."

"왜?"

"그냥 이상해서."

"나는 다 괜찮던데⋯⋯."

말끝을 흐리다가 입술을 다물었다. 사귀기 전에는 그래
도 가끔 같이 웃긴 사진도 찍고 그랬는데.

어두운 표정으로 앉아 있는 나를 쳐다보던 그녀가 어쩔
수 없다는 듯 핸드폰을 가져가 앨범을 열었다.

"여기, 한 장은 남겨 뒀어."

정말이었다. 좀 어둡고 흔들리긴 했지만 내 팔을 잡고 있
는 여울이의 조금 놀란 듯한 표정이 제대로 나왔다. 내가
웃으며 핸드폰 배경 화면으로 지정해 놓자 그녀는 머쓱한
표정으로 말을 돌렸다.

"근데 우리 사귀는 거 이제 소영이랑 재현 오빠 빼고 또
누구 알지?"

"내 주변은 다 알아."

"재현 오빠 말고 또 누구?"

"진희 씨랑 촬영장 스태프들이랑 감독님도 알 거 같은데?"

멍하니 내 얼굴을 쳐다보던 여울이의 안색이 하얗게 변했다.

"모르는 게 더 이상한 거 아니야?"

그 난리를 쳤는데. 평소 친한 여자 연예인 하나 없는 내가 사람들 다 보는 앞에서 심지어 껴안기까지 했는데.

차에 시동을 걸고 출발했다. 조수석 시트의 온도를 따뜻하게 올렸다. 등받이에 몸을 기댄 그녀가 초조한 듯 손톱을 깨물었다. 곁눈질로 그녀를 쳐다보며 말했다.

"네 주변도 웬만하면 다 알걸?"

"내 주변 누구?"

회식 자리에서 내 말에 얼굴이 빨개지던 여자들이 떠올랐다. 특히 이지은 씨는 지금 입이 근질근질해 죽을 거다. 인상을 쓰던 여울이는 머리를 쥐어뜯으며 차량 헤드에 이마를 콕 찧었다.

"어떡하지?"

"뭘 어떡해?"

"넌 걱정도 안 돼?"

"별로."

신사역 사거리에 도착한 차가 빨간불에 멈췄다. 브레이크를 두 번 밟아서 홀드를 걸어 놓은 뒤 여울이를 향해 몸을 돌렸다. 그녀는 여전히 오리처럼 고개를 푹 처박고 있었다. 손을 뻗어 그녀의 단발머리를 부드럽게 어루만졌다.

"세상 사람들 다 알고 있었는데 너만 모르더라."

"……."

"내가 그렇게 티 나게 행동했는데."

"몰랐던 건 아니야."

"그럼?"

"믿기 힘들었던 거지."

고개를 든 여울이의 또렷한 눈동자가 나를 빤히 응시했다. 나는 그녀의 머리를 운전석 쪽으로 끌어당겨 이마에 키스를 했다.

"이제 좀 믿겨져?"

"응, 완전."

"걱정 마. 어차피 사람들 너랑 나 사귈 거 다 알고 있었어."

불안한 표정을 짓던 그녀는 인상을 쓰더니 내 오른손을 가져가 만지작거렸다.

"소영이랑 옛날 얘기는 다 풀었어?"

"응."

여울이는 다리를 길게 뻗어서 들어 올렸다가 툭 내리더니 숨을 길게 내쉬며 말했다.

"소영이도 마음고생 엄청 했거든. 그때 나서지 못하고

가만히 지켜보기만 했던 자신이 너무너무 부끄럽다고 생각했대. 내 앞에서 몇 번 운 적도 있었어. 고등학교 가서도 내내 얼마나 미안해하던지 나중에는 내가 그만 좀 미안해하라고 부탁할 정도였다니까? 몇 년 지나서 서로 더 이상 그때 얘기를 안 할 때쯤 너 좋아했던 거랑 고백했던 거 다 털어놨거든. 엄청 충격받더라고. 한동안 식음을 전폐하는 수준으로 우울해하길래 나는 쟤가 그냥 내가 오랫동안 비밀로 한 거에 서운해서 그러는 줄 알았는데…….”

얼마나 속으로 끙끙 앓았을까? 제가 한 일을 털어놓지도 못한 채, 더 큰 죄책감에 시달렸겠지. 여울이는 속상한 듯 중얼거리며 잠시 말을 쉬었다.

“중3 때, 그때 소영이가 없었다면 나 완전 비뚤어졌을지도 몰라. 진짜 그때는 아무도 믿을 수가 없었거든. 다 밉고, 원망스럽고, 내가 뭘 잘못한 건지도 모르겠고……. 물론 제일 미운 건 하은수였지만.”

나는 말문이 막힌 채 입술을 사리물었다. 여울이는 웃으며 내 손등을 어루만졌다.

“소영이는 고등학교 때 우리 둘이 화해한 이후로 내가 정말 너랑은 이제 완전히 친구로만 지내는 줄 알았대. 그 말을 하면서도 자기합리화였던 거 같다고 하기는 하더라. 겁이 났다고, 사실대로 말하면 내가 자기를 다시는 안

볼 거 같았다나? 그러면서 막 울었어. 미안하다고……. 우리 둘이 잘돼서 정말 다행이라고."

여울이는 우리 중 누구도 탓하지 않았다. 누구의 잘못도 아니라고 했다. 자기를 아끼는 마음에 그랬던 걸 다 아는데 어떻게 탓하겠냐고. 나는 그녀의 손을 잡으며 말했다.

"아까 너 화장실 갔을 때 박소영이 나보고 뭐라고 한 줄 알아? 너 울리면 자기가 총 가지고 와서 쏴 죽여 버리겠다고 하더라."

참고로 박소영은 중·고등학교 때 진짜 사격을 배운 적이 있다. 여울이가 나를 바라보며 짐짓 심각한 어조로 말했다.

"조심해. 걔 몇 년 전부터 태권도장 다니고 있잖아. 최근에 유단자 됐어."

"……."

역시 앞으로도 박소영은 쭉 피하는 게 좋겠다.

"참, 술 마시면서 소영이랑 옛날 얘기 하다가 이윤아 얘기도 나왔어."

동작 대교를 건너 유턴을 한 차가 이촌역 앞의 국립 중앙 박물관을 빠르게 지났다. 창밖으로 박물관을 쳐다보는 여울이의 눈동자가 추억에 잠기듯 일렁였다. 화려한 건물의 외관이 향수를 불러일으키는 모양이었다. 오래전, 두근거리는 가슴을 안고 찾아갔던 예술의 전당의 모습이 자연스럽게 기억 속에 떠올랐다.

"동창회 때 걔가 한 말을 문득문득 곱씹어 보게 돼. 나 때문에 자기 학교생활이 엉망이 되었다고 했던 거……."

"그게 무슨 너 때문이야?"

"알아, 아니까 나도 화냈지. 애들 앞에서 그러는데 열 받아서 눈이 홱 돌아가더라. 진짜 옛날 감정이 막 살아나는데……. 중3 때로 돌아가서 완전 유치하게 싸웠다니까?"

"흔히들 그러잖아, 나이 칠순 넘어도 어릴 적 친구들을 만나면 그때 수준으로 돌아간다고."

내 말에 여울이가 "맞아, 정말 그런 거 같아."라고 맞장구치며 웃었다. 미소를 머금은 표정이 한결 편해 보였다.

"소영이 말이 윤아 걔……. 고등학교에 가서도 이상한 애로 소문나서 제대로 된 친구 하나 없었대. 사실 윤아가 주목받는 걸 되게 좋아하는 애였거든. 장난치는 것도 좋아하고, 뭐든 자기가 1등으로 소식 전하는 거 좋아하고. 지네 엄마 닮아서 활발하고 사교적인 애였어. 혼자 다니는 걸 유독 싫어했는데……."

그녀의 말을 듣던 내 머릿속에도 갑자기 그날의 기억이 떠올랐다.

– 이윤아랑 박소영 중 누구랑 더 친해?

교실에서 자신을 외면하는 이윤아의 모습을 똑똑히 목격했음에도 불구하고 내 질문에 머뭇거리며 '글쎄, 윤아랑 조금 더 친한가…….'라고 대답하던 여울이의 표정은 지금도 잊을 수가 없다. 억지로 작게 웃던 열여섯 소녀의 침울한 목소리는 이후로도 한참 동안 머릿속에 맴돌았다.

"내색은 안 했지만 걔가 외모 그런 거에 스트레스를 많이 받았었거든. 어릴 때 보면 꼭 얼굴 생김새나 외모 가지고 놀리는 애들 있었잖아. 그런 애들이 툭툭 던지듯 내뱉은 말들이 지금까지 쭉 상처로 남아 있던 거 같아. 어쨌든 나와 달리 그 애 옆에는 그런 아픔을 어루만져 줄 친구가 없었던 거 같으니까……."

숨을 길게 내쉬는 여울이의 눈동자가 복잡해 보였다. 나는 가만히 그녀의 머리를 쓰다듬으며 말했다.

"나한테는 그게 너였는데."

여울이가 눈을 동그랗게 뜨더니, 민망한 듯 웃으며 제 이마를 매만졌다. 타인에게 한 번이라도 상처를 주지 않고 살아가는 사람이 있을까? 아이러니하게도 사람들은 자신이 가장 사랑하는 이들로부터 가장 많은 상처를 받으며 살아간다.

다행히도 여울이는 이제 다 털어 낸 듯했다. 그렇게 악을 쓰며 미워하던 그 애의 상처도 헤아려 볼 줄 알게 되고.

　"처음에는 그렇게 변해 버린 그 애 모습 자체가 너무 싫고 그랬는데, 지금은 조금 안타까운 마음이 들어. 나는 몇 주로 끝났던 악몽이 걔에게는 고등학교를 졸업할 때까지 쭉 이어졌을 수도 있었겠구나……. 나는 알잖아, 그게 얼마나 끔찍한 일인지. 소영이나 네가 없었다면 아마 나도 그렇게 될 수 있었겠지……."

　어린 시절의 악몽은 시간을 그곳에 가둬 버린다. 남들은 다 저 앞을 향해 달려가는데 나만 절벽에 매달린 채 홀로 아등바등 기어오르고 있다는 착각에 휩싸여 점점 손이 무거워진다. 그리고 추락한다. 그 이후부터는 나를 이곳에 밀어 넣은 이들을 끝없이 증오하게 되는 진짜 악몽이 펼쳐진다.

　나는 공감하며 말했다.

　"내가 누군가를 사랑하고 또 사랑받게 될수록 남을 미워하는 게 얼마나 허무한 일인지 깨닫게 되는 거 같아."

　어느 순간부터 나를 보며 윽박지르던 아버지의 표정이 떠오르지 않았다. 피아노 건반 앞에서 긴장을 하며 얼어붙던 일도 농담처럼 꺼낼 수 있게 되었다. 그녀를 사랑하면서 나는 비로소 자유로워진 기분이었다.

"그래도 곧 결혼한다던 남자 친구분, 얼핏 봤지만 괜찮아 보이던데……."

"괜찮은 사람이니까 결혼하는 거겠지. 걔가 얼마나 눈이 높은데."

나를 흘겨보는 그녀의 입가에 미소가 어렸다. 그런 그녀를 쳐다보던 나는 뒤늦게 무슨 말인지 깨닫고 웃었다. 같이 쿡쿡 웃던 여울이가 창문을 열며 말했다.

"나는 참 운이 좋았던 거 같아. 그 많고 많은 아파트 중에서 네가 딱 우리 옆집으로 이사 왔잖아. 게다가 같은 반까지 되고. 만약 이웃이 아니었다면 우리가 이렇게 가까워질 일은 없었겠지?"

"글쎄."

내 입가에 의미심장한 곡선이 떠올랐다. 지난 십 년간, 속으로 수없이 생각해 왔던 그 말을 그녀의 입에서 듣게 되니 기분이 묘했다.

"옆집이 아니었어도 같은 반이 아니었어도, 아마 나는 김여울 쫓아다니면서 교복 조끼 좀 맡아 달라고 졸라 댔을걸?"

나를 어루만져 주는 단 한 사람, 그 한 사람을 만난다는 게 삶에 있어 얼마나 기적 같은 일인지 알게 되었다.

그게 너라서 참 행복하다.

집에 올라오자마자 침실로 들어간 여울이는 익숙한 손길로 옷장 문을 열었다. 그녀는 내 티셔츠들 중 마음에 드는 걸 하나 고른 뒤, 얼마 전에 자기 집에서 가져온 노란색 물고기 무늬 잠옷 바지와 함께 갈아입었다.

편한 복장으로 거실에 나온 여울이는 피곤한 듯 가죽 소파 위에 털썩 엎드렸다. 주방에서 유리컵에 생수를 따라 마시던 나는 곁눈질로 그녀의 모습을 확인했다.

"아, 맞다."

뭔가 생각났는지 핸드폰을 꺼낸 그녀는 엎드린 채 핸드폰 화면에 코를 박았다. 나는 식탁에 컵을 내려놓으며 안심하라는 듯 일렀다.

"걱정 마, 우리 얘기는 없어."

여울이는 어깨너머로 내 쪽을 흘끔 쳐다보더니 다시 화면에 집중했다. 오전에 뜬 기사를 이제야 정독 중인 모양이었다.

"이 최문식 기자란 분이 우리 기사 써 주기로 한 사람 맞지?"

"그 기사는 아마 드라마 종방하고 나올 거야."

"작가님이랑 피디님도 아셔?"

"당연하지."

윤 피디는 오히려 종방 직전에 터뜨리는 게 어떠냐고 제안을 했을 정도였다. 화제성이 대단할 거라 생각했는지 재현이 형에게 거듭 제안하고 있는 듯했다.

"걱정 안 해도 된다니까."

여울이는 "그래도……."라고 중얼거리며 시선을 내리깔았다. 내가 소파로 와서 옆에 앉자, 엎드려 있던 그녀는 몸을 일으켜 걱정스러운 눈빛으로 나를 바라보았다.

"어차피 한동안은 연기 쉴 생각이야."

"갑자기 연기는 왜?"

"저번에 네가 나한테 했던 질문 기억나?"

"무슨 질문?"

"연기 말고 다른 걸 해 보고 싶었던 적은 없냐고 했던 거."

"아, 응."

"그날 이후 가만히 생각해 봤어. 내가 연기 말고 또 하고 싶은 게 뭐가 있는지……. 탁 떠오르는 건 없더라."

"생각하자마자 탁 떠오르면 그게 이상한 거지."

"그래도 한 가지 계속 머릿속에 맴도는 말이 있었어."

"그게 뭔데?"

‒ 피아노……. 다시 치고 싶지 않아?

조심스럽게 묻던 그녀의 목소리가 수면 밑에서 파동을 그리며 밀려왔다. 잔잔한 물결은 호수 가장자리에 머뭇거리며 서 있는 내 발등을 적시며 물러갔다가 다음번에는 발목을 적셨다. 뭐였을까? 목구멍이 조여들면서 말문이 막히던 그 기분은.

"피아노를 다시 시작하기에는 너무 늦었고, 여태까지 그러고 싶다고 생각해 본 적도 없었는데……."

언제부터인가 피아노를 친다는 생각을 하면 마음이 가뿐해지는 걸 느꼈다. 내 안에서 나를 짓누르던 것들을 꺼내간 그녀 덕분인가? 어느새 내게 있어 피아노를 치는 시간은 마음의 휴식 시간이 되어 있었다. 피아노 앞에 앉은 내 모습이 가장 근사하다고 했던 여울이. 피아노를 치는 순간에는 언제나 그녀의 미소가 곁을 지켰다. 그 전제 자체가 커다란 힘을 발휘했다.

"지난 십 년간 나는 내 꿈이 뭔지, 내 미래가 앞으로 어떻게 펼쳐질지, 그런 걸 생각해 볼 여력조차 없었던 것 같아. 그냥 어느새 이 일을 하는 게 너무 당연해져 버려서."

오래전에 잃어버렸던 조약돌 하나를 누군가 손에 쥐여준 기분이었다. 어릴 때 보물처럼 여기던 예쁜 돌멩이 하나를 찾았을 뿐인데, 동심과 꿈을 다시 얻게 되는 듯한 그런 기분에 휩싸였다.

잠자코 듣고 있던 여울이가 두 팔을 뻗더니 내 목을 꼭 껴안았다. 제일 좋아하는 그녀의 심장 소리가 오른쪽 귓바퀴에서 나직나직한 박자로 따뜻하게 울려왔다.

"열심히 생각해 봐. 네가 무슨 결정을 하든 간에 나는 무조건 응원하고 지지할 테니까."

입가로 포만감이 느껴졌다. 내가 무엇을 하든 간에 내 옆에는 여울이가 있다. 앞으로는 쭉 그녀가 함께해 줄 거라는 믿음 자체로 벌써 올라야 할 언덕 위가 보이는 것 같았다.

"너도."

"응?"

"새 아지트 생기면, 거기 피아노 연주자는 무조건 내가 되어 줄 테니까 열심히 해 보라고."

"돈 받을 거야?"

"당연한 거 아니야?"

"돈도 많은 놈이 진짜 못됐다. 우정 출연 그런 거 모르냐, 너는?"

짜증을 내며 일어서는 그녀의 등 뒤로 웃음을 흘려보냈다.

"가족은 가능해."

"뭐?"

"부부 사이면 가능하다고."

나를 물끄러미 바라보던 여울이의 눈동자가 놀란 듯 멈칫했다. 아무 말 없이 쳐다보던 시선이 머뭇하더니 홱 돌아섰다. 장난스럽게 웃던 내 입가가 서서히 멈췄다.

싫다고……. 안 하네?

벌떡 몸을 일으킨 나는 주방으로 가는 그녀의 뒷모습을 빤히 쳐다보았다. 쟤는 꼭 민망하면 도망치듯 어디로 걸어간다. 대부분 욕실 아니면 냉장고 앞이기는 한데.

"김여울."

뒤를 쫓아간 나는 냉장고 야채 박스에서 복숭아를 꺼내는 그녀의 어깨를 잡았다. 복숭아 두 개를 손에 쥐고 싱크대로 가던 그녀가 곁눈질로 나를 쳐다보았다.

"왜?"

"나 그거 찾았는데."

"뭐?"

"내가 환장하게 좋아하는 거."

무표정한 태세를 취하던 그녀의 입가가 일순 실룩하는 게 보였다. 모르는 척 시치미 떼는 표정에 피식 웃음이 나왔다. 속마음 다 보이는데……. 넘어오라고 주문을 걸어볼까?

"뭔지 안 궁금해?"

"안 궁금해."

저 똥고집, 저 입술은 키스할 때만 예쁘다.

"그거 말고 다른 궁금한 게 있는데."

"뭔데?"

"나 회식할 때 찾아왔던 날, 혹시 고백하려고 했던 거였어?"

"……."

"6번, 그거 고백이었지?"

"고백은 그다음 말에 이어서 하려고 했어."

"그런데 왜 안 했어?"

"하면 안 될 거 같아서."

"왜? 차일까 봐?"

"네가 온몸으로 완강한 눈빛을 보냈잖아. 지금 고백하면 죽일 거라고."

내 말에 여울이는 말문이 막힌 듯 뺨을 매만지더니 천장을 올려다보았다.

"나 중3 때 그런 생각했다?"

"무슨 생각?"

"내가 너를 좋아하는 거보다, 얼른 네가 나를 훨씬 더 많이 좋아하게 되었으면 좋겠다는 생각. 나보다 네가 나를 훨씬 더 많이 좋아해서 나만 보면 가슴이 두근거리고, 설레고 안절부절못하게 되면, 그때 진짜 이거 다 복수해 줘야지, 그런 생각."

싱크대 앞으로 간 그녀는 좌르르 쏟아지는 수돗물에 복숭아를 씻었다. 나는 찬장에서 쟁반 하나를 꺼내 과도와 포크 두 개를 집어서 올렸다.

"그럼 그동안 나한테 복수했던 거야?"

"그런 건 아니야."

아니라고 말하는 그녀의 목소리가 자그마하게 수그러들었다. 분위기가 무겁게 가라앉으려 하자 얼른 농담하듯 물었다.

"어쨌든 소원 이루어졌네?"

"모르겠어. 아직도 내가 더 많이 좋아하고 있는 거 같기도 하고."

"나는 너 못 보면 죽는다고 했잖아."

"내가 그때도 말하려고 했는데, 그거 너무 비현실적인 대사 아니야?"

"야, 나 그때 진짜 실려 갈 뻔했어."

"언제?"

"네가 나보고 당분간 연락하지 말자고 했을 때."

여울이가 의심스러운 눈초리로 쳐다보았다. 나는 어깨를 으쓱하며 쟁반을 내려놓고 과도를 집었다.

"진짜야, 완전 산송장이었다니까."

소파에 앉아 허리를 구부정하게 숙이고 과도로 복숭아를 깎는 사이, 여울이는 키위 두 개를 더 씻어 왔다. 조그마한 그녀의 입에 맞게 복숭아와 키위를 깎아서 각각 한 입 크기로 잘게 썰었다.

"힘들어 보이기는 했어."

대수롭지 않게 말하는 그녀의 모습에 나는 눈을 가늘게 좁힌 채 물었다.

"너는 내가 너 때문에 힘들어하면 은근히 좋아하는 거 같더라?"

"그건 또 무슨 소리야?"

"섹스 할 때도 그렇고."

"내가 언제?"

"내가 혼자 참다가 못 버텨서 돌아 버릴 때면 좋다고 웃잖아."

나를 물끄러미 쳐다보던 그녀의 시선이 슬그머니 내 허벅지로 향했다. 우물거리며 키위를 삼키던 그녀가 옆으로 달라붙더니 허벅지 위로 손을 올렸다. 과일 깎느라 끈적해진 손을 허공에 들고 있던 나는 악다문 잇새로 말했다.

"하지 마."

그녀는 내 좁혀진 미간을 쳐다보더니 장난스럽게 배시시 웃었다.

"김여울, 그만하라고 했어."

인상 쓴 표정과 달리 몸이 반응하자 재밌는지 그녀는 내 귀에 손가락을 넣더니 입술로 숨결을 불어넣었다.

손으로 만질 수 없다는 걸 알고 이러는 거 같은데…….

비스듬히 눈을 내리깔고 그녀가 어디까지 가는지 지켜보았다. 귓바퀴에 혀가 할짝이며 닿자 신음이 목젖에서 낮게 흘러나왔다.

"마지막이야, 그만해⋯⋯."

"싫어."

이를 꽉 깨물고 버티던 나는 손으로 테이블을 짚고 몸을 돌렸다. 흠칫 놀란 입술이 귓바퀴 안쪽에서 떨어지는 게 느껴졌다. 소파 위로 다리를 올린 나는 덮치듯 그녀의 아랫입술을 깨물고 세차게 빨았다. 어깨로 그녀의 몸을 밀면서 허리를 숙였다. 키스에 정신이 팔린 그녀가 소파에 등을 기댄 채 항복하듯 주르륵 눕자, 입술 사이로 밀어 넣었던 혀를 꺼내 그녀의 왼쪽 귀에 집어넣고 다시 한번 물어뜯듯 빨았다.

"계속할까?"

내 말에 그녀가 몽롱한 눈을 뜨더니 재촉하듯 손을 뻗어 허리를 끌어안았다. 눅눅해진 입술에는 아직 뜨거운 숨결이 남아 있었다.

"손 씻고 올게."

화장실에서 재빨리 손을 씻고 나오자, 벌써 쟁반의 반이 텅 비어 있는 게 보였다. 놀라서 우뚝 서 있는 나를 본 그녀는 자신도 놀란 듯 얼른 포크를 내려놓았다. 알사탕처럼 불룩해진 볼을 빠르게 우물거리며 얼른 삼키는 모습에 나는 황당한 표정을 지었다.

방금 전까지 그렇게 사람을 유혹하면서 애태워 놓고 잠깐 손 씻고 온 사이에 무슨 일 있냐는 듯 다람쥐처럼 저렇게 열심히 과일만 먹고 있는 게 말이 되냐고.

역시 아무리 봐도 요즘 날 괴롭히는 데 재미가 들린 게 틀림없다. 내가 어디까지 참을 수 있는지 인내심을 테스트해 보는 것 같기도 하고, 뭔가 주도권을 갖고 싶어서 저러는 것 같기도 하고, 그것도 아니라면 호기심인가? 요즘 부쩍 새로운 방법으로 고문하려 애를 태우는 거 같은데.

갑자기 뭔가 뇌리를 스쳤다. 나는 걸음을 틀어서 서재로 향했다. 내가 어딜 가는지 시선으로 좇던 그녀의 눈이 동그랗게 커지더니 벌떡 일어나서 허둥지둥 달려왔다.

"하은수, 거긴 왜 가는데?"

얼마 전에 책꽂이가 부족하다고 해서 이중 책꽂이를 달아 줬는데, 이것도 얼마 안 가서 금방 다 찼다. 미닫이처럼 움직이는 책꽂이를 옆으로 드르륵 밀자, 빽빽하게 찬 책들이 눈에 들어왔다.

"뭐야, 이건……."

'19세 미만 구독 불가' 딱지를 발견한 내 눈동자가 휘둥그레 커졌다. 그 사이 달려온 여울이가 내 손에 든 책을 냉큼 뺏었다.

"그런 거 아니야, 이상한 생각하지 마."

"이상하게 생각 안 할게, 이리 줘 봐."

평소 가끔 야한 책이나 만화를 본다는 건 예전부터 알고 있었는데, 새삼스럽게 뭘 이리 당황하는지 이상했다.

"그냥……. 그냥 참고할 겸 사 본 거야."

"참고한다고?"

"아니 그게 아니고……."

우물거리던 그녀가 발끝을 쳐다보며 인상을 썼다. 그 모습을 쳐다보던 내 입가에서 웃음이 터져 나왔다. 책꽂이를 짚은 채 큭큭대며 웃는 내 모습에 여울이는 빨개진 얼굴로 안간힘을 쓰며 내 등을 밀기 시작했다.

"저리 가, 거실로 가라고!"

"아니 그냥 구경 좀 하겠다는데, 왜 그래?"

"안 돼, 빨리 나가!"

"한 페이지만 읽어 보자, 나도 참고 좀 하게."

내가 꿈쩍도 안 하자 그녀는 방방 뛰며 억울한 목소리로 난리치기 시작했다.

"프라이버시 존중해 준다며, 내 취미 생활 아껴 준다며!"

"아껴 주고 있잖아. 이 이상 어떻게 더 존중하고 아껴 줘?"

"서재에 자물쇠 달아 줘, 나만 드나들 수 있게."

"무슨 말도 안 되는 소리를 하고 있어, 여기 우리 집이야."

"월세 낼게."

"뭐?"

같이 살자는 말에는 펄쩍 뛰더니 취미용으로 내준 방 한 칸에는 월세를 내겠다고? 뭐라고 대꾸해야 할지 말문이 막혀 주춤하는 사이, 그녀는 기어코 나를 문밖까지 밀어냈다. 문 앞에 팔짱을 끼고 선 여울이가 단호한 표정으로 말했다.

"나만의 동굴이거든? 출입은 좀 자제해 줘."

"그럼 나만의 동굴은? 내 취미 용품은 다 거실에 있잖아."

"그건……."

멈칫한 그녀의 표정이 당황한 듯 수그러졌다. 나는 허리를 숙인 채 속삭이듯 말했다.

"나도 나만 들어갈 수 있는 장소 만들어 줘, 그럼."

그녀는 고민에 빠진 듯 눈치를 살폈다. 슬그머니 다가온 손이 내 오른손을 잡더니 자신의 허벅지 사이로 이끌었다. 그 모습을 빤히 쳐다보던 내 눈초리가 멈칫했다.

"뭐야, 김여울 변태네."

"그래서 싫어?"

"아니……."

복숭아 향 나는 입술에 쪽 키스를 하자 혀에 키위 맛이 묻어났다. 도톰한 아랫입술을 할짝이며 낮게 웃었다.

"너 진짜 여우 다 됐다."

내 말에 작은 몸을 들썩이며 웃은 그녀가 폴짝 안기며 내 허리에 다리를 휘감았다. 내 목을 끌어안은 그녀의 입술이 귓가와 목덜미에 쪽 하고 연이어 입맞춤을 했다. 나는 그녀의 팔에 턱을 올린 채 흐려진 눈으로 물었다.

"침실로 갈래?"

나는 티셔츠를 벗고 바지 후크를 푼 뒤 침실 문을 끼익 닫았다. 이불에 몸을 숨긴 그녀가 드러난 가슴을 가리듯 양팔로 어깨를 감싸 안고 있었다. 그 모습을 홀린 듯 바라보던 나는 매트리스 위로 기어오르며 몸을 숙였다. 넘실거리는 이불 속에서 몸을 겹친 채 부드럽고 거친 유영을 했다. 하악거리며 나온 신음 소리가 서로를 할퀴며 이어졌다.

반쯤 뜬 눈동자가 초점을 잃고 흐리멍덩하게 풀어질 때쯤이 되어서야 미끄덩거리는 땀이 차갑게 식어 갔다. 내 목을 끌어안고 있던 그녀의 팔이 침대 위로 풀썩 떨어지는 소리가 들렸다. 여울이가 초점을 잃은 눈으로 어쩔 줄 몰라 하며 온몸을 바르르 떨고 있었다. 살짝 뺐던 몸을 다시 안으로 깊숙이 넣자 그녀가 입 밖으로 흐느끼는 듯한 신음 소리를 내뱉었다. 나는 허리를 숙여 거친 키스로 그녀의 입술을 틀어막았다.

이 순간이 정말 좋다. 절정의 여운 속에서 최고조로 흥분한 그녀를 조금씩 자극시키며 애무하는 것. 땀에 젖은 그녀의 모습이 다시 한번 나를 흥분시키는 걸 느꼈다. 내 허리 움직임에 따라 그녀의 가슴이 동그랗게 흔들렸다. 나는 그녀의 다리 사이에 부드럽게 몸을 꽂은 채, 부드러운 몸의 성감대를 하나씩 혀로 핥짝이기 시작했다.

가슴의 도드라진 정점, 귓바퀴 귓불로 이어지는 목덜미, 검지와 중지 사이 움푹 들어간 부분, 손등과 손목 안쪽 맥박이 뛰는 부위…….

한 곳씩 애무를 마칠 때마다 입술로 돌아와 깊은 키스를 나눴다. 몸이 달아오른 채 내 이름을 애타게 부르는 그녀의 목소리에 불쑥 흥분이 밀려왔지만 그럴 때마다 심호흡을 하며 열기를 가라앉혔다. 이윽고 두 번째로 맞이하는 오르가즘에 여울이가 몸을 마구 들썩였다. 아예 울음을 터뜨리며 덜덜 떠는 그녀를 진정시키듯 꼭 끌어안았다.

"사랑해."

팔 안에 기댄 채 축 늘어진 그녀를 안고 속삭였다. 짐승 같은 섹스의 마침표는 언제나 사랑한다는 말이었다. 이윽고 여울이는 너부러진 자세 그대로 눈을 감았다. 나는 순식간에 잠들어 버린 그녀를 보며 피식 웃고 말았다.

잠시 후, 살짝 열린 문틈 사이로 오후의 낮잠이 스며들기 시작했다. 고른 숨소리가 서로를 안고서 맞닿은 입술 사이로 열기를 머금은 채 흩어진다.

　게으르고 나른한 하루.

　창가에 놓인 해바라기 화분이 이쪽을 바라보며 웃고 있었다. 나는 옆으로 비스듬히 누운 채 그녀의 귓바퀴를 덮고 있는 머리칼을 쓸어 넘겼다. 아직 침대가 따뜻하게 젖어 있는 상태였다. 그녀의 이목구비와 부드러운 살결의 곡선을 아로새기기라도 하듯 나는 한참 동안 그녀의 몸에서 시선을 떼지 못했다.

　마른 입술을 축이며 뒤에서 여울이를 꼭 껴안았다. 아무리 함께해도 약간의 목마름이 그녀를 향해 끝없이 손을 뻗는다.

　어떻게 해야 이 갈증이 완벽하게 해소될까? 그건 아마 평생 힘든 일이겠지.

　잠시 생각에 잠기던 나는 잠든 그녀의 귓가를 향해 천천히 고개를 숙였다. 닫혀 있던 입술 사이로 낮게 잠긴 목소리가 새어 나왔다.

　나랑 결혼해 줄래?

　심장이 두근거리며 뛰었다. 잠결에 속삭이면 꿈결에 듣게 된다는 말이 있던데. 만약 들었다면 평소처럼 웅얼거리기라도 했을 녀석이었다. 아무래도 오늘은 깊게 잠든 모양이다.

수십, 수백 번 거듭해서 말하다 보면 어느 순간 자기도 모르게 고개를 끄덕일지도 모른다. 여울이는 바보 같은 여우니까 마지못해 넘어가 주는 거라고 여기며 그럴지도 모른다.

그랬으면 좋겠다.

녹턴을 들려주었던 그 밤처럼 그렇게 반짝이는 눈으로 나를 바라보면서 줄곧 그 말만을 기다려 왔다고 말해 줬으면 좋겠다.

몸을 웅크린 채 자고 있는 그녀를 뒤에서 꼭 끌어안았다. 하품이 흘러나왔다. 무거운 눈을 감자 어디선가 답답하다는 목소리가 들려왔다.

'이거 말고, 바보야.'

꿈속에서 내가 파란색 건담을 손에 쥔 채 어이없다는 표정으로 말하고 있었다.

'누가 이런 게 갖고 싶대?'

빨간색 하트 상자를 돌려받은 여울이가 영문을 모르겠다는 표정을 지었다. 처음 그녀를 본 순간부터 내가 가지고 싶던 건 오로지 하나였다. 나를 자전거에서 떨어뜨리고, 당황하게 하고, 윽박지르게 하고, 질투 나게 하고, 울고 절망하게 만들었던 이웃집 여자애.

내가 원한 건 파란색 건담도 아니고, 빈 반찬통도 아니고, 자전거 뒷자리도 아니고, 조끼를 맡아 주는 것도 아니었다. 그 모든 것은 네 곁을 맴돌기 위한 구실일 뿐이었다.

'하은수, 너 도대체 나한테 왜 이래?'

화를 내며 씨근덕대는 그녀의 모습에 심장이 빠르게 뛰었다. 도대체 나는 얘가 얼마나 좋으면 꿈속에서까지 이러고 있을까? 알면서도 멈출 수 없는 기분. 보라색 체육복을 입은 그녀의 팔을 거칠게 잡아당기며 덮치듯 키스를 했다.

어깨와 팔에 힘을 주자, 품안에 안겨 있던 몸이 움찔하며 허리를 일으켰다. 맥박이 뛰는 목덜미를 파고든 나는 잠결에 인상을 쓴 채 중얼거렸다.

"가지 마, 김여울······."

살금살금 빠져나가던 그녀가 움찔 멈췄다. 내 팔 사이로 다시 들어온 입술이 가볍게 쪽 입을 맞추며 웃음기 어린 목소리로 물었다.

"그럼 가지 말고 여기에서 같이 살까?"

여기에서 같이 산다고?

키스를 하다 말고 놀란 나는 입술을 떼어 낸 뒤 그녀를 바라보았다. 뺨이 발그레 젖은 여울이가 체육복 소매로 입을 가린 채 수줍게 웃고 있었다.

학교 기숙사 생활관에 숨어든 것도 모자라서 같이 살겠

다니, 지금 무슨 말을…….

여울이가 내 허리를 꼭 껴안더니 가슴에 안겼다. 나는 멍한 얼굴로 그녀의 어깨를 끌어안았다. 뭐가 뭔지는 모르겠지만 그냥 몸이 붕 뜨는 기분이었다.

여울이랑 같이 산다, 여울이랑 한곳에서 지낸다, 매일 아침마다 같은 식탁에서 밥을 먹고, 같은 소파에 앉아 책을 보고, 같은 침대에서 잠을 자고, 베개 하나를 사이에 놓고 밤새 이야기를 하고, 한 몸처럼 서로를 안은 채 키스를 하고…….

입가가 느슨하게 풀어졌다.

되게 좋네.

그랬으면 좋겠다. 내 연주가 최고라고 말해 주었던 그 밤처럼, 영원히 내 곁에 머물며 그렇게 오직 나만을 바라봐 줬으면 좋겠다.

"대답 듣고 싶으면 빨리 일어나, 하은수."

그녀의 웃음소리가 먼지처럼 부유하듯 떠다녔다. 가슴이 스타카토로 건반을 가볍게 치며 뛰었다. 나는 눈을 감은 채 입가에 곡선을 그렸다.

세상의 모든 행복을 손에 쥔 기분.

더할 나위 없이 사랑스러운 오후였다.

View of Yeoul

epilogue

epilogue

하루를 어루만지며 걷다 보니 계절이 변한 것도 모를 때가 많다. 변한 계절의 풍경이 일상처럼 다시 익숙해질 때쯤 하늘을 올려다보며 허탈해하던 날들. 그런 삶에 단 하나, 나를 간지럽히는 바람인 네가 있었다. 지난날 가시 같은 햇살로 나를 온통 뜨겁게 만들었던 너.

– 나의 계절은 지금……. 전부 너로 인한 계절이다.

라디오에서 흘러나오는 남자의 목소리가 나직하고 아름다웠다. 처음으로 낸 피아노 앨범을 소개하기 위해 직접 썼다는 그의 짧은 시는 한 장의 연애편지처럼 설렘이 가득했다.

– 목소리가 너무 근사하시네요. 옆에서 듣는데 가슴이

막 콩닥거려서 혼났어요. 청취자분들께서도 간만에 귀가 아주 호강하셨을 듯합니다. 오늘 이 자리에 나와 주신 이 남자분, 정말 오랜만에 뵙는 분이죠? 어느덧 4년만인가요? 그동안 대체 어떻게 지내셨는지 궁금한 것투성이네요. 청취자분들께 먼저 인사 한 말씀 부탁드립니다.

― 안녕하세요. 오랜만에 뵙습니다. 하은수입니다.

30대 후반의 개그우먼 출신인 정미경 씨가 진행하는 인기 라디오 프로그램 '정오의 데이트'가 흘러나오고 있었다. 그녀는 농담 섞인 말투에 시원한 웃음소리를 섞으며 분위기를 편안하게 이끌었다.

― 방금 들은 연주곡 참 좋은 거 같아요. 따뜻한 봄에 느낀 첫사랑의 두근거림이랄까요? 피아노를 잘 치신다는 건 알고 있었지만 작곡 능력까지 이렇게 뛰어나신 줄은 몰랐네요. 연기에, 피아노에, 작곡까지…… 정말 못 하시는 게 뭔가요? 그나저나 조만간 좋은 소식이 있다고 들었는데요.

― 좋은 소식이요? 하하…….

기분 좋게 웃는 그의 웃음소리가 부드러운 저음으로 울려 퍼졌다. 자세한 이야기 좀 들려 달라는 요청에 그는 가볍게 웃으며 입을 열었다. 연인에게 말하듯 다정한 그의 말투에 그녀는 홀린 듯 진행하는 것도 잊은 눈치였다.

"잘 잤어?"

샤워하려고 잠옷을 벗는 내 뒷모습을 비스듬히 누워 감상하던 은수가 특유의 잠긴 목소리로 속삭였다. 몸을 일으킨 그는 긴 팔로 뒤에서 내 허리를 끌어안더니 벗은 등에 쪽 키스를 했다. 부스스한 머리칼이 피부에 비비적거리며 닿았다. 날렵한 코끝과 애무하는 혓바닥이 동시에 아래위로 움직이는 게 느껴졌다.

"나 씻어야 한단 말이야."

"섹스하고 해."

흘끗 어깨 너머를 쳐다보다가 은수의 가느다란 눈웃음과 시선이 마주치자 일순 가슴이 쿵 하고 내려앉았다. 막 벗고 있던 잠옷을 움켜쥐었다. 나는 왜 아직도 은수의 얼굴만 보면 이렇게도 가슴이 두근거리는 걸까?

평소에는 심술궂은 눈빛으로 피식거리며 나를 놀리기 바쁜 그가 요즘은 이렇게 종종 달콤하게 심장 떨리는 고백을 해 오고는 한다.

"사랑해."

오늘도 심장을 꽉 조이는 듯한 저 미소에 속수무책으로 당하고 만다. 은수는 얼굴이 붉어진 나를 부드럽게 침대 위에 눕혔다. 이윽고 그의 혀와 손가락이 내 온몸 구석구석을 노련하게 애무하기 시작했다. 아침부터 서로의 살 내음을 맡고 체취를 섞는 일상이 이제는 너무나도 자연스럽다.

- 김여울, 너 그냥 여기서 살래?

그날 이후, 우리가 함께 맞는 네 번째 겨울이 왔다. 살갗
이 에이는 듯한 한파를 잠시나마 녹여 낼 수 있는 건 겨울
의 낭만인 설야뿐이다.

초저녁부터 날리기 시작한 진눈깨비는 어느새 성글게 떨
어지는 눈송이가 되어 짙은 밤을 하얗게 수놓고 있었다.

벽난로 근처에 놓인 안락의자에 앉아 책을 읽던 나는 서
리가 낀 창밖을 내다보았다. 아치 형태의 유리로 이루어진
이중창 너머로 쥐 죽은 듯 고요한 정원의 모습이 보였다.
잔디와 오솔길 위로 소금처럼 하얗게 깔린 눈은 발자국 하
나 없이 깨끗했다.

책을 탁 덮고 무릎에 덮은 담요를 들었다. 아무래도 오늘
은 일찍 문을 닫아야 할 분위기였다. 이런 폭설을 뚫고 오
는 손님은 없겠지. 날이 날인 만큼 아쉬운 마음도 들었다.

카페 웬즈데이.

이곳을 운영한 지도 막 1년이 되어 가고 있었다. 처음에
는 텅 비어 있던 1층의 67개의 책꽂이가 이제는 거의 빽빽
하게 채워져 간다.

독서와 음악.

그게 우리 아지트의 테마였다. 카페 중앙에 1층부터 3층

까지 굴뚝처럼 뻥 뚫린 공간은 웬즈데이의 트레이드마크
다. 온실처럼 유리로 된 천장은 낮이면 햇살이 가득 쏟아
지고, 밤이면 달빛이 구름을 뚫고 터널처럼 지상까지 뽀얗
게 이어진다.

1층은 거대한 도서관을 목표로 꾸몄다. 벽난로가 없는
공간에 인도네시아산 블랙월넛으로 만들어진 책장을 줄 세
워 오래된 고서점의 분위기를 자아냈다. 반대편 난로가 있
는 쪽에는 나이테 무늬가 아름다운 샤펠리 테이블을 배치
했다. 창가와 천장에는 따뜻한 색감의 조명을 달았고, 큼
직한 테이블 위에도 주먹만 한 크기의 스탠드들을 놓았다.

2층은 보물 창고였다. 나선형의 계단을 따라서 마치 중
세의 보물선에 탑승하듯 빈티지한 조명을 어스름하게 달
았고, 계단을 올라가자마자 보이는 홀 한가운데에는 은수
의 전용 피아노인 하얀색 스타인웨이를 놓았다. 그리고 열
개의 유리로 된 장식장에는 우리 둘이 여행을 다니며 모은
수집품들과 개인 소장용 피규어, 프라모델 등을 진열해 두
었다.

창가를 마주한 대리석 와인 바는 은수가 원해서 만들었
다. 가끔 이곳을 찾는 지인들 외에는 개방하지 않는 곳이
었다.

딸랑.

카페 출입문에 달아 놓은 금색 종이 쇳소리를 내며 울었다. 카운터 위에 엎드려 꼬리를 흔들던 녹희가 회색 귀를 쫑긋 세우며 머리를 들었다. 녹희는 이제 8개월 된 러시안 블루 암컷 고양이었다.

"누나!"

동민이었다. 어디서 구했는지 갈색 군밤 장수 모자에 털장갑까지 끼고 온 그는 이쪽을 보자마자 하얀 이를 드러내고 웃었다. 우산도 없이 왔는지 검은 패딩을 입은 어깨에 하얀 눈이 소복이 쌓여 있었다.

"웬일이야? 주중에는 알바 있잖아."

"하루 뺐어요. 크리스마스이브잖아요."

상기된 얼굴로 서 있던 그는 나와 눈이 마주치자 쑥스러운 듯 손등으로 코를 슥 훔쳤다.

"감기 걸렸구나, 유자차 한 잔 타 줄까?"

"정말요?"

"잠깐 앉아 있어."

동민이는 말 잘 듣는 아이처럼 "네!" 하고 책꽂이 옆에 있는 4인용 테이블로 가서 앉았다. 나는 커피포트에 물을 끓이며 물었다.

"데이트하려고 뺀 거야?

"데이트요?"

"크리스마스이브라서 하루 뺐다며. 여자 친구랑 놀러 가려고 그런 거 아니야?"

"네? 아니에요! 저 여친 없어요."

"그래?"

선반에서 개인용 머그컵을 꺼낸 나는 유자와 물을 부으며 가만히 웃었다. 의자에 앉아 나를 뚫어져라 쳐다보는 동민이의 얼굴이 평소보다 붉었다. 뭔가 야릇한 촉이 뇌리를 스쳤다.

"저 누나한테 줄 거 있는데……."

"나한테?"

패딩을 벗고 백팩에서 뭔가를 꺼낸 그가 카운터로 성큼성큼 걸어왔다. 은수보다 조금 작은 정도니까 180㎝ 근처이려나? 까무잡잡한 피부에 짙은 눈썹이 눈에 띄는 애였다. 짧은 머리칼 밑으로 원숭이처럼 뾰족하게 선 귀 모양도 인상적이고. 스물여섯의 남자보고 애라고 하기는 좀 그렇지만 도연이랑 나이가 비슷해서인지 덩치 큰 남동생처럼 느껴졌다.

"크리스마스 선물이에요."

"아, 진짜? 고마워."

그가 손바닥 반만 한 크기의 정사각형 케이스를 꺼냈다. 나는 멈칫한 채 그를 쳐다보았다. 주얼리 케이스였다. 그는 긴장한 듯 마른 입술로 어색하게 웃으며 말했다.

"열어 보세요, 누나."

그때 딸랑하는 쇳소리와 함께 유리문이 열렸다. 은수가 검은색 장우산을 밖을 향해 탁 털며 들어오고 있었다. 우산꽂이에 우산을 대충 툭 꽂은 그는 회색 더플코트의 단추를 하나씩 풀며 고개를 들었다. 흘끔 이쪽을 쳐다본 그의 시선이 나와 동민이를 발견하고선 멈췄다.

"손님 오셨나 봐요."

동민이가 작게 속삭였다. 뚜벅뚜벅 걸어온 은수의 손이 카운터를 쭉 쓸었다. 천천히 다가오던 발걸음이 내 손등을 짚는 손가락과 함께 정지했다.

"손님?"

부드럽게 손을 움켜쥔 그가 허리를 숙이며 물었다. 다정한 목소리와 달리 동민이를 보는 눈초리가 서늘했다. 눈을 동그랗게 뜬 동민이는 영문도 모른 채 은수를 껌뻑 쳐다보았다. 그때 곁눈질을 하던 은수의 시선이 카운터 위에 놓인 주얼리 케이스를 발견했다.

"이건 뭐야?"

케이스를 집어 허공에서 좌우로 돌려 본 그가 인상을 쓰며 물었다.

"그거 제가 누나한테 선물로 드린 건데."

살짝 커진 은수의 동공이 다시 동민이를 쳐다보았다. 그의 윗입술이 천천히 열렸다가 닫혔다. 바깥에서 가져온 서늘한 숨결이 조각처럼 다물린 입술 사이로 흘러나왔다.

잠시 적막이 내려앉았다.

나는 난감한 표정으로 미간을 매만졌다. 동민이는 머뭇거리다가 은수의 손에서 주얼리 케이스를 홱 낚아챘다.

"누나, 여기요."

"아, 어……."

나는 옆을 흘끔거리며 동민이가 건넨 주얼리 케이스를 손안에서 만지작거렸다. 비스듬히 내리깐 은수의 눈초리가 고요했다. 심상치 않은 분위기를 눈치챈 동민이가 내게 조심스럽게 물었다.

"근데 이 형은 누구세요?"

"아, 그게……."

은수가 내 말을 가로채듯 끊으며 대답했다.

"피아노 연주자."

"네?"

은수는 내가 손에 쥔 주얼리 케이스를 내려다보더니 다시 싸늘한 목소리로 말했다.

"여기 카페에서 피아노 치는 사람인데."

"아, 그 수요일마다 오신다는……."

동민이가 조금 안심한 듯 입가를 환하게 밝혔다. 나는 관자놀이를 짚으며 한숨을 내쉬었다.

"동민아, 일단 저쪽에 앉아 있을래? 누나는 이 분이랑 잠시 할 얘기가 있어서."

"아, 네."

유자차가 올려진 쟁반을 들고 얌전히 돌아서는 그의 등이 경쾌해 보였다. 은수는 내 손을 흘끗 보더니 미간을 좁히며 물었다.

"너 반지는?"

"원래 일할 때는 안 끼는 거 알잖아, 손 자주 씻어서."

알면서 괜히 묻는 그의 어조에 짜증이 묻어 있었다. 은수는 목에 감은 머플러를 풀면서 눈을 가늘게 접었다.

"쟤가 너 좋아하나 본데."

"그런가 봐. 나도 오늘 알았어."

어깨를 돌려 이쪽을 쳐다보던 동민이는 나와 눈이 마주치자 얼른 창밖으로 시선을 돌렸다. 귀까지 빨개진 게 보였다. 그네에 앉은 듯 발을 허공에서 흔들며 기다리는 동민이의 뒷모습에서 눈송이 같은 설렘이 묻어나왔다.

"어렸을 때 미국으로 유학 가서 고등학교 때까지 다녔대. 취업 준비 중인지 올 때마다 책 펴 놓고 열심히 보더라고. 주말마다 온 지 한 두 달쯤 됐나? 가끔 음료를 시키면서 종알종알 말을 걸길래 몇 번 대꾸해 준 게 전부인데……."

"취업 준비? 쟤 성인이었어?"

"스물여섯이야."

놀란 듯 동민이를 쳐다보던 은수가 복잡한 표정을 지었다. 질투가 나긴 나는데 화를 낼 수도 없는 상황. 그는 내 손에 쥐어진 주얼리 케이스를 다시 흘끗 쳐다보더니 물었다.

"그래서, 쟤가 막 선물 주면서 좋아한다고 그래? 누나랑 사귀고 싶다고?"

"그 말 하기도 전에 네가 들어왔어."

"어쩐지 되게 서둘러서 오고 싶더라."

농담처럼 말했지만 농담조가 아니었다. 카운터 위의 머플러를 집은 은수는 팔을 뻗어 내 허리에 둘렀다. 그리고 자기 쪽으로 휙 잡아당겼다. 저항할 겨를도 없이 끌려간 나는 감색 니트를 입은 그의 품에 쏙 안겼다. 놀란 내 입술을 향해 허리를 숙인 그가 살포시 입술 도장을 찍었다.

"미쳤어? 가게에서……."

"그러게 왜 나 말고 다른 남자한테 고백받고 다녀?"

낮은 목소리가 입술 바로 위에서 속삭이며 물었다. 흐려진 눈동자가 불만스럽게 일렁이고 있었다. 입술에 입김으로 닿는 뜨거운 숨결이 느껴졌다. 닿을 듯 말 듯 고개를 숙이며 내 입술을 자극하던 은수가 다시 아랫입술을 포갰다.

반듯한 콧날이 내 콧잔등을 사랑스럽게 문지르며 혀를 깊숙이 집어넣었다. 동민이가 앉아 있는 테이블 쪽에서 의자를 드르륵 끄는 소리가 들려왔다.

그 소리에 정신이 퍼뜩 든 나는 은수의 어깨를 확 밀쳤다. 뒷걸음질 치다가 선반에 뒤통수를 쿵 찧은 그가 "윽……." 하고 신음을 내뱉었다.

"손님들 계실 때는 스킨십 금지인 거 몰라?"

"쟤는 오늘 손님으로 온 게 아니잖아."

은수가 머리를 매만지며 억울하다는 표정을 지었다. 나는 올라가려는 입꼬리에 꾹 힘을 주었다.

"웃지 마, 김여울."

"귀여운 걸 어떡해."

"누가? 쟤가?"

은수가 인상을 쓰며 돌아섰다. 나는 얼른 발뒤꿈치를 들어 은수의 고개를 잡고 돌렸다.

"아니, 자기가."

웃음기 섞인 쪽 소리가 흘러나왔다. 뽀뽀를 한 입술을 떼어 내자 흠칫 커진 은수의 눈동자가 보였다.

"머리 젖어서 감기 걸리겠다. 얼른 씻고 말리고 와."

떨떠름한 표정을 짓던 은수는 내 손에 등 떠밀리듯 계단 쪽으로 향했다. 은수가 2층으로 올라가자 줄곧 눈치를 보던 동민이가 슬금슬금 이쪽으로 다가왔다.

"저 형은 몇 살이에요?"

"나랑 동갑."

"혹시 두 분 사귀시는 거예요?"

나는 곤란한 미소를 지었다. 내 표정을 본 동민이의 눈동자가 시무룩하게 일렁였다.

"몰랐어요, 남자 친구가 있으신 줄은……."

나는 카운터 위에서 하품을 하는 녹희를 당겨 안았다. 가르랑거리며 빠져나가려던 녀석은 배를 긁어주자 기분 좋은지 바닥에 벌렁 드러누웠다.

"우리 집 녹희의 이름은 쇼팽의 녹턴에서 따온 거야."

"아, 맞다. 누나 녹턴 좋아하시죠?"

"응, 은수가 내게 처음 쳐 준 곡이었거든."

내 대답에 동민이의 입가가 굳었다.

"내가 은수를 처음 좋아하게 된 건 열여섯 살 때였어."

"열여섯 살이요? 그럼 그때부터 사귀신 거예요?"

"아니, 그건 아니고."

나는 입가를 호선으로 그리며 웃었다. 누군가를 짝사랑하게 되면 저렇게 앞만 보게 되는 걸까? 혹시 내가…… 저 아이의 첫사랑인가?

"저 차인 거죠?"

동민이는 머리를 긁적이더니 코를 문지르며 웃었다. 나는 인심 썼다는 듯 메뉴판을 쭉 밀었다.

　"유자차는 서비스야. 다른 거 먹고 싶은 거 있으면 얼마든지 시켜도 돼."

　"됐어요. 제가 마신 건 제대로 계산할게요. 대신 저 피하지만 말아 주세요."

　"동민아."

　"누나 불편하게 안 할 테니까 그냥……. 그냥 앞으로도 원래 하시던 대로 편하게 대해 주세요. 그 정도는 괜찮죠?"

　"그건……."

　"누나랑 이대로 멀어지고 말도 못하게 되는 건 싫어요. 막말로 결혼하신 것도 아니고 그냥 아는 남동생 하나 정도는 있어도 괜찮으시잖아요."

　"그건 곤란한데."

　나직한 목소리가 머리 위에서 울려 퍼졌다. 계단을 내려오던 은수가 싸늘한 눈빛으로 이쪽을 내려다보고 있었다.

　"그 누나, 유부녀야."

　"네?"

　"나랑 결혼했거든."

　주얼리 케이스가 툭 하고 바닥에 떨어지는 소리가 들렸다. 모서리가 바닥에서 도르르 구르다가 벽에 부딪혔다.

동민이가 충격에 빠진 눈으로 나를 쳐다보고 있었다.

"죄송합니다."

동민이는 허리를 꾸벅 숙이고서는 도망치듯 문을 열고 뛰어 나갔다. 사라진 그의 뒷모습을 바라보던 나는 '하아' 한숨을 내쉬었다.

"나 아직 너랑 결혼 안 했는데."

계단에서 내려온 은수가 뒤에서 내 뺨에 문지르듯 카드 하나를 내밀었다. 흘끔 쳐다보던 나는 이게 뭐냐는 표정으로 받다가 멈칫했다.

반질반질한 재질의 흰색 카드 앞면에는 우거진 나뭇잎들이 청록색 에폭시로 새겨진 채 반짝였다. 중앙에 그려진 연하늘색 피아노는 스테인드글라스처럼 조각조각 빛을 반사시키며 시선을 사로잡았다. 마치 숲속의 피아노 같았다. 그 뒤에는 우리의 새로운 아지트 '웬즈데이'가 수채화처럼 예쁜 색감의 배경으로 자리하고 있었다.

청첩장의 앞면을 손가락으로 쓸던 나는 은수를 쳐다보았다. 은수가 나를 등 뒤에서 꼭 껴안으며 나직이 물었다.

"마음에 들어?"

"응, 너무 예쁘다……."

종이에 새겨진 나와 은수의 이름에서 눈을 뗄 수가 없었다. 기분이 이상했다. 나와 은수의 결혼식이라니. 막상 눈으로 보니 가슴이 떨리고 긴장되는 느낌이었다.

"아까 재현 오빠 보러 갔다 온 게 아니라 이거 찾으러 다녀온 거였어? 눈도 저렇게 많이 오는데."

"오늘 안에 전해 주고 싶었어."

나는 돌아서서 그의 목을 끌어안고 깊게 키스했다. 은수는 내 다리를 제 허리에 감더니 번쩍 몸을 안아 들고 계단으로 향했다.

"대체 우리는 왜 침실을 3층에 만들어 놓은 거지?"

갈 때마다 힘들어 죽겠다며 짜증을 내는 그에게 쪽 뽀뽀를 했다. 은수가 기분 좋게 눈웃음을 치며 웃었다.

난로 옆에 세워진 크리스마스트리가 몸을 휘감은 꼬마전구들과 함께 오색 빛깔로 빛나며 분위기를 연출하기 시작했다. 느릿한 박자로 '산타 베이비'를 부르는 마이클 부블레의 목소리가 금속 스피커에서 감미롭게 흘러나온다.

침대 위에서 와인 잔을 부딪치며 조곤조곤 대화하던 우리는 흐릿한 눈으로 서로를 바라보다가 팔을 뻗어 상대의 목과 허리를 감았다. 와인 잔이 쓰러져서 크림색 시트를 붉게 물들여 가는 것도 모른 채 서로의 몸의 가장 부드러운 부분을 문대며 눈을 감았다.

취한 밤은 늘 기어가듯이 느리게 흘러간다. 창문이 덜컹거리도록 흔들던 눈보라가 점점 더 거세게 휘몰아치고 있었다.

　새벽녘 고요한 시각, 비틀거리는 몸으로 피아노 앞에 앉았다. 혼자서 마시던 와인 잔은 바닥에 살포시 내려놓았다.
　매끈한 건반들이 각설탕처럼 나란히 늘어져 있는 게 보였다. 나는 왼손으로 피아노 의자를 짚은 채 기우뚱거리는 몸을 지탱했다. 그리고 허공에서 홀로 지휘를 하던 오른손을 건반 위에 사뿐히 올렸다. 올해로 쉰두 살인 피아노가 맑은 음을 선사하며 귀를 시원하게 적시기 시작했다.
　도,
　레,
　미,
　파,
　"솔."
　솔솔솔.
　"그 솔은 소리 잘 나, 바보야."
　빙글빙글 돌아가는 시야 속에 은수가 보였다. 검은색 잠옷 바지에 회색 니트를 입은 그가 문턱에 서서 벽에 비스듬히 기댄 채 팔짱을 끼고 있었다. 커다란 니트 때문인지 반듯하고 너른 어깨가 돋보였다. 충혈된 눈으로 걸어온 은수는 내 옆에 털썩 걸터앉았다.

"시끄러워서 잠을 잘 수가 없네. 이 새벽에 웬 피아노야?"

"갑자기 치고 싶어서."

나 때문에 깼나 보다. 미안한 표정으로 눈치를 살피자 은수가 바닥에 둔 와인 잔을 빤히 응시했다. 와인 잔을 한쪽으로 치운 그는 내 머리를 부드럽게 어루만지며 물었다.

"반주해 줄게, 쳐 볼래?"

신나서 건반을 누르자 뚱땅거리는 소리가 흘러나오기 시작했다. 딴딴딴, 입으로 박자를 맞추면서 웃던 나는 "어때?" 하고 옆에 앉은 그에게 물었다.

"넌 정말……."

나를 한심하게 쳐다보던 은수가 건반에서 손을 내려놓았다.

"한결같이 실력이 저조하다."

"손이 작은 걸 어떡하라고."

"이건 손하고 상관없는 문제야. 박자 감각이 아예 없는 수준인데."

나는 인상을 쓴 채 건반을 지그시 노려보았다.

"너 나 사랑하는 거 맞아?"

"맞아."

"근데 말투가 왜 그래?"

발을 툭 구르며 신경질적인 태도로 일어서자 은수가 가지 말라며 팔을 붙잡았다. 나를 허벅지에 앉힌 은수는 입술을 늘려 웃었다.

"삐졌어?"

"피아노 좀 못 치면 어때서."

"맞아, 못 쳐도 돼."

왜 저렇게 즐겁다는 듯 웃고 있을까? 나 진짜 화났는데. 쿡쿡 웃던 그가 내 어깨를 끌어안으며 뺨에 쪽 하고 입을 맞췄다. 말하고 행동이 완전 따로 논다. 박자 감각 없다고 바보 취급하더니, 세상에서 제일 사랑스럽다는 듯 껴안고 키스하는 건 뭐야.

"피아노가 좋아, 내가 좋아?"

"둘 다 좋아."

"아니, 둘 중 뭐가 더 좋냐고."

"그걸 몰라서 물어?"

"몰라서 물어."

"피아노는 없어도 살 수 있지만 김여울은 없으면 안 돼."

"……."

"피아노는 내 삶의 일부지만 너는 내 삶의 전부야."

내 입가가 살짝 풀리는 걸 본 은수가 눈을 예쁘게 휘며 웃었다.

"그러니까 나랑 결혼 안 하고 도망가면 안 돼. 나 죽는 꼴 보고 싶으면 그렇게 해, 김여울."

아, 느끼해. 고개를 저으며 웃음을 터뜨리자 은수도 함께 웃었다.

"말하는 나도 느끼해."

나는 피아노 위에 올려 둔 청첩장을 펼치며 배시시 웃었다.

"그렇게 좋아?"

"응."

"그동안 결혼하고 싶어서 어떻게 참았어?"

"사실은 빨리하고 싶었는데 말을 못 했어."

"평소에도 그렇게 좀 솔직하면 안 돼?"

나는 은수의 목을 가만히 끌어안았다.

"그럼 평소에 내 심장 소리를 잘 들어 봐. 거긴 엄청 솔직하니까."

"평소 심장 소리가 어떤데?"

"네가 막 쳐다만 봐도."

쿵쾅거리는 심장에 그의 손을 가져다 얹자 은수의 눈이 살짝 커졌다.

"이렇게 뛰어."

"정말이네."

만족스럽게 웃은 그가 내 뺨을 감싸 쥐더니 입술을 벌려 내 아랫입술을 삼키듯 깨물었다. 촉촉해진 입술을 몇 번이나 핥고 빨아 삼킨 뒤에야 할짝이는 혀를 떼어 냈다.

"그런데 왜 하필 겨울에 결혼하고 싶다고 한 거야?

"아, 그건……."

처음 내가 겨울에 결혼하고 싶다고 했을 때 은수는 아무것도 묻지 않은 채 그래, 그러자고 했다.

"기억나? 내가 너를 처음 만난 건 봄이었어."

삐죽 튀어나온 파가 담긴 검은 봉지를 내 책상에 툭 던져 놓고 간 남자애. 창피해서 얼굴이 후끈거렸던 그날은 죽는 날까지 잊을 수가 없다.

"너를 사랑하게 된 건 여름이었고……."

은수가 눈앞에서 녹턴과 환상 즉흥곡을 쳐 주었던 그 여름밤, 심장이 발밑까지 쿵 떨어지는 듯한 충격 어린 느낌과 함께 내 세상의 중심은 옆집 소년으로 바뀌어 버렸다.

"너와 연인이 된 건 가을이었더라."

내 말을 가만히 듣던 은수의 입술에 엷은 미소가 떠오르는 게 보였다.

"좋네, 겨울."

"그치?"

"그래도 너무 추울 것 같은데."

"난로에 불 대빵 지펴 놓지, 뭐."

그보다 녹희가 걱정이었다. 은수랑 결혼한다고 샘나서 내 드레스 다 할퀴어 놓으면 어떡하지?

술이 좀 깨자 1층으로 내려와 물을 따라 마셨다. 카운터 옆에 놓인 책꽂이는 은수의 것이었다. 주로 피아노와 작곡에 관한 저서들이 오밀조밀 꽂혀 있었다. 그중에 홀로 눈에 띄는 한 권의 책.

수학 9-나

나는 추억에 젖은 채 낡은 수학책 표지를 손으로 넘겼다. 그러자 간이 페이지에 동글동글한 글씨체로 '3-2 김여울'하고 적어 놓은 게 보였다.

"나는 이거 몇 년 전까지도 네가 갖고 있는 줄 몰랐어."

"평창 별장에 숨겨 놨으니까."

"왜 말 안 했어? 내가 미련 남아서 이렇게 서랍에 책까지 두고 갔는데."

"미련인 줄 몰랐어."

안락의자에 기대어 앉은 은수가 나를 향해 팔을 뻗었다. 나는 그가 벌린 다리 사이로 들어가 품에 안겼다. 나를 끌어안고 등에 담요를 덮은 은수가 내 머리칼을 빗어 주듯

쓸어내리며 어루만졌다.

"네가 정말 나를 잘라 냈다고 생각했어. 나한테 던지듯 버리고 간 수학책은 그런 의미인 줄 알았어. 모서리를 아주 벅벅 지워 놨더라고."

"일부러 너 보라고 넣어 둔 거였는데……."

"그 나이의 남자애들은 말해 주지 않으면 몰라. 되게 단순하거든. 눈앞에 보이는 것만 믿고 그 뒤에 다른 뜻은 없다고 생각해."

나는 고개를 들어서 손으로 은수의 목을 잡고 내 쪽으로 끌어당겼다. 왜 그러냐는 눈빛으로 고개를 숙이던 그는 내가 아랫입술을 포개며 키스하자 사르르 눈을 감았다.

혀를 넣어서 그의 입 안을 헤집었다. 은수는 입술이 약하다. 숨결이 묻어나는 아랫입술을 잘근거리며 입천장을 혀로 비비면 움찔거리며 손으로 나를 꽉 조이듯 끌어안는다.

은수의 목구멍을 비집고 신음 소리가 새어 나오기 시작했다. 내 엉덩이를 바싹 당긴 은수의 손이 말캉한 가슴을 움켜잡았다. 팬티를 내리고 안에 바로 들어온 그가 허리를 위로 찌르듯 움직였다.

"하, 여울아……."

은수의 벌어진 입술 사이로 뜨겁고 촉촉한 숨결이 흘러나왔다. 흥분한 채 탁해진 눈동자가 참기 힘든 듯 일렁였다.

붉어진 뺨이 나를 응시하며 달아오른 숨소리로 애원했다.

"해 줘, 제발."

소년의 날선 감정처럼 그의 예민해진 부분이 느껴진다. 서로의 목구멍에서 터져 나오는 신음 소리가 커졌다. 내가 허리를 움직이자 황홀과 고통 사이를 오가는 그가 인상을 쓴 채 가까스로 이를 꽉 악물었다. 의자 손잡이를 잡은 은수의 손등에 힘줄이 불거져 있었다.

"여울아, 너무 빨라. 좀 천천히……."

허리를 비튼 은수가 멈춰 달라는 듯 내 어깨를 짓눌렀다. 덮치듯 내 얼굴을 잡고 키스를 한 그가 "하아, 하아." 숨을 내쉬며 목에 핏대를 세웠다.

엉덩이를 좌우로 비비자 은수가 커진 눈으로 나를 쳐다보더니 몸을 움찔 떨었다. 그의 손이 내 허리를 확 잡아당겼다. 다급하고 거칠었다. 눈을 질끈 감은 은수는 몸을 내 안으로 넣으며 허리를 거세게 쳐올렸다. 손으로 의자를 짚고 빠르게 허리를 움직이던 그는 눈앞이 하얘지는 감각에 몸을 비틀며 고개를 뒤로 젖혔다.

"아, 읏……."

잠긴 목소리로 신음을 뱉던 은수는 내 목덜미를 정신없이 빨며 흥분한 채 솟은 몸을 더 깊숙하게 집어넣었다. 몸을 부르르 떨던 그는 내 어깨를 으스러져라 끌어안았다.

기분 좋아 보이는 눈빛이 흐리흐리하게 풀려 갔다. 은수의 뒷목을 어루만지던 나는 내 가슴골에 묻은 그의 얼굴을 끌어안았다.

짙은 여운에 풀어져 있던 은수가 서서히 고개를 들었다. 손을 뻗어 내 뺨을 잡은 그가 습관처럼 입술을 겹쳤다.

"사랑해, 여울아."

깊게 잠긴 목소리가 절박하게 속삭이는 이 순간이 좋다. 혀를 내밀어 내 입술을 빨며 벌려 달라고 애원하는 그의 불안한 눈빛이 좋다.

"나 안에 했는데."

"괜찮아."

안락의자가 끼익하고 뒤뚱거리며 흔들렸다. 은수는 내 허리를 움켜쥐며 이를 세운 채 봉긋 선 가슴을 물어뜯었다.

저번 달부터 우리는 암묵적으로 피임을 안 하기 시작했다.

"졸리면 말해, 침대로 데려가 줄게."

"응."

사랑을 나눈 뒤 눅진한 몸을 그의 가슴에 기댄 채 따뜻한 심장 소리를 듣는 게 좋다. 은수의 체취를 맡는 것도 좋고, 몸 여기저기에 남아 있는 그의 흔적을 여운처럼 느끼는 것도 좋다.

"그런데 너 요즘 보는 책들 보면 남자 주인공들이 죄다

연하더라?"

"그건 또 언제 봤어?"

"주기적으로 확인해, 김여울 취향."

"내 취향 확인해서 뭐 하게?"

"맞춤형 서비스 제공하려고."

"……."

"싫어?"

우리는 앞으로도 늘 이런 모습일 거다. 변함없이 티격태격하고 유치한 장난이나 치고, 그러다가 또 좋아서 얼굴 붉히고. 아무리 나이를 먹어도 은수는 내게 있어 열여섯, 그 시절 내가 속을 애태우며 설레고 좋아했던 소년일 테니까.

"좋은데 변태 같아."

"넌 그런 게 취향이잖아."

경박하게 속삭인 은수가 내 가슴을 콱 움켜쥐더니 살점을 뽑아내기라도 할 듯 거칠게 주무르기 시작했다. 귓바퀴를 비집고 들어온 혀가 따뜻한 입김을 불어넣었다. 나는 아랫입술을 사리문 채 신음을 참았다. 그런 내 얼굴을 빤히 쳐다보던 은수는 못 참겠는지 쿡쿡 웃음을 터뜨렸다.

"야, 웃지 마."

"네 반응이 너무 귀여워서 계속 하고 싶어져."

"네가 이러니까 변태라는 거야."

"이러는 게 뭔데? 여기 이렇게 빨고 만지는 거? 아니면 여기? 여기 만져도 돼?"

"나 올라갈래."

"알았어, 내가 잘못했어."

매 순간 나를 가장 순수했던 시절로 돌아가게 만들어 주는 사람. 은수의 품에 안길 때마다 나는 내 안에서 그때 내 뺨을 스쳤던 봄바람이 다시 불어오는 걸 느낀다.

감나무 오솔길을 따라 사각거리는 나뭇잎을 밟다 보면 아파트 창문 너머 어디에선가 뚱땅거리는 피아노 소리가 들려오고, 누군가 음악 수행 평가 연습이라도 하듯 서툰 리코더 연주 소리도 들려오고. 그 박자에 맞춰 사박사박 걷다 보면 코끝을 찌르는 은행 냄새가 묻어오고, 누군가 바닥에 흘린 아이스크림 냄새도 풍겨 오고. 그리고 다 녹은 아이스크림을 향해 줄지은 개미군단을 쫓다 보면 붉은 담벼락 끝에 먼저 온 녀석이 인상을 쓰며 나를 기다리며 서 있다.

– 왜 이렇게 늦었어, 김여울.

짜증을 내며 잔소리한 녀석은 내가 아지트 안에 무사히 들어갈 때까지 문고리를 꼭 잡은 채 놓지 않았다. 미리 박

카스를 뇌물로 바친 경비 아저씨를 향해 꾸벅 인사하는 것도 잊지 않던 너. 내 쪽을 흘끔거리며 피식 웃던 그 능청스러운 미소를 봐 뒀어야 했는데.

깍지 낀 서로의 손을 열 손가락 쫙 폈다가 다시 빈틈없이 꼭 맞잡았다. 지난 4년간 우리는 많은 곳을 여행했다. 많은 이야기를 나누었다. 새삼 서로에 대해 모르는 게 많다는 걸 깨달았다.

"사랑해, 은수야."

나를 침대에 눕힌 은수가 기분 좋은 듯 웃었다. 고개 숙인 그의 입술이 내 숨결을 베어 물며 느릿하게 속삭였다.

"내가 더 많이 사랑해."

서투른 젓가락 행진곡처럼 발맞춰 왈츠를 추듯이, 소리 나지 않던 '솔'이 내게 솔솔 휘파람을 불어 주듯이.

그렇게 나의 사계는 이제 전부 사랑스러운 너로 가득하다.

– fin

소녀는 순수하지 않다 2

초판 인쇄 2019년 4월 11일
초판 발행 2019년 4월 19일

지은이 박슬기
펴낸이 신현호
편집부장 예숙영
편집 박상희
편집디자인 한방울
영업·관리 김민원 조인희
물류 이순우 최준혁 박찬수

펴낸곳 ㈜디앤씨미디어
출판등록 2002년 5월 1일 제117-90-51792호
주소 서울시 구로구 디지털로 26길 111 JnK디지털타워 503호
대표전화 (02)333-2513 팩스 (02)333-2514
전자우편 dncbooks@dncmedia.co.kr
디앤씨북스 블로그 http://blog.naver.com/dncbooks

ISBN 979-11-264-4688-9 (04810)
ISBN 979-11-264-4686-5 (SET)